S0-BZM-503

Asfa-Wossen Asserate MANIEREN

MAN

ASFA-WOSSEN ASSERATE

IEREN

EICHBORN VERLAG

FRANKFURT AM MAIN 2003

17. Auflage 2005

Umschlagmotiv: Peter Schermuly,
Stilleben mit Brot, 1985 (Ausschnitt)
ISBN 3-8218-4739-5

Dieses Buch ist Deutschland,
dem Land, das mir Zuflucht gewährt hat,
und meinen deutschen Freunden
in Dankbarkeit gewidmet.

Mein Weg nach Deutschland

Mir scheint, als habe meine Erziehung von Kindesbeinen an kein anderes Ziel gehabt, als mich auf das vorzubereiten, was dann auch schließlich, von meinen Eltern allerdings weder gewünscht noch vorhergesehen, mein Schicksal wurde: ein Leben in Deutschland. Die Deutschen galten viel im Äthiopien des Kaisers Haile Selassie, der mein Großonkel war. Es war ihnen nicht vergessen, daß sie als eine der wenigen Nationen Äthiopien Beistand leisteten, als Mussolini das Land überfiel und Äthiopien sich vom Völkerbund im Stich gelassen sah. Vielen älteren Deutschen wurde der damals noch jugendliche Kaiser Haile Selassie zur vertrauten Figur, wenn er in der *Wochenschau* zu sehen war, wie er in der weißen *Shamma,* unserem togaartigen Nationalgewand, vor dem Völkerbund in Genf seine bewegenden, aber erfolglosen Reden hielt. Kaiser Haile Selassie fühlte sich den Deutschen so sehr verbunden, daß er 1954 die Einladung der jungen Bundesrepublik annahm und Deutschland einen Staatsbesuch abstattete, den ersten eines ausländischen Staatsoberhauptes überhaupt – vom Gesellschaftlichen her gesehen vergleichbar mit der berühmten Tasse Tee, die Johanna Schopenhauer Goethes nicht standesgemäßer Ehefrau Christiane Vulpius anbot und damit den allgemein über sie verhängten Bann aufhob. Man vergißt angesichts des Elends, in dem mein Land nach der Revolution versunken ist, sehr leicht, welche Stimme der Kaiser von Äthiopien in den fünfziger und sechziger Jahren im Konzert der Mächte besaß. Konzert klingt freilich zu harmonisch, gemeint sind die gefährlich dissonanten, sich über Jahrzehnte hinweg nicht auflösenden Akkorde einer durch viele Stellvertreterkriege gekennzeichneten Friedenszeit, und einem dieser Stellvertreterkonflikte ist Äthiopien dann schließlich auch zum Opfer gefallen. Aber bis es soweit war, drängten sich die Abgesandten der ganzen Welt am Hof des Kaisers, und wir selbst waren, und dies betrifft auch meine Kindheit und Jugend, in der ganzen Welt als geschätzte und umworbene Gäste zu Hause. Es war für meine Eltern eine Selbstverständlichkeit, mich und meine sechs Geschwister auf ein Leben vorzubereiten, das im Umgang mit Ausländern bestehen würde. Aber welchen Ausländern? Nördlich von Äthiopien liegen der Sudan und Ägypten, südlich Kenia. Mit Ägypten war Äthiopien durch das orientalische Christentum als älteste christliche Nation eng verbunden – warum nennt Frankreich sich eigentlich immerfort und unwidersprochen »Älteste Tochter der Kirche«? Der Stuhl von Alexandria war über Jahrhunderte hinweg unser »Heiliger Stuhl« – warum lernten wir nicht Koptisch? Der Sudan ist zum Teil arabisch und muslimisch, und die Äthiopier sind das einzige Volk auf Erden, das im Koran ausdrücklich vom Heiligen Krieg ausgenommen worden ist, weil Mohammed sich einmal äthiopischer Hilfe erfreute – warum lernten wir nicht Arabisch? Italien hatte uns im neunzehnten und im zwanzigsten Jahrhundert in der verspäteten Sehnsucht nach Kolonien mit Krieg überzogen; aber obwohl diese Kriege grausam waren und alles gekannt hatten, was anderswo »Kriegsverbrechen« genannt wird, waren viele Kolonial-Italiener nach dem Ende der italienischen Herrschaft im Land geblieben, hatten äthiopische Frauen geheiratet und lebten als Farmer und Handwerker – warum lernten wir nicht Italienisch? Nein, Deutsch war die Sprache, mit der ich als erster Fremdsprache aufwachsen sollte (das Englische verstand sich von selbst), und eine Fremdsprache kann man kaum nennen, was einen schon vor der Grundschule täglich umgeben hat.

Am Kaiserhof in Addis Abeba lebte eine deutsche Familie, die dort seit langem einen gewissen Einfluß besaß. Aus Schwaben waren die Halls während der Regierung von Kaiser Theodorus in den sechziger Jahren des neunzehnten Jahrhunderts als Missionare ins Land gekommen. Das Christentum konnten sie uns christlichen Äthiopiern nicht mehr bringen, aber was sie von europäischer Technik und Gesundheitswesen wußten, stieß auf großes Interesse. David Hall, der Sohn des Missionars, organisierte unter Kaiser Haile Selassie das Post- und Fernmeldewesen und wurde Kaiserlicher Staatsrat. Seine Schwester Vera Schuhmacher, geborene Hall, war eine Freundin meiner Eltern; sie war die erste Deutsche, die ich gesehen habe. Aus ihrem Mund habe ich die ersten deutschen Laute vernommen. Wie es immer in der Emigration geschieht – ich weiß, wovon ich rede –, bewahrten die Halls in ihren Gedanken und Erinnerungen, ihren Gewohnheiten und Gebräuchen ein Deutschland, das zu ihrer Jugend gehörte, und das war für uns Kinder der Inbegriff ihres Vaterlandes: Tante Vera war höflich bis zur Feierlichkeit, redlich bis zur Selbstaufgabe, ein wenig kühl, aber zuverlässig wie der Lauf der Sterne. Sie sprach gern deutsch, und sie sprach es, wenn ich mir dies Urteil erlauben darf, gut. Es ist bekannt, daß jede Sprache auch mit einer bestimmten Formung des Charakters, der Denkungsart, der Art zu sein einhergeht. Worin der Charakter des Deutschen nun genau besteht, will ich und kann ich in wenigen Worten nicht sagen, aber ich fühle bis heute, daß ich eine andere Wesensart annehme, wenn ich deutsch spreche.

Tante Vera war es auch, die meinen Eltern die österreichische Kindergärtnerin Louise Haunold vermittelte, die meine erste deutschsprachige Erzieherin wurde. Tante Louise verdanke ich meine erste deutsche Fibel und meine Liebe zu Vanillekipferln. Als einer der ersten Schüler trat ich 1955 in die soeben in Addis Abeba gegründete deutsche Schule ein, die mich nach im fernen Deutschland entwickelten Lehrplänen bis zum Abitur geführt hat. Eine bessere Vorbereitung für das Studium in Deutschland war nicht möglich. Und nun begannen auch die Reisen nach England, die mir die grandiosen, die hochherrschaftlichen Seiten der europäischen Kultur zeigten. England, das war für Leute wie für meinen Vater immer noch das Empire, die glanzvolle Entfaltung einer Macht, die den halben Erdball umspannte. In Afrika und Asien schauten die gebildeten Schichten gebannt auf den englischen Lebensstil, die Organisation der englischen Politik – die so modellhaft erschien und die so unnachahmlich war –, auf englischen Hochmut und englische Weltläufigkeit.

Blieb bei soviel europäischen Einflüssen eigentlich noch Raum für Afrikanisches und spezifisch Äthiopisches? Man könnte meinen, nicht, und als ich als junger Mann in Äthiopien lebte, fühlte ich mich von manchem, was ich dort als Volksbrauch mitbekam, so befremdet wie vielleicht ein gleichaltriger Europäer es empfunden hätte. Ich erinnere mich eines feierlichen Besuches, den mein Vater den Ben Amir, einem im Westen Eritreas lebenden muslimischen Stamm, abstattete, bei dem ich ihn begleiten durfte. Beim Festmahl wurde uns dort die größte Köstlichkeit bereitet, die sich die Mitglieder dieses Stammes denken konnten, ein gefülltes Kamel. In dem Kamel steckte ein Kalb, in dem Kalb ein junges Lamm, in dem Lamm ein Huhn und in dem Huhn ein Ei. Die Kunst des Tranchierens wurde hier ebenso hochgehalten wie am Hof von Burgund, wo es galt, einen vergoldeten Pfauen in hundert exakt gleich große Teile zerlegen zu können: Hier bei dem Kamel mußten die Schnitte so durchgeführt werden, daß auf jedem Teller, oder besser Pfannkuchen, der sowohl als Teller wie als Instrument diente, die Bissen zu fassen, von allen Fleischarten bis hinunter zum Ei ein Stückchen landete. Ich bewunderte zwar diese Kunst, aber sie war mir fremd und etwas unheimlich. Wie stark Afrika mich geprägt hat, ohne daß ich es mitbekam, habe ich erst im Exil begriffen: Der Umgang mit der Religion, der Respekt und die Verehrung in der Familie, das beglückende Erlebnis traditioneller Zeremonien, wie ich sie bei meinem Großvater Ras Kassa erlebt habe, der trotz seiner Machtfülle in mönchischer Askese lebte, die Freude über jede Art von Fest und das Rechnen in größeren

Zeiträumen als der schnellen Epochenabfolge der Europäer gehören zu den Erinnerungen, die mich wie eine Nabelschnur mit meinem Geburtsland verbinden.

Im Umgang mit England waren wir viel unbefangener als andere Afrikaner, weil Äthiopien niemals Kolonie gewesen war und weil das Kaiserhaus während der italienischen Besatzung (1936–1941) in England Zuflucht gefunden hatte. So wie ich England erleben durfte, war es für mich ein Sonntagsland. Deutschland war für mich immer das Werktagsland. Was ich an englischen Traditionen kennenlernte, war angefochten, aber hinter hohen und bis heute erstaunlich sicheren Bastionen verschanzt. In Deutschland erlebte ich zum ersten Mal in meinem Leben eine Gesellschaft in konfliktreicher Entwicklung. Ich weiß wohl, daß der alte Cambridge-Stil, von dem ich noch so viel mitbekommen habe, daß ich glaube, mich gleichfalls nostalgisch wie Evelyn Waugh an Jahre voller Glück erinnern zu dürfen, in den sechziger Jahren keineswegs mehr sicher in sich ruhte, aber von der Fassade stand noch viel. In Deutschland wurde ich, wie mein Vater es sich vorgestellt hatte, Mitglied eines Studentencorps in Tübingen, des altehrwürdigen Corps Suevia, um den wirklich »deutschen« Stil mitzubekommen. Hier konnte ich viele Freundschaften schließen, die auch in schweren Zeiten standhielten, und zugleich geriet ich mitten in die 68er-Bewegung hinein. Im Cambridge Union habe ich mit Trotzkisten und Maoisten im Smoking debattiert, und in Frankfurt sah ich, wie die Professoren unter einem Hagel fauler Eier aus den Hörsälen flohen. Die äthiopische Revolution, die sich sehr bald schon nicht mehr mit dem Werfen fauler Eier zufriedengab, hielt mich dann in Deutschland fest.

Ich studierte damals am Leo-Frobenius-Institut in Frankfurt am Main Geschichte und Ethnologie und beschäftigte mich mit unveröffentlichten Schriften der äthiopischen Geschichtsschreibung. Mein Vater wurde kurz nach dem Sturz des Kaisers ohne Urteil welchen Gerichtes auch immer erschossen; für meine Mutter und meine Geschwister begann eine über fünfzehnjährige Gefangenschaft mit gelegentlich sehr trüben Aussichten, denn den zweiundsechzig Männern, die mit meinem Vater zusammen erschossen worden waren, folgten, wie man heute weiß, noch Millionen Tote. Der alte Kaiser wurde gleichsam nebenbei mit seinem Kopfkissen erstickt. Man warf ihm vor, ein mittelalterliches Regiment geführt zu haben.

Dies ist nicht der Ort, die Geschichte Haile Selassies aufzurollen, die ohnehin noch ihrer eingehenden Darstellung harrt. Nur eine Bemerkung sei hier gestattet: Es ist richtig, daß vieles an der Herrschaft des letzten äthiopischen Kaisers in die Welt des Mittelalters gehörte – aber gerade an diesen mittelalterlichen Elementen ist der Kaiser gewiß zuallerletzt gescheitert. Man müßte vielmehr sagen: er ist zuwenig mittelalterlicher Herrscher gewesen. Er versuchte, nach dem Vorbild Nehrus oder Nkrumahs oder Maos einen modernen industrialisierten Zentralstaat zu erzwingen, und schuf damit in der äthiopischen Gesellschaft großen Konfliktstoff. Wie Äthiopien dann zu einer sowjetischen Kolonie unter einem besonders blutrünstigen Satrapen wurde, kann erst recht nicht mehr Gegenstand dieser Erklärungen sein, mit denen ich mich dem Leser vorstellen möchte.

Die Brücken zurück waren abgebrochen, und ich mußte darangehen, ein Land, das ich bis dahin als meine Schule angesehen hatte, zu meiner Heimat zu machen. Das Gefühl, mit dem ich nach langen Jahren meinen deutschen Paß entgegennahm, kann nur verstehen, wer schon einmal mit einem Fremdenpaß gelebt hat. Deutschland hat sich mir in den fünfunddreißig Jahren meines Lebens hier, wie ich glaube, von allen erdenklichen Seiten erschlossen. Ich habe das Glück gehabt, Freunde in allen vorstellbaren Milieus der deutschen Gesellschaft zu finden. Ich habe das noch größere Glück gehabt, viele alte Leute kennenlernen zu dürfen, deren Erzählungen mir geholfen haben, das, was ich splitterweise von Deutschland erfuhr, in ein größeres Bild einzuordnen. Sehr langsam habe ich meine Verblüffung überwunden, als ich bemerkte, daß jenes Deutschland, das mein Vater und Tante Vera und viele andere Deutschlandkenner in Äthiopien und ganz Afrika mit höchstem Respekt und Bewunderung betrachteten, sich selbst mißtrauisch und kleinmütig sah. Unvergeßlich ist mir ein Erlebnis in Paris, wo ich mit französischen Freunden, die sehr gut Deutsch sprachen, eine Ausstellung besuchte. Wir beugten uns gemeinsam über eine Vitrine und tauschten uns auf deutsch darüber aus, was wir sahen, als mich von hinten eine deutsche Dame, dem Aussehen nach eine Intellektuelle, anstieß und mir zuraunte: »Sprechen Sie doch nicht so laut, es merkt ja jeder, daß Sie Deutsche sind!« Als ich mich umwandte, war ihr Erschrecken größer als das des Papageno beim Anblick des Monostatos.

Ich nehme dies Erlebnis als ein *pars pro toto* für viele ähnliche, die mich gegenüber einem Land beunruhigten, dem ich vor allem Dank schulde. Klug aus den Deutschen werden, das ist nicht so leicht. Wenn Afrikaner oder Europäer aus anderen Ländern mich fragen, wie sie denn nun seien, die Deutschen, unter denen ich seit so vielen Jahren lebe, dann kann es passieren, daß ich antworte: »Ich weiß es nicht.« Deutschland ist nicht nur ein Land vieler sehr unterschiedlicher Regionen, sondern auch vieler, überraschend vieler Individuen, die ich jedenfalls nicht auf einen nationalen Nenner bringen kann. Deutschland ist nicht scharf abgegrenzt wie die britischen Inseln oder wie das »Heilige Sechseck« Frankreich oder wie der italienische Stiefel oder das Viereck der iberischen Halbinsel. Es ist ein großes Land mit verschiebbaren Grenzen; zu den verschiedenen Zeiten seiner Geschichte war es größer und kleiner als heute. Neben dem realen Deutschland scheint es mir immer auch ein potentielles Deutschland zu geben. Eine kleine Phantasie: Man stelle sich vor, Italien sei in eine kommunistische und in eine kapitalistische Hälfte geteilt worden. Wären deshalb daraus zwei Länder mit sehr unterschiedlichem Gepräge entstanden? Ich wette, nein. In Deutschland wäre das beinahe gelungen. Die Deutschen können sich auf ein Gedankenexperiment einlassen und es todernst nehmen.

Sie sind in der Lage, eine andere Lebensart anzunehmen, als habe sie immer schon zu ihnen gehört. Im neunzehnten Jahrhundert waren die deutschen Prinzen und Prinzessinnen als Ehegatten ausländischer Fürsten sehr begehrt, denn man wußte: Kaum hatte ein Deutscher oder eine Deutsche die Landesgrenzen überschritten, wurden sie zu den perfektesten Engländern, Russen, Bulgaren oder Belgiern aller Zeiten. Es gibt Freunde von mir, die behaupten, daß die Deutschen mich mit ihrer proteushaften Wandlungsfähigkeit angesteckt hätten und ich sei ein deutscher Äthiopier, vielleicht sogar ein äthiopischer Deutscher geworden. Aber sie haben natürlich nicht mit meiner afrikanischen Seele gerechnet!

ልጅ ፡ አስፋ ፡ ወሰን ፡ አሥራት ፡

Warum Manieren?

Mit dem Gedanken, eine Betrachtung über deutsche und europäische Manieren zu schreiben, gehe ich schon eine Weile umher. Ich hatte mir sogar schon einen Zettelkasten angeschafft, in dem ich nach dem Vorbild der berühmten japanischen Hofdame Sei Shonagon zum Beispiel zusammentrug: »Was häßlich ist.« Was war nach meinem Dafürhalten häßlich?

»Fremden Leuten ins Gesicht fassen.

Das Fernsehen laufen lassen, wenn Besucher den Raum betreten.

Rotweingläser zu voll schenken.

Über sein Gewicht sprechen.

In der Brusttasche ein Taschentuch aus demselben Stoff wie die Krawatte tragen.

Sich wundern.

Medizinische Ratschläge geben: Wußten Sie nicht, daß so viel Salz gesundheitsschädlich ist?

Sich im Theater mit dem Rücken zu den Sitzenden durch die Stuhlreihe zwängen.

Mit nacktem Oberkörper am Eßtisch sitzen.

Fremde Leute beim Abendessen fragen: Glauben Sie an Gott?«

Es wurde mir sehr schnell klar, daß diese Liste, so lange sie sich fortsetzen ließe, kein hilfreiches Konzept für ein Buch über die Manieren, wie ich es plante, barg. Ich wollte mich ja nicht als *arbiter elegantiarum* betätigen. Nichts wäre in der gegenwärtigen Verfassung der deutschen Gesellschaft lächerlicher, nichts vergeblicher. Ich habe deshalb auch keinen der vielen Ratgeber gelesen, die sich mit den Manieren befassen, obwohl viele davon gewiß sehr lesenswert sind. Die Leute fühlen offenbar ein gewisses Bedürfnis, sich über die Regeln der Verhaltensweisen in Gesellschaft zu unterrichten. Ist dieses Interesse nicht verblüffend? Man muß sich doch fragen, wer die Autorität sein soll, die über die Fragen der Manieren heute verbindlich Auskunft geben könnte. Gelegentlich meldet sich in solchen Fragen der Tanzlehrerverband zu Wort. Die Damen und Herren Tanzlehrer tagen offenbar in regelmäßigen Abständen und geben bei dieser Gelegenheit zu Protokoll, was sie dem deutschen Volk bezüglich der Manieren raten. In den Zeitungen erscheinen dann in der Saure-Gurken-Zeit Auszüge solcher Empfehlungen. »Spargel darf man neuerdings auch mit dem Messer schneiden«, heißt eine solche kleine Sensation auf dem Gebiet der Sitten, oder: »Smoking darf jetzt auch nachmittags getragen werden.« Gibt es irgend jemanden, der solche Ratschläge ernst nimmt? Es stimmt schon, daß in der Vergangenheit die Tanzlehrer häufig die Aufgabe übernommen haben, jungen Leuten außer den Tanzschritten auch einen gewissen Grundstock an Benimm-Regeln beizubringen. Nach der Französischen Revolution waren in der neuen Schicht der Mächtigen die Tanzlehrer des Ancien régime sehr gefragt, um die neugebackenen Herzoginnen den Umgang mit der Schleppe zu lehren, und sogar Napoleon, der auf seinen kurzen Beinen durch die Enfiladen zu stürmen pflegte, soll sich von einem Tanzlehrer der untergegangenen Zeit im Schreiten haben unterrichten lassen. Allerdings waren es nicht die Tanzlehrer, die die Etikette bestimmten; sie hatten aber die Leute gekannt, die einstmals kompetent gewesen waren, und waren nun Informanten, vor denen man sich nicht genieren mußte.

Es kennzeichnet unsere Epoche, daß diese eigentümliche Mischung aus Herablassung gegenüber den Manieren und verstohlener Neugier, wie sie die Jahre nach der Französischen Revolution hervorbrachte, die öffentliche Atmosphäre wieder bestimmt. Die politischen Rupturen waren in Deutschland so stark, daß man sich als Deutscher offenbar nicht vorstellen konnte, es gebe Regionen in Europa, die von diesen Brüchen und Erschütterungen verschont geblieben sein könnten. Seitdem die Deutschen sich in wachsendem Maße vertraut in Europa bewegen, haben sie, zum Teil mit nicht geringem Erstaunen, feststellen dürfen, daß die Welt der Manieren, die in Deutschland so gründlich untergegangen zu sein schien, in den Nachbarländern keineswegs obsolet geworden ist. Sind diese Länder nun rückständiger als Deutschland? Mancher ist sich da sicher, daß die verschiedenen Umstürze in Deutschland neben großem Schaden auch großen Fortschritt gegenüber den anderen europäischen Ländern gebracht haben. Wer nun für die Einführung der Gleichheit in Deutschland ursächlich verantwortlich zu machen ist (Napoleon, die Weimarer Verfassung, Hitler, die Kommunisten, die amerikanische *re-education* stehen zur Auswahl): man kann sagen, daß er oder sie Erfolg mit ihrem Programm gehabt haben.

So gilt es zunächst festzustellen: Eine Instanz, die in Deutschland den berechtigten Anspruch erheben dürfte, eine Aussage über die Manieren zu machen, gibt es nicht mehr. Manieren haben autoritären Charakter. Sie entziehen sich der Diskussion. »Über Geschmack läßt sich nicht streiten« gehört zu den vielen Zitaten aus der Antike, denen aus Unkenntnis ihres Zusammenhangs ein falscher Sinn untergeschoben worden ist. Man kann über den Geschmack nicht etwa nicht streiten, weil er Privatsache ist und im Belieben des Individuums liegt, sondern weil es nur einen einzigen guten Geschmack gibt, der aber ist ein Axiom. Wer ihn in Frage stellt, zeigt nur, daß er diesen axiomatischen Charakter nicht verstanden hat und sich auf der Ebene der Rationalität mit dem Geschmack beschäftigt, anstatt auf der einzig angemessenen, der des halb vegetativen, selbstverständlichen Vollzugs.

Die großen Lehrer der Manieren haben sich deshalb zu allen Zeiten niemals als Gesetzgeber verstanden, sondern als Deuter und Interpreten eines bereits vorliegenden, nach ihrer Vorstellung immer schon vorhanden gewesenen Korpus von

Regeln, das mit anderen Grundsätzen aus der Kunst, der Philosophie und der Religion in Harmonie stand und noch in der kleinsten Geste mit dem Gesetz des ganzen Kosmos verbunden war. Die dem eigenen Stande angemessenen Manieren wiesen dem einzelnen seinen Platz in diesem Kosmos zu und machten ihn dadurch überhaupt erst zum Menschen. Erzogen werden, Manieren annehmen, das waren Menschwerdungsakte. An erster Stelle vermittelte die Familie die Manieren. In der Familie fand das Kind die ganze Welt beispielhaft abgebildet: Gottes Barmherzigkeit in der Mutter, Gottes Gerechtigkeit im Vater verkörpert, Vater und Mutter als König und Königin, Mann und Frau in beispielhafter Weise. Die Eltern waren durch ihren Stand geformt, eine kollektive Formung, die schon deswegen nicht bezweifelt werden konnte, weil niemand daran dachte, seinen Stand zu verlassen. Es ist für die soziale Entwicklung Italiens gewiß bezeichnend, daß der Zeitgenosse von Tizian und Raffael, der Conte Baldassare Castiglione, gerade hier seinen *Cortigiano*, das Buch über die Manieren des vollendeten Höflings, schrieb – in Italien kannte man immer schon den Aufstieg über die Klassenschranken hinweg, weswegen für den Neuankömmling an höherem Ort aber auch ein Bedürfnis der Unterrichtung bestand.

Erzieher wurden in der Neuzeit, für die der gesellschaftliche Wandel, der Ortswechsel vieler Menschen, der moderne Staat stehen, die großen Institutionen: der Jesuitenorden, das preußische Militär – man unterschätze aber auch nicht den Einfluß des englischen und des österreichischen Militärs auf die Manieren. Ernst Jünger nennt auch die Stadt Paris als große Anstalt der Menschenformung. Weiterhin könnte man die immer systematischer ausgebauten diplomatischen Dienste in der Prägung durch Talleyrand und den Fürsten Metternich nennen; auf jeden Fall auch die englischen Public schools und die Colleges von Oxford und Cambridge, die ihre Zöglinge im Punkt der Formgebung radikaler in die Zange nehmen als jede andere Institution Europas – von der Erziehung zum Mandarin sei hier geschwiegen. Nach einem Wort von Joubert ist die Grundlage der Manieren die katholische Liturgie – in diesem Sinne war jeder Ministrantenunterricht, der die kleinen Buben in den Ritus einführte, Unterweisung und Formung der Manieren. Wieweit die deutschen Höfe an der Ausbildung der schließlich nach ihnen benannten »Höflichkeit« beteiligt waren, wage ich nicht zu sagen. Wien hatte selbstverständlich großen Stil, Berlin viel weniger, und die übrigen Höfe waren jedenfalls nicht »mondän«; die Verhältnisse im neunzehnten Jahrhundert waren überall bereits sehr bürgerlich, was teilweise übrigens sympathisch war, aber eben nicht stilbildend.

Wenn wir uns die großen gesellschaftlichen Korporationen von heute ansehen, erkennen wir leicht, daß sie von ganz anderem Charakter sind als die der Vergangenheit; auch das, was sie als Stil vermittelt haben und vermitteln, muß deshalb etwas anderes sein. Die politischen Parteien und Gewerkschaften – gleichgültig ob demokratischer oder diktatorischer Tendenz – haben sämtlich versucht, bis tief ins Familienleben der Staatsbürger hineinzuwirken, und sie müssen das auch tun, denn im Kampf um die Zustimmung gilt es, Bindungen zu begründen, die über die bloße Befürwortung des Parteiprogramms weit hinausgehen. Die öffentliche Schule hat einen allumfassenden Anspruch auf die Erziehung der Kinder angemeldet, die sich *nolens volens* in die Hände des Staates und der von ihm propagierten Pädagogik begeben müssen. Die großen Unternehmen haben in der Arbeitszivilisation Staaten im Staat gebildet, die alle Betriebsangehörigen einem eigenen, allumfassenden Firmenstil unterwerfen. Statt einer maßgebenden »Capitale du monde« ist der Großstadtlebensstil selbst für kleine Gemeinden verbindlich geworden, während zugleich immer riesigere Städte den wesentlichen Teil der Bevölkerung jedes Landes anziehen; hier ist Deutschland sogar eher untypisch mit seinen beinahe über die ganze Fläche des Landes verstreuten mittelgroßen Städten. Warum ist es derart machtvollen Körperschaften, die jeden unserer Zeitgenossen auf die eine oder andere Weise fest in ihrem Griff halten, trotz vielfacher Versuche nicht gelungen, in bezug auf den Umgang der Menschen miteinander verbindliche, von jedermann akzeptierte Manieren hervorzubringen und sie im öffentlichen Bewußtsein zu verankern?

Eine Erklärung unter vielen möglichen mag eine in der gesamten Geschichte neuartige Erscheinung sein: die Erfindung des Privatlebens. In Afrika und Asien kann man, wenn die Verhältnisse nur genügend rückständig sind, immer noch beobachten, was ein ungeteiltes Leben, die Existenz aus einem Guß bedeuten kann. In der vorindustriellen Welt gab es kein Privatleben. Das Leben war immer öffentlich. Tallemant des Réaux kolportiert eine Äußerung eines Edelmannes zu König Ludwig XIII.: »Sire, ich möchte nicht an Ihrer Stelle sein: immer allein essen und immer in Gesellschaft scheißen müssen!« Allein essen hieß im übrigen nicht, daß der König allein im Zimmer war, sein Hof stand während der Mahlzeit um ihn herum, »machte Umstände«, wie wir immer noch sagen, und bediente ihn zeremoniell so feierlich, daß die Speisen meist kalt auf seinen Teller kamen. Die Königin mußte ihr Kind in Anwesenheit des ganzen Hofes zur Welt bringen. Im Schlafzimmer des Königs mußte stets ein Diener schlafen, der mit dem Monarchen mit einer Schnur von Handgelenk zu Handgelenk verbunden war.

Royale Existenz war beispielhaft; so lebte, nach den Verhältnissen abgestuft, jedermann. In fast allen Schichten schliefen die Leute zu mehreren in einem Bett, keineswegs nur bei den Armen, auch in den Schlössern trieb die Kälte die Bewohner zusammen. Alle Stände lebten in größter Nähe zueinander. Der Reiche war bis in seine letzten Gewohnheiten beständig vom Armen beobachtet. Der Satz, niemand sei ein Held vor seinem Kammerdiener, stammt schon aus der Zeit des beginnenden Privatlebens. Weder Gottfried von Bouillon noch Ludwig XIV. hätten das Gefühl gehabt, in den Augen ihres Dieners weniger ehrfurchtgebietend zu sein als für den Rest der Welt, nur weil der Mann sie unbekleidet gesehen hatte.

Niemand konnte allein sein wie heute jeder Mann und jede Frau, die allein in ihrer kleinen Wohnung leben und nach der Arbeit die Tür hinter sich schließen. Eine Aufteilung des Lebens in einen öffentlichen und einen privaten Teil mit unterschiedlichen Verhaltensweisen, Kleidungsutensilien, Sprachstilen, womöglich sogar Denkstilen ist erst in der westlichen industriellen oder postindustriellen Massengesellschaft möglich geworden. Damit ist es den stilbildenden großen Korporationen aber auch verwehrt, mit ihrer Formation in das Privatleben einzudringen. Gegenüber dem enormen mentalen Druck des Lebens in der Öffentlichkeit, dem er sich beugen muß, setzt der Zeitgenosse seine Hoffnung auf die verschließbare Tür seiner Wohnung. Noch nicht einmal die Diktatoren des Jahrhunderts konnten ihm hierhin folgen, obwohl doch schon bald ein Radioapparat dort stand. Im Privatleben verliert der Zeitgenosse seinen Beruf, seinen Stand, jede Art von Verpflichtung. Die Freiheit, die die Demokratie allen verheißen hatte, ist im Privatleben zu Hause. Die Freiheit ist die Freizeit. Hier gilt kein Gesetz und keine Regel. Selbstverständlich hat auch diese Regellosigkeit alsbald einen äußerst geregelten, durch einen überall verbreiteten Freizeitstil gekennzeichneten Charakter angenommen, aber dieser Charakter ist sehr weit von dem entfernt, was man mit Manieren bezeichnen würde; Manieren gelten in dieser Freizeitzone des Privatlebens sogar als Last und Bedrückung, der nach der Arbeitswoche zu entkommen man sich für berechtigt hält.

Ein weiterer Grund für die Gespaltenheit, mit der die Gegenwart auf die Manieren blickt, sei skizziert. In der Gründungsepoche der Demokratie während der Französischen Revolution spielten ästhetische Fragen für die Revolutionäre eine zentrale Rolle. Der befreite Bürger, der *citoyen,* sollte ein Wesen sein, dessen Würde und Anstand die Könige beschämte. Das Beispiel des Königs war, auch im negativen Sinn, allgegenwärtig. Das außergewöhnliche Prestige der französischen Könige kam der Revolution zugute: Wer einen König von Frankreich in seiner Gottähnlichkeit köpfte, mußte selbst mindestens Prometheus, vielleicht gar ein jugendlicher Jupiter sein. Nach diesem Titanenaufstand mußten aus dem Bourgeois des alten Regimes Römer voll *gravitas*, Tugend und Pflichtbewußtsein werden. Nun, sie wurden es nicht, wie wir wissen. Die Hochstimmung der Gründungsphase der Demokratie dauerte nicht an, obwohl sie mit der Verkündung der Menschenrechte ein Dokument von quasi religiöser Feierlichkeit in ihre Fundamente eingemauert bekam.

Was war es, das den Bürger einer Demokratie seinen Stolz, ein Republikaner zu sein, verlieren ließ? War es die hochgespannte Rhetorik vom »Souverän«, die sich im republikanischen Alltag nur in den enttäuschenden Alternativen am Wahltag erfüllte? War es das Gefühl der Ohnmacht, das den einzelnen im egalitären Massenstaat erfüllte, das eindringliche Gefühl, es komme auf ihn und seine Wünsche nicht an? War es die Leichtigkeit, mit der sich die demokratische Ideologie mißbrauchen ließ, die Allgegenwart der Demagogie, die Scham darüber, unablässig von den Politikern belogen zu werden, aber zugleich den Politikern etwas anderes als die Lüge gar nicht zu gestatten – ein Verhältnis zwischen Politikern und Bürgern, das mit dem zwischen Rauschgiftsüchtigen und Dealern verglichen wurde? Ganz gewiß ist für den Mangel an Stolz, mit dem die europäischen Demokraten auf ihre Gemeinwesen blicken, auch verantwortlich, daß die Geschichte der Demokratisierung Europas mit dem politischen Niedergang Europas verbunden war. Die Demokratie in Europa ist die Geschichte eines gigantischen, in der Geschichte der Menschheit einzigartigen ökonomischen Erfolges, der mit einem für Europa ebenfalls neuartigen Verlust an Macht und politischem Einfluß einherging. Die modernen Europäer teilen das Schicksal Venedigs nach der Entdeckung Amerikas: Sie sind reich, aber der Takt der Musik wird anderswo angegeben.

Und es bewahrheitet sich, daß der Mensch für ökonomische Gaben nicht lange dankbar ist. Der Luxus wird selbstverständlich, um so mehr als der neue europäische Luxus mit heizbaren Swimmingpools und Garage für den Zweitwagen keinerlei Charme besitzt. Was die Europäer besitzen, sind nicht die »Berge aus Gold«, die Eldorado zum Ziel der Abenteurer machten. Ein Swimmingpool für jedermann ist ein beinahe erreichbares Ziel; der Kapitalismus hat das Märchenland des Karl Marx, in dem der Überfluß herrschte, in greifbare Nähe gerückt, man ahnt, wie es aussehen könnte, in manchen Gegenden der Erde ist es bereits verwirklicht – mit dem Ergebnis, daß sich alle Leute von Geist in Regionen flüchten, die von diesem Ziel so weit wie irgend möglich entfernt sind. Das Grab Christi zu befreien konnte über Jahrhunderte die Herzen der Armen und der Reichen mit wilden Träumen und der Bereitschaft zu äußersten Opfern erfüllen; der Traum vom heizbaren Swimmingpool bewegt die müden Hinterteile schon heute nicht mehr zehn unbezahlte Schritte über die Straße.

Es wäre vollkommen falsch, aus dieser grundsätzlichen Mißvergnügtheit gegenüber der Demokratie auch nur die bescheidenste Tendenz einer Sehnsucht nach anderen Zeiten, gar vergangenen, ableiten zu wollen. Keiner derjenigen, die den Enthusiasmus für die Demokratie verloren haben, wünscht sich eine andere Welt ernsthaft herbei oder zurück. Es ist wie mit einem Fünfzigjährigen, der schlecht gelaunt und halb ungläubig von seinem leidenschaftlichen Betragen von vor dreißig Jahren hört und doch keinen Tag noch einmal erleben möchte.

Die Manieren der vorindustriellen Jahrtausende, besonders des abendländischen Jahrtausends, waren mit dem Begriff der Repräsentation auf das engste verbunden. Der einzelne stellte durch seine Manieren mehr dar als sich selbst: Er repräsentierte seine Familie und seinen Stand, gegebenenfalls auch seinen Glauben, seinen König und sein Land, ja sogar, um noch größere Einheiten zu nennen, sein Geschlecht: Durch die Manieren wurden der Mann und die Frau zum Mann schlechthin und zur Frau schlechthin. Alle Übereinkünfte, auf die sich diese Kategorien stützten, sind aufgehoben. Wer in seinem nach den Regeln von Manieren stilisierten Verhalten irgend etwas anderes als sich selbst darstellen wollte, wäre so verrückt wie die große in Vorahnung der kommenden Welt erfundene Figur des Cervantes, der Don Quixote. Und ebenso verrückt und lächerlich wäre jeder, der in einem Buch die Regeln der Manieren einer atomisierten und radikal individualisierten Gesellschaft als etwas Verbindliches vorschreiben wollte. Verbindliche Regeln, wie man Menschen begrüßt, wie man sie anredet, wie man sie anzieht, wie man ißt, wie man Gäste empfängt, wie man heiratet und wie man stirbt, gibt es in Deutschland nicht mehr, und auch das übrige Europa hat eine deutliche Tendenz, sich von solchen Verbindlichkeiten zu verabschieden.

Jeder löst diese Vorgänge, wie es ihm Spaß macht oder wie er glaubt, daß es am bequemsten ist, und es ist auch niemand in Sicht, der sich über den vollständigen Mangel an Form entrüstet. Frauenzeitschriften und Gastronomieführer unterrichten zwar ihr Publikum in den Künsten des gehobenen Konsums und stellen die interessantesten Neuentwicklungen vor, die man auch noch auf den Tisch stellen kann, aber auch der begeistertste Schüler solcher Ratgeber wird hoffentlich nicht behaupten wollen, so etwas habe auch nur im entferntesten etwas mit Manieren zu tun.

Es zeigt sich allerdings, daß in der sich in starker Bewegung und ständiger Umwälzung befindlichen Gesellschaft ein eigentümliches Potential an romantischen Vorstellungen vorhanden ist. Die einzige Kraft, die nach Abschaffung der Stände die Gesellschaft allgemein anerkannt zu gliedern vermag, ist weder Bildung noch Leistung, sondern das Geld. Das Geld ist, wie man nicht erst seit Lessing weiß, unterschiedlich verteilt – »›Es ist doch sonderbar bestellt‹ / Sprach Hänschen Schlau zu Vetter Fritzen / ›Daß nur die Reichen in der Welt / Das meiste Geld besitzen.‹« Aber dieser Besitz ist nichts Statisches. Unablässig sieht das Publikum große Vermögen entstehen und vergehen. Möglicherweise hält diese Bewegung den Neid in Grenzen. Jeder muß sich sagen, daß ein großer Geldhaufen etwas ist, das von den dümmsten und primitivsten Gestalten erworben werden kann. Das Geld ist – jedenfalls scheinbar – in der Reichweite eines jeden. Wer kein Geld hat, heißt es, muß sich das selbst zuschreiben und gehört völlig zu Recht ganz nach unten auf der sozialen Stufenleiter. Die Zeiten, in denen in Deutschland der reiche Kaufmann viele Stufen unter dem armen Major stand, sind gründlich vergangen.

Mit Staunen betrachtet das Publikum die Reichen. Sie lösen das ein, was den anderen bloß verheißen ist: Sie sind frei. Erst bei ihnen entfaltet das Privatleben seine unbegrenzten Möglichkeiten. Regeln, über die sie sich hinwegsetzen könnten, gibt es nicht, aber sie sind auch dem tristen Rhythmus aus Ins-Büro-Gehen und den »schönsten Wochen des Jahres«, wie der Urlaub vielsagend heißt, nicht unterworfen. Ihre Launen, ihre Verschwendung, ihr stets gestillter sexueller Appetit, ihre Fähigkeit, den äußeren Zeichen des Alterns lange zu entkommen, lassen die Reichen in der Phantasie der Nicht-Reichen wie olympische Riesensäuglinge erscheinen, die der grauen Notwendigkeit enthoben sind und noch nicht einmal Opfer und Gebet der gedrückten Menschenschar fordern, weil sie auch von den Massen vollständig unabhängig sind. Wird ihnen ein Land zu unbequem, wechseln sie es mit Leichtigkeit und ohne Reue. Politische Systeme bestimmen das Schicksal der Massen, nicht der Reichen. Ohne die Erde verlassen zu müssen, leben sie jetzt schon wie auf einem anderen Stern.

Um auf diesen Stern zu gelangen, der so greifbar nah an den Wohnstätten der vielen vorbeizieht, muß man sich freilich eine Weile plagen. Und in diesem Zusammenhang kommen auch die Manieren wieder ins Spiel. Die Soziologen haben festgestellt, daß es in dem Dauerwandel der Gesellschaft auch Konstanten gibt. Man glaubt zu sehen, daß die Abkömmlinge »guter« Familien bessere Karrierechancen besitzen. Wo in den früheren Generationen schon einmal Geld war, da komme auch jetzt leichter wieder welches hin. In den früheren Generationen – das war die Zeit, die von den Manieren geprägt war.

Manieren haben bedeutet, aus einem Milieu zu stammen, das schon seit eh und je mit Geld versehen oder jedenfalls in der Nähe von großem Geld angesiedelt war, das den Geruch des Geldes schon in der Nase gehabt hatte, das wußte, wie das Geld sich anfühlte und welche Leichtigkeit es verlieh. Die gesamte Leichtigkeit der Manieren war schließlich nichts anderes als die genetische Gewohnheit, vom Geld über die Lebenshindernisse hinweggetragen zu werden.

Es liegt mir fern, über Aufsteiger zu spotten, deren Klugheit und Energie oft genug bewundernswert sind und deren schöpferischer Ehrgeiz die Welt verändert. Aber ich kann nicht anders, als über die Vorstellung zu lächeln, das Erlernen der Manieren sei auf dem Weg nach oben hilfreich. Gewiß, die Welt besteht nicht nur aus Aufsteigern. Dem Aufsteiger begegnen auf seiner gefahrvollen Expedition ans Licht manche »Mitglieder der alten Eliten«, wie Nachkommen des Adels und der vermögenden Bourgeoisie gern fälschlich genannt werden. Adel ist eben gerade keine Elite, er ist nicht das Ergebnis einer »Auswahl«, eines wie immer gearteten Wettstreites, in dem die beste Leistung siegt, sondern Ergebnis von Zucht und Tradition; Elite und Adel stehen nebeneinander, decken sich nur gelegentlich und haben unterschiedliche Funktionen. Diesen »alten Eliten« in Bank- und Industrievorständen und als Inhaber großer Vermögen wird nun eine Schwäche für Manieren nachgesagt; meist haben sie in Wahrheit ein überaus nüchternes Verhältnis dazu und erwarten außerhalb des Familienkreises gar nichts mehr.

Manieren schön und gut – aber welche? Der Aufsteiger hat ein Gerücht gehört, schlimmer als schlechte oder gar keine Manieren seien die falschen. Was ihn seine Eltern gelehrt haben, sind vermutlich die falschen. Ein Gespenst geht um in der klassenlosen Gesellschaft Deutschlands: die Angst, für kleinbürgerlich oder spießig gehalten zu werden. Alles, nur das nicht. Wer sind denn nun diese gefürchteten Kleinbürger, die Klasse, zu der niemand gezählt werden möchte? Wenn man nach einem möglichst grundsätzlichen Maßstab Ausschau halten wollte, könnte man vielleicht sagen: Die Kleinbürger bilden die Klasse, die weder befiehlt noch dient.

Wer diese Definition zuläßt, wird sich womöglich verblüfft die Augen reiben. Gibt es nach ihr eigentlich überhaupt noch etwas anderes als Kleinbürger? Befehls- und Gehorsamsverhältnisse gibt es nur noch beim Militär und in der religiösen Hierarchie; bei den Beamten wird ihr Abbau mit Energie betrieben. Alle übrigen Leistungsverhältnisse sind privatrechtlich oder arbeitsrechtlich geregelt, nach dem Prinzip von gegenseitigen Forderungen aus einem Vertragsverhältnis. Die Lebensformen gleichen sich immer mehr an: die Ein-Kind-Ehe, die Drei-Zimmer-Wohnung, später das Vororthäuschen mit dem Grillplatz im Garten, Büro und Urlaub, schließlich das gepflegte Seniorenstift und ein Grab, das eine Art Wiederholung des längst schon wieder verkauften Vorgartens ist – das sind die Lebensumstände des Elektromonteurs und des Feuilletonredakteurs, des Augenarztes und des Immobilienmaklers, des Prokuristen und des Studienrates.

Das so geführte Leben muß wahrlich kein schlechtes Leben sein; es ist eine Torheit, von interessanteren Lebensumständen größere Höhen und gefährlichere Tiefen der Empfindung zu erhoffen. In Harar in der äthiopischen Provinz Hararge stand lange noch das schäbige weiße Haus, das der große Rimbaud bewohnte, nachdem es ihm unerträglich gewesen war, in Charleroi über einem Gemüseladen zu leben. Ich habe das Haus in Harar gesehen, bevor ich wußte, welche Gedichte Rimbaud geschrieben hat. Aus einem gewissen Abstand gesehen, ist es beinahe gleichgültig, ob einer mit Waffen oder Gemüse handelt. Nur eines steht fest: Nichts von dem, was Rimbaud in Harar erlebte, kann an das herangekommen sein, was er sah, als er seine *Jahreszeit in der Hölle* oder auf dem *Trunkenen Schiff* verbrachte, während er sich kümmerlich in Europa durchschlug.

Dies sei nur vor dem Hintergrund bemerkt, wie schändlich und beschämend der Vorwurf der Kleinbürgerlichkeit in einer Welt empfunden wird, die beinahe vollständig dem kleinbürgerlichen Erscheinungsbild und der kleinbürgerlichen Wirklichkeit entspricht. An diesem Zustand soll und kann nun gar nichts geändert werden; auch der Aufsteiger hat kein anderes Ziel, als das kleinbürgerliche Lebensideal in größerem Rahmen fortzusetzen, falls er nicht durch die Wolkendecke zu den göttlichen Reichen vorstoßen sollte. Es soll nun nur scheinen, als habe ein Schwanenei im Entennest gelegen; der Aufsteiger will sich als von Anfang an anderer Artung und Herkommens darstellen. Wenn er Erfolg hat, wird er die bis dahin gut ausgewachsenen Schwanenflügel ausbreiten und jeder wird sehen, daß er schon von Anfang an für Großes vorgesehen war. Und nun beugt er sich in den schmal bemessenen Mußestunden über Weinführer und studiert Ratgeber für die richtige Lagerung der Zigarren. Er läßt sich in teuren Geschäften von versierten Verkäufern bei der Auswahl der Krawatten beraten – den Typ solcher in den mondänen Gepflogenheiten unterrichteten Verkäufer gab es schon in der Antike; Juvenal nennt sie die »servi culti«, die kultivierten, erzogenen, eleganten Sklaven, die er zu den Plagen der Großstadt Rom zählte. Dann gibt es Bücher, die über Briefformeln unterrichten oder über die »richtige Art« des Briefpapiers, und das Tischdecken und das Vorstellen. Manchmal stellt einer über der Lektüre fest, daß er dies alles sich wohl würde aneignen können, seine Frau aber wohl nicht. Dann muß eine andere Frau her, hübsch wie ein Mannequin, weltläufig wie eine Stewardeß, mit den Fremdsprachenkenntnissen einer Sekretärin mit Auslandserfahrung, geübt im Speisekartenlesen und im Kleider-Einkaufen.

Es ist inzwischen klar, daß dieses Buch ein solcher Führer durch die Manieren nicht sein kann und nicht sein will, und das, obwohl auch in ihm vom Tischdecken und vom Briefeschreiben die Rede ist. Seine Andersartigkeit verdankt dieses Buch einem anderen Blick auf seinen Gegenstand. Was ich zusammengetragen habe, entspricht nur dem, was ich gesehen habe oder was mir von glaubwürdigen Zeugen berichtet worden ist. Meine Fragen waren: Was ist das ästhetische Gesetz der Manieren, wie sie heute in Deutschland anzutreffen sind? Welche Milieus in Deutschland halten Manieren für wichtig? Wieviel Geschichte ist in dem, was an Manieren geübt wird, noch lebendig? Wie verhalten sich die Manieren der Deutschen zu denen in anderen europäischen Ländern?

Keine dieser Fragen bin ich systematisch angegangen, und ich glaube, damit dem Geist meines Themas zu entsprechen, denn die Manieren sind kein System, sie sind logisch nicht erschließbar und sie entziehen sich der exakten Fixierung. Gerade in Deutschland wird es immer wieder vorkommen, daß irgendeine Sitte, die man sicher sistiert zu haben glaubt, andernorts in vergleichbarem Milieu überhaupt nicht bekannt ist oder ganz anders gehandhabt wird. Obwohl ich die europäischen Manieren schon als kleiner Junge kennengelernt habe, ist es ein Blick von außen. Da erscheinen die europäischen Manieren als die weithin auffällige, weithin strahlende Oberfläche eines großen Massivs aus Geschichte, Traditionen, Glaube und Moral, so wie der Schnee auf einer vielfältig geformten Berglandschaft liegt und ihre Silhouette teils betont und teils verschleiert. Wer die Manieren der Europäer und insbesondere der Deutschen beschreiben will, muß das Schönheitsideal dieses Kontinents kennen, das für Europa typische Verhältnis von Mann und Frau, die Rolle der Religion, die Geschichte der Stände und aus ihr heraus den Umgang mit der Ungleichheit der Menschen, und das Bild Europas vom geformten, gelungenen Leben. Ideale werden selten verwirklicht oder nie, aber es verrät tiefe Unkenntnis der menschlichen Verhältnisse, sie deshalb nicht ernst zu nehmen, eine Schläue, die den Wert der Dinge nicht ermitteln kann, wenn sie deren Preis nicht kennt. Im Ganzen muß es bei einer Beschreibung der europäischen Manieren viel eher um das Herausbilden eines bestimmten Menschentypus gehen als um die Aufzählung von Regeln; und auch die Regeln, wo sie dennoch aufgezählt werden, sollten stets auf den menschlichen Charakter hin betrachtet werden, den sie verlangen, um ungezwungen ausgeführt zu werden.

Dem Autor konnte freilich nicht verborgen bleiben, daß die historischen, politischen und sozialen Umstände der Herausbildung dem Weiterleben dieses europäischen Typus im letzten Jahrhundert nicht günstig waren und in diesem, gerade angebrochenen, vielleicht noch viel weniger günstig sein werden. Europa befindet sich seit zweihundert Jahren in einem Umbruch, der keineswegs sein Ende erreicht hat. Neue Lebensformen zeichnen sich ab, alte bestehen noch fort. Dem Europäer wird eher auffallen, was sich geändert hat, dem Nicht-Europäer fallen auch die Konstanten auf. Vieles von dem, was dem Europäer untergegangen zu sein scheint, lebt in Wahrheit, manchmal in nicht sofort erkennbarer Form, fort. Man denke auch daran, daß starke Rupturen für die europäische Geschichte charakteristisch sind, ebenso wie Renaissancen.

Damit soll nicht die Hoffnung ausgedrückt werden, daß die Umstände, deren Zeugnis die Manieren sind, wiederkehren. Die Manieren sind ein gegenwärtiges Phänomen, undeutlich sichtbar, aber nicht aus der Welt und, was noch wichtiger ist, nicht aus der Phantasie geschafft. Die Absicht dieses Buches ist ganz ausdrücklich nicht, irgendwelche Regeln zu den Manieren zu verkünden. Einige wenige Leser könnten ihm jedoch die Anregung entnehmen, zu versuchen, eine Person zu sein, zu der Manieren passen, und dann womöglich eigene zu erfinden und alles ganz anders zu machen. Etwas von einer der Schlüsselfiguren der Moderne, dem schon erwähnten Don Quixote, gehört dazu, der ritterlich sein wollte, obwohl es schon lange keine Ritter mehr gab. Und man erinnere sich: Don Quixote hatte Erfolg. Ein »neues goldenes Zeitalter« wollte er für Spanien heraufführen, wie er Sancho Pansa erklärte; und er führte wirklich ein »goldenes Zeitalter« herauf, das zu Recht so genannte *siglo de oro* der spanischen Kunst, das golden vor allem auch wegen der Narreteien war, die Don Quixote in der Mancha mit erfundenen Damen getrieben hatte.

Die Ehre

Wenn man die Person betrachtet, die Manieren hat und auf die sich alle Betrachtungen über die Manieren notwendig beziehen müssen, kommt man nicht darum herum, auf den einen Begriff einzugehen, der unserer gesellschaftlichen Realität wohl am allerfernsten liegt: die Ehre. Die Ehre scheint endgültig untergegangenen Zeiten anzugehören. Vielleicht ist im Begriff der Ehre am allermeisten von dem enthalten, was uns von der Vergangenheit trennt. Das würde mancher zwar abstreiten. Ist nicht auch heute noch in Verleumdungsprozessen etwa von der Ehre eines Klägers die Rede? Wenn in einem modernen Strafverfahren jedoch einmal die Ehre einer Person ins Spiel gerät, kann man sicher sein, daß es sich nicht um das Institut handelt, das der alteuropäische Ehrenbegriff meinte. Eine Ehre, deren Rechte ein Gericht unter Abwägung anderer Rechtsgüter dem »Ehreninhaber« zugesteht, eingrenzt, für betroffen oder nicht betroffen erklären kann, hat mit dem Begriff der Ehre, der tausend Jahre lang die europäische Welt beherrschte, nichts zu tun. Die Ehre entstammt einer Zeit, in der Kollektive, auch Stände genannt, viel galten, die Zentralgewalt aber wenig. Sie war Ausdruck einer der zahlreichen Paradoxien der ständisch gegliederten Welt: auf der einen Seite forderte sie vom einzelnen Unterordnung und Gehorsam, auf der anderen gebot sie, daß jeder seine Ehre höchstpersönlich mit allen Mitteln zu schützen habe, auch wenn er sich dadurch mit allen Mächten und Gesetzen anlegen mußte und schließlich den kürzeren zog und unterlag. Der alte Begriff der Ehre pflanzte den Samen der

Anarchie in die gesellschaftliche und staatliche Ordnung. Lange Zeit war das Duell streng verboten, wer aber nach einer Ehrverletzung der Duellforderung auswich, hatte, als Soldat etwa, eine Entlassung in Unehren zu befürchten.

Das Duell war im übrigen eine streng geregelte Prozedur, auf deren Gesetze wir hier nur deshalb nicht eingehen, weil sie gegenwärtig nicht von praktischem Interesse sind. Die Wahl der Waffen, die Sekundanten, die Überbringung der Forderung, die Distanzen zwischen den Kombattanten waren genau festgelegt. Eine Metzelei sollte ein Duell nicht werden, das »Übers-Schnupftuch-Schießen«, bei dem die Tötung wenigstens eines Duellanten sicher war, war verboten. Auch nach der »Satisfaktionsfähigkeit« des Herausforderers wurde gefragt, aber es war nicht geraten, sich hinter vermeintlicher »Satisfaktionsunfähigkeit« zu verstecken.

Die Ehre war der Ausdruck des Glaubens, daß nicht alle Fragen des menschlichen Zusammenlebens staatlich, gesetzlich und gesellschaftlich zu lösen sind. Sie forderte vom einzelnen eine Kampfbereitschaft, die den eigenen Untergang einschloß. Die Ehre führte zu gräßlichen Katastrophen: Väter verstießen oder töteten gar ihre Töchter, Familien führten blutige Kriege gegeneinander, bis sie sich vollständig ausgelöscht hatten. Familienväter schossen sich gegenseitig im Duell tot, oder töteten sich selbst, um der Schande zu entgehen. Die Literatur hat sich vielfach, zwischen *Michael Kohlhaas* und *Effi Briest,* solcher Verbrechen »aus verlorener Ehre« angenommen. Wer das Unglück, das aus dem alten Ehrbegriff stammte, in Betracht zieht, wird dem Erlöschen dieses alteuropäischen Ehrgefühls schwerlich nachtrauern können. Und doch muß ich bekennen, daß ich mich an die eigentümliche Zahmheit des gesellschaftlichen Lebens in Europa erst gewöhnen mußte, als ich aus Afrika hierherkam.

Der äthiopische Kaiser führte, wie man gerade auch in Deutschland allgemein wußte, den Titel »Negus Negest« – das heißt »König der Könige«, und mit diesen Königen waren die Stammeskönigreiche gemeint, die zusammen das äthiopische Kaiserreich bildeten, aber auch in einem anderen Sinn paßte dieser Titel nicht schlecht: auch als Herrscher über den Vielvölkerstaat war der Kaiser ein »König der Könige«, weil jeder Untertan, und sei es der ärmste Bauer, sich mit seiner rostigen Flinte in der Hand als König fühlte, als souveräne letzte Instanz in allen Fragen seiner Person und seiner Familie. Man mag es für absurd halten, wenn ein solcher Mann sich unter der Herrschaft eines absoluten Monarchen für frei hielt, aber ich schwöre, daß er das tat. Und ich bin mir nicht so sicher, ob sich der durchschnittliche Europäer mit seinem Wohlstand und seiner Freizügigkeit in seinem tiefsten Innern wirklich genauso frei fühlt, oder ob er sich nicht vielmehr mit tausend Fäden in die gesichtslose gesellschaftliche Maschinerie eingebunden sieht. Die Frage der Ehre jedenfalls hat sich für den Europäer erledigt. Wer gekränkt und verletzt, wer beleidigt und gemobbt wird, muß, sofern diese Verfolgungen so intelligent angelegt sind, daß kein Gesetz verletzt wird, seinen Groll herunterschlucken. Die Unmöglichkeit, die Verletzung der eigenen Ehre zu rächen, schafft übrigens auch die Unmöglichkeit, aus vollem Herzen zu verzeihen. Wird aus dieser Disposition nun ein edlerer Menschentypus entstehen als der ehrenstolze und ehrenverrückte Duellant und Totschläger der Vergangenheit? Diese Frage ist so lange unerheblich, als die Strahlkraft des Begriffs noch nicht vollends erloschen ist, und ich meine, hier, bei manchen Menschen jedenfalls, immer noch eine gewisse Wärme und Faszination zu spüren. Was die alte Ehre auszeichnete, ist *in abstracto* auch heute noch nachvollziehbar: das starke Bewußtsein, unter einem eigenen, für niemanden als einen selbst geltenden Gesetz zu stehen, für dessen Einhaltung man ganz allein verantwortlich ist. Die heidnischen Römer glaubten, mit jedem Menschen werde zugleich ein Genius geboren, die Geburtsgottheit dieses Menschen, der dann übrigens auch die Ehrung am Geburtstag galt. Die Ehre ist im Grunde nichts anderes als ein solcher Genius: man selbst noch einmal in Überlebensgröße. Der Ehrbewußte sieht durchaus den Abstand, der ihn von diesem überlebensgroßen zweiten Ich trennt; daraus entsteht für ihn eine Spannung, die ihn nicht zur Ruhe kommen läßt. Sich mit dem zufriedenzugeben, »wie man nun einmal sei« – »sich mit all seinen Fehlern und Schwächen annehmen können«, wie das in der Sprache psychologischer Ratgeber gerne heißt –, ist seine Sache nicht. Der Ehrbewußte will wachsen, und dabei geht es ihm nicht darum, der eigenen Größe »noch eine Elle hinzuzufügen«, sondern die eigene Größe überhaupt erst einmal zu erreichen. Es ist bei dieser Verfaßtheit der Person beinahe gleichgültig, mit welchen Werten und Inhalten sich dies Ehrgefühl füllt, wichtig ist nur, daß es unbedingt und von anderen unbeeinflußbar ist. Es ist typisch für den Ehrbewußten, daß es ihn drängt, gewisse Dinge, die ihn womöglich viel kosten, unbezahlt zu tun.

Alle Tätigkeiten von staatstragendem Charakter hatten einstmals unentgeltlich geleistet zu werden. Daß es immer Lumpen gab, die sich dabei dennoch die Taschen zu füllen wußten, liegt auf der Hand, aber es gab immer auch viele, die sich für den Staat als Offiziere, die auf eigene Kosten ihr Regiment ausrüsteten, oder als Botschafter, die auf eigene Kosten für ihren König Pracht entfalteten, ruinierten. Dichter bekamen, wenn sie Glück hatten, ein Ehrengeschenk, aber sie verkauften ihre Dichtung nicht. Ärzte durften gleichfalls keinen Werklohn für ihre Mühe einfordern. Der Hausarzt stellte bis zu Beginn des letzten Jahrhunderts keine Rechnungen, sondern erhielt einmal im Jahr ein Ehrengeschenk, das uns wohlvertraute »Honorar«, und zwar gleichgültig, ob er zu Rate gezogen worden war oder nicht. Natürlich war die Ehre ein Klassenideal, aber das hieß nicht, daß es keine Handwerksehre gegeben hätte, Arbeiten »zünftig« auszuführen, nach den von der Zunft aufgestellten Maßstäben, und nicht betrügerischen Pfusch abzuliefern, der einen höheren Gewinn versprach. Auch die »Ganovenehre« soll nicht vergessen werden, ein Rechts- und Anstandsempfinden mitten im Unrechtlichen und Unanständigen. Nostalgische Kriminalbeamte können davon geradezu rührende Geschichten erzählen; auch die Ganovenehre sei der Globalisierung des Verbrechens geopfert worden.

Im »Ehrenamt« ist von solcher Gesinnung oft noch etwas lebendig. Das Ehrenamt besteht ja darin, daß man für seine Arbeit kein Geld, sondern Ehre erhält. Aber was für eine Ehre soll denn das sein, die der Kassenwart des Gesangsvereins für sein Ämtchen einheimst? Viele werden sich unter dieser Ehre nichts vorstellen können, aber der Kassenwart kann es, auch wenn ihn seine Frau einen Narren nennt, der soviel Zeit an den idiotischen Verein verschwendet. Närrisch sind die Ehrbewußten mehr oder weniger alle. Sie kennen ihren Vorteil nicht, oder besser: sie suchen ihn, wo kein vernünftiger Mensch ihn suchen würde.

Erstaunlicherweise empfinden viele Leute, die sonst nicht hoch von der Ehre denken, welche Orden für den Ausgezeichneten eine Ehre darstellen und welche nicht. Ehre ist etwas Persönliches und kann auch nur von einer Person, nicht von einer Institution vermittelt werden. Eine Ehre auf Mehrheitsbeschluß ist eine sonderbare Ehre. Die ironische Betrachtung der republikanischen Ehrungen und das Prestige, das heute noch Ehrungen aus den Händen eines Monarchen genießen, sind etwas ungerecht, denn die *honour's list* der englischen Königin kommt genauso zustande wie die Ordensliste des deutschen Bundespräsidenten, nämlich durch den Parteienproporz und irgendwelche Gefälligkeiten, aber der bloße Unterschied, daß der eine Orden im Namen einer Person und der andere im Namen des Volkes verliehen wird, gibt dem einen Glanz, während, zu meiner Verblüffung, der andere nicht einmal überzeugte Republikaner mit allzu großem Stolz erfüllt. Ich bin davon überzeugt, daß der Nobelpreis einen bedeutenden Teil seines Ansehens aus der Tatsache bezieht, daß man ihn aus den Händen eines regierenden Monarchen empfängt. Wer kennt schon die Mitglieder der Schwedischen Akademie? Manchmal hört man Unrühmliches über sie, aber so schlecht, daß der Nobelpreis darunter litte, können sich die gelehrten Damen und Herren gar nicht benehmen, solange es zum Schluß der König ist, der den Preis überreicht. Die königsgleichen amerikanischen und französischen Präsidenten können, bei gleichzeitigem Heraufschrauben des nationalistischen Überdrucks übrigens, noch ebensolche als wirklich ehrenvoll empfundene Wirkungen erzielen.

Was hat dies alles nun mit den Manieren zu tun? Sehr viel. Manieren schweben nicht in der Luft wie das Lächeln der Cheshire-Cat aus *Alice im Wunderland.* Sie sind die Verhaltensweisen von Menschen, und dabei läßt sich feststellen, daß die besonders ehrbewußten Menschen die besten Manieren haben, auch wenn sie in dieser Hinsicht nie unterwiesen worden sind. Manieren scheinen »Ehrensache« zu sein. Es scheint, als ob Menschen mit Ehrgefühl, das, wie gesagt, stets mit einer gewissen Narrheit einhergeht, auch für das Närrische an den Manieren ein natürliches, zwangloses Verständnis haben. So eng verknüpft sind die Ehre und Manieren, daß man sagen könnte, die Manieren seien das Gewand, in das die Ehre sich auf ihren Weg durch die Welt kleidet.

Aufmerksamkeit & Nachlässigkeit

»Et surtout pas de zèle!«
Talleyrand, *Anweisung an die Beamten des Außenministeriums*

Die folgenden beiden kurzen Überlegungen müßte man eigentlich auf zwei gegenüberliegenden Seiten drucken und versuchen, sie auf einmal zu lesen. Jedes Stück enthält die ganze Wahrheit über einen wichtigen Aspekt der Manieren; beide Wahrheiten werden voneinander nicht relativiert oder geschwächt oder sind irgendwie kunstvoll zu mischen – nein, beide erheben den Anspruch auf vollständige Verwirklichung. Wer das leisten soll, das mag der alte Gurnemanz, der Erzieher des Parzival, oder der noch ältere Zentaur Chiron, der Erzieher des Herkules, wissen.

Die erste Überlegung gilt der *Aufmerksamkeit.* Die Aufmerksamkeit ist ein derart wichtiger Bestandteil der Manieren, daß man gelegentlich die Begriffe dafür austauscht und einen höflichen Menschen »aufmerksam« nennt. Die Aufmerksamkeit ist keine Regel, die man kennt und einhält oder verletzt; sie gehört zum Fundament der Person. Aufmerksamkeit ist eine Grundhaltung des Menschen der Welt gegenüber. Der Aufmerksame hat sich dazu entschieden, nicht sich selbst, sondern die ihn umgebenden Phänomene zu betrachten, man könnte auch sagen, sich selbst ausschließlich im Spiegel der anderen wahrzunehmen. Der Aufmerksame ist darauf konzentriert, die Lage, in der er sich befindet, zu erkennen. Er blickt die Menschen, die ihm begegnen, an. Diese Menschen sind ihm wichtig. Es gibt keine unwichtigen Menschen und unwichtigen Beobachtungen. Was in der jeweiligen Situation vernachlässigt werden kann, muß zunächst wahrgenommen werden. Auf jeden Fall zu vernachlässigen ist die eigene Person. Sie kennt im Zusammenspiel mit den anderen keine eigenen Bedürfnisse, ist nicht hungrig, nicht durstig, es zieht ihr nicht, sie braucht keinen Stuhl und kein Kissen. Es kommt auf ihr Befinden nicht an; dafür um so mehr auf das Befinden jedes einzelnen Anwesenden.

Der Aufmerksame kennt alle Namen, spricht sie richtig aus, kennt eventuell dazugehörende Titel und weiß, wann sie wegzulassen sind und wann nicht, erkennt jede Person wieder, die er einmal kennengelernt hat, oder weiß doch zumindest, den überzeugenden Anschein solchen Wiedererkennens zu erzeugen. Das ist im übrigen eine königliche Eigenschaft, auch wenn die Monarchen gelegentlich einen diskreten Nomenklator mit sich führen, an den sie die Pflicht der Erinnerung delegiert haben. Aber auch Armeechefs wie Napoleon haben davon profitiert, bei der Parade auf einen einfachen Soldaten zuzugehen und ihm auf den Kopf zuzusagen: »Du warst doch als Gardejäger bei Marengo dabei!« Nur, daß der Aufmerksame eben von seiner Aufmerksamkeit nicht profitieren möchte. Seine Aufmerksamkeit ist seine Natur. Es ist wichtig, Menschen zu erkennen, sie haben ein Recht darauf.

Aber nicht nur ihr Name, auch die Verdienste, Unglücksfälle, Krankheiten, Diätvorschriften und der Mädchenname der Ehefrauen haben sich dem Aufmerksamen in Blitzesgeschwindigkeit für immer eingeprägt, wahrlich nicht aus Neugier, sondern um jede Person mit Schonung und Behutsamkeit behandeln zu können. Der Aufmerksame hat nicht vergessen, wer eine Fischallergie hatte; er wird dem Elternpaar, das Kummer mit seinen Kindern hat, nicht von den Erfolgen der eigenen berichten; er kennt die Stellen im Zimmer, an denen am wenigsten Zug herrscht, und weiß, wen er dorthin plazieren wird.

Seine Augen sind überall. Er sitzt auf der Sesselkante, immer bereit aufzuspringen. Das Aufstehen ist ihm niemals nur der geringste Angang, es ist seine natürlichste Bewegung. An der Haltung zum Aufstehen entscheidet sich, welches Verhältnis der Mensch zu den Manieren hat. Das Aufstehen ist zentral. Daß eine Arbeitssituation, in der die Sekretärin ständig hereinkommt, um etwas zu holen und zu bringen, vom Aufstehen dispensiert, daß eine Hausfrau, die während eines Abends vielfach das Zimmer verläßt, um draußen etwas vorzubereiten, ihren Gast nicht in einen unablässig aufspringenden »Jack-in-the-box« verwandelt sehen möchte, bedarf keiner weiteren Erörterung. Aber wer, wenn irgendeine Hilfe erforderlich ist, zunächst einen Augenblick lauert, ob sich nicht jemand anders eher erhebt, hat schon verloren. Für den Aufmerksamen ist das Aufstehen, wenn Leute das Zimmer betreten, kein Akt der Höflichkeit, sondern ein Reflex. In Gegenwart einer stehenden Frau zu sitzen ist ihm eine physische Unmöglichkeit. Mit einem vor ihm stehenden Mann im Sitzen zu sprechen, wäre ihm eine Tortur. Es gibt viele Regeln, wer vor wem aufzustehen hat und wer sitzen bleiben darf, aber für den Aufmerksamen zählen sie wenig. Er steht immer auf. Kant stand noch als Todkranker auf, um seinen Arzt anständig zu empfangen. Er war aufmerksam und wollte nach seinen eigenen Worten zeigen, »daß die Humanität ihn noch nicht verlassen habe«. Das ist eine gute Begründung für das Aufstehen: Der Mensch erhebt sich vor dem anderen in respektvoller Erinnerung der fremden und der eigenen Menschlichkeit. Daß der Aufmerksame dieser Begründung nicht bedarf, steht auf einem anderen Blatt. Er steht auf, wie der Vogel singt und der Baum grün ist.

Das Aufstehen ist in vielen Milieus ziemlich außer Gebrauch geraten. Man bemüht sich noch vor den Mächtigen aus dem Stuhl, der Vorgesetzte wird noch stehend empfangen, aber sonst herrscht oft Beklommenheit, wenn sich in größerer Runde zu Begrüßung oder Abschied noch jemand eigens erhebt. Auf den Gesichtern der Hockenbleibenden ist dann eine gewisse Verdrossenheit zu lesen: wir hätten ja auch aufstehen können, aber solche Gesten gehören nicht zu uns und stehen uns eigentlich auch nicht zu. Wenn Paulus von Menschen spricht, die den Bauch zu ihrem Gott gemacht haben, könnte man von den finsteren Hockenbleibern sagen, sie hätten ihren Hintern zu ihrem Gott gemacht.

Wie kann man die niemals ruhende Dienstbereitschaft des Aufmerksamen, seine an alle anderen hingegebene Selbstlosigkeit am besten charakterisieren? Das Wort Demut ist derart unattraktiv geworden, daß man es mit einem starken Charakter nicht mehr glaubt assoziieren zu können. Die Demut wirkt nach heutigem Gebrauch so passiv, und der Aufmerksame ist in höchstem Maße aktiv. Demut läßt auch an Schüchternheit oder In-sich-gekehrt-Sein denken, und der Aufmerksame ist im Gegenteil stets glänzend gelaunt und den Worten seines Gegenübers zugewandt, als enthielten sie die verrücktesten Einfälle der Welt. Man muß sich an ferne Zeiten erinnern, an das Mittelalter vielleicht, als Demut eine kraftvolle Tugend war, die mit großer innerer Unabhängigkeit einherging, um diesen Begriff auf den Aufmerksamen sinnvoll anwenden zu können.

Die zweite, wie oben gesagt und nun noch einmal mit allem Nachdruck wiederholt, zu verwirklichende Eigenschaft ist die *Nachlässigkeit*. Hier sei gleich bekannt, daß der Begriff nicht genau wiedergibt, welche Eigenschaft wirklich gemeint ist – zur Hilfe genommen werden müssen Umschreibungen: Unabsichtlichkeit, Desinvolture, Nonchalance, Zerstreutheit, Sprezzatura. Die Sprezzatura wurde in der italienischen Renaissance als die wichtigste noble Eigenschaft angesehen: die Manieren sollten mit Beiläufigkeit, ohne Ostentation, ohne alles Aufplustern und Zelebrieren daherkommen.

Diese Nachlässigkeit ist noch viel schwerer anzunehmen als die Aufmerksamkeit. Sie hat ja nichts mit Gleichgültigkeit und Schlamperei zu tun. Auch sie bildet eine grundsätzliche Haltung zur Welt. Der Nachlässige kann sich nicht dazu entschließen, den ihn umgebenden Phänomenen wirklichen Ernst entgegenzubringen. Seine Umwelt sieht er mit Wohlgefallen, aber aus deutlicher Distanz. Er ist mit sich selbst beschäftigt, aber nicht eitel, nicht narzißtisch oder sonstwie krankhaft, sondern wie mit einem guten alten Freund, der regelmäßig zum Kartenspielen kommt und dann dazu neigt, mehr zu trinken, als er verträgt, man könnte sagen, mit ironischer Fürsorglichkeit. Der Nachlässige blickt die Menschen freundlich an, aber er vermutet zunächst einmal, daß sie ebenso souverän sind wie er selbst und schon tun und lassen werden, wonach ihnen zumute ist. Sein Wohlwollen ist von nicht den geringsten Spuren von Neugier begleitet. Er hat die Erfahrung gemacht, daß das Leben der Menschen in zwei Teile aufzuteilen ist: der eine Teil ist bei jedem Menschen wie bei allen anderen Menschen auch – das ist der größere; der andere gehört zum Privatleben und hat zwei Unterabteilungen: der eine Teil des Privatlebens gleicht dem Privatleben aller anderen Personen, und der zweite ist wirklich privat. Zu interessieren hat weder der erste noch der zweite. Der Nachlässige würde nicht laut sagen, daß es überhaupt keine wichtigen Menschen gibt, aber das Wort »wichtig«, das nach Eifer und Ohrenspitzen und Aufgeregtheit klingt, kommt ihm etwas komisch vor. Was in der jeweiligen Situation auffällt, ist zunächst die Schläfrigkeit des Nachlässigen. Es ist eine beruhigende, einladende Schläfrigkeit, man denkt an eine genußreiche Siesta in der Sommerhitze nach einem schönen Mittagessen. Sein Interesse erwacht nur, wenn es um wirklich vollständig Marginales geht. Die Frage, ob schon die Ergebnisse des Hunderennens vorliegen könnten, läßt einen Stromstoß in seinen entspannten Körper fahren. Überhaupt gibt es in den kleinen Dingen des Lebens vieles und Ernstes zu bedenken. Um seine harmlosen Gewohnheiten macht er einen kleinen Kult. Wie er sich das Taschentuch in die Brusttasche stopft, damit es aussieht, als habe er es gerade eben gebraucht, das geschieht mit echter Konzentration.

Der Nachlässige kennt keine Namen, hat alle Titel und Verdienste jeder Person, mit der er bekannt gemacht worden ist, augenblicklich vergessen. Von Interesse ist doch nur die Sympathie, nicht wahr? Im französischen achtzehnten Jahrhundert, als der Umgang der Menschen miteinander die höchste Formung erreicht hatte, war das Schlüsselwort für das Verhalten in der Gesellschaft die »Ungezwungenheit«. Ungezwungenheit war die Einhaltung aller Regeln, als seien sie die natürlichsten Regungen der Welt. Der berühmte Opernregisseur Walter Felsenstein hatte den Ehrgeiz, in seiner Regie die Sänger so agieren zu lassen, daß es gar nicht mehr ungewöhnlich erschien, daß sie sangen, sondern daß ihr Gesang ganz selbstverständlich ihren Handlungen entsprang, als könne man in einer solchen Lage gar nicht anders als singen. Wenn der Nachlässige eine gesellschaftliche Regel einhält, merkt man gar nicht, daß da irgend etwas eingehalten werden soll. Eben noch hat er tief im Sessel gelegen; man hat ihm das tiefe Wohlbefinden, es sich so herrlich bequem gemacht zu haben, angesehen, und dieses Wohlbefinden ist auch auf seine Umgebung übergesprungen. Aber nun sind neue Gäste ins Zimmer getreten, und der Nachlässige steht unversehens auf – nicht wegen der Gäste natürlich, er macht es sich, indem er steht, nur auf eine andere Art bequem. Wenn man den Nachlässigen so beobachtet, in unschuldigem Egoismus mit den Vorlieben und Abneigungen seiner eigenen Person beschäftigt, mit entwaffnender Offenheit und völlig unbekümmert aussprechend, was ihn gerade bewegt, unbeeindruckbar, herzlich, zerstreut, unabhängig, scheint er in seiner Bedenkenlosigkeit am ehesten zur Familie der Katzen zu gehören, nicht unbedingt zu den ganz kleinen, eher den gepardengroßen. Wenn man seine tierhafte Entspanntheit, seine unkalkulierbare Sicherheit und seine geformte Natur charakterisieren wollte, kommt einem das beinahe schon vergessene Wort Anmut in den Sinn, das heute aber eher mit jungen Ballerinen und pastellfarbenen Sommerkleidern assoziiert wird, es hat geradezu einen leicht süßlichen Beigeschmack bekommen. Der Nachlässige aber ist das genaue Gegenteil von süßlich; es gibt Leute, die ihm Herzlosigkeit vorwerfen, aber das klingt bei ihm wie ein ganz besonderer Vorzug, seine Herzlosigkeit saugt die Herzen der anderen an. Man muß, um die Anmut richtig zu verstehen, an die Zeiten denken, als sie den Mut ergänzen und verschönen mußte: »Mut zeigt auch der Mameluck« – von einem christlichen Ritter wird dazu noch Anmut erwartet.

Da hat man sie, die beiden Grundkomponenten der europäischen Manieren – Anmut und Demut. Wer beides besitzt, hat in seinem Leben noch nie etwas falsch gemacht. (Wenn die Demut diesen Schluß hört, glaubt sie ihn nicht, der Anmut ist er egal.)

Die Dame

Wenn man sich als Afrikaner fragt, was die Angel ist, um die sich das gesamte System der europäischen Manieren dreht, fällt die Antwort nicht schwer. Was die Europäer von allen anderen Kulturen der Welt unterscheidet, ist die Rolle, die sie der Frau zugewiesen haben. Oder man sollte vielleicht besser sagen: die Erfindung der »Dame«. Vermutlich ist dies Faktum dem Leser derart selbstverständlich, daß er den Nachdruck, den ich auf diesen Punkt lege, nicht recht versteht. Deshalb möchte ich hier einen deutschen Philosophen zitieren, dem die Sonderstellung der »Dame« in Europa genauso aufgefallen ist wie mir, im Unterschied zu mir allerdings besonders unangenehm. Arthur Schopenhauer schreibt über das europäische »Damenunwesen, über welches nicht nur ganz Asien lacht, sondern Griechenland und Rom ebenso gelacht hätte«. – »Die eigentliche europäische Dame ist ein Wesen, welches gar nicht existieren sollte. So haben eben auch die alten und die orientalischen Völker die Weiber angesehn und danach die ihnen angemessene Stellung viel richtiger erkannt als wir, mit unserer altfranzösischen Galanterie und abgeschmackten Weiberveneration, dieser höchsten Blüte christlich-germanischer Dummheit.« Wie stichhaltig die Gründe des großen Junggesellen sind, diese Entwicklung zu beklagen, kann nicht Gegenstand dieser Untersuchung sein, das Phänomen jedenfalls hat er genau erfaßt und auch die Ursachen, die zur Entstehung der »Dame« führten, benannt, wenn es denn für die Entstehung eines bestimmten Menschentypus, der eine ganze Zivilisation prägt, überhaupt möglich ist,

Ursachen haftbar zu machen, als beschreibe man einen chemischen Prozeß.

Was Schopenhauer die altfranzösische »Weiberveneration« nennt, den Minnesang und Minnedienst der Troubadoure, hat jedenfalls nicht nur europäische, sondern vor allem auch arabische Wurzeln, aus denen jedoch niemals das Ideal einer muslimischen Dame gewachsen ist; erstaunlich genug, denn die arabischen Liebesdichtungen schwelgen ebenso in der Vollkommenheit der Angebeteten wie in ihrer Ferne und Unerreichbarkeit, und in dieses Schmachten mischten sich immer auch religiöse Motive, die das Liebesleid und die Verehrung der Geliebten in eine Beziehung zu der Verehrung Gottes und der Sehnsucht nach ihm setzten. Würdig und unwürdig zugleich stand der Ritter vor seiner Dame: einerseits empfand er sich nicht für wert, ihre Schuhbänder zu lösen, andererseits verlieh ihm ihre Gunst – ihr Lächeln und die Erlaubnis, zu ihren Ehren Gedichte zu schreiben und stolze Taten zu vollbringen – ein hohes Gefühl seines eigenen Wertes. Der ironische Abglanz, in den Cervantes den Minnezauber Jahrhunderte später taucht, wenn er die Liebe des Don Quixote zu der vielleicht nur in seiner Phantasie bestehenden Dulcinea von Toboso beschreibt, ist von der mittelalterlichen Realität gar nicht so weit entfernt, so wie häufig der Alltag der einen Epoche die Satire der nächsten werden kann. Es war vielleicht wirklich ein Konzept verrückter Künstler, das hinter dem gesamten Minnedienst und seiner Verherrlichung der auserwählten Frau, der Herrin, der *domina,* der Dame stand. Künstler haben es oft genug nicht leicht, ihren Platz in der Gesellschaft zu finden, und die gelegentlich antiintellektuelle Atmosphäre eines germanisch-fränkischen Edelhofes konnte einen Dichter und Sänger schon das Frösteln lehren. Dazu kam die strenge ständische Ordnung, die einem nachgeborenen, mittellosen Ritter die Werbung um eine Frau höheren Standes verbot. Als wirkliche Künstler erhoben die Troubadoure eine sozial bedrückende zu einer existentiellen Situation. Sie machten die ihnen versagten Frauen noch viel unerreichbarer und sahen gerade darin nun deren eigentlichen Wert. Die Vergeblichkeit wurde zum Lebenssymbol, die unerfüllte Sehnsucht zum literarischen Motor. Ich nehme an, die Frauen hörten dabei gerne zu und spielten mit. Ihre Ehen waren nicht als Liebesheiraten zustande gekommen, und es war schön, in vollkommen ehrbarer Weise auf die Liebe dennoch nicht verzichten zu müssen.

Aber zu diesen psychologischen und soziologischen Elementen trat nun doch die Religion. Die Marienverehrung erreichte im frühen Mittelalter im Westen einen neuen Höhepunkt – oder besser, sie erreichte das Niveau, auf dem sich der Osten in Byzanz und auch bei uns in Äthiopien schon seit vielen Jahrhunderten befand. Die orthodoxe Lehre von der unbefleckten Empfängnis Mariens, nach der Maria als erster Mensch nach Adam und Eva ohne Erbsünde war, siegte nun auch, nach manchem Widerstand, im Westen. Der erste Mensch war nach der Genesis ein Mann, der aber den Sündenfall erlebt hatte. Der erste erlöste, mithin vollkommene Mensch hingegen war von nun an unstreitig eine Frau. In Maria wurde die Frau zur Krönung der Schöpfung. Maria war keine Göttin, sondern ganz und gar Mensch, aber in dem höchsten Sinne des Menschseins; sie war, wie Gott sich den Menschen von Anfang an gedacht hatte, aber ohne die menschliche Freiheit zur Sünde zu nutzen und deshalb noch gelungener, noch strahlender als Adam und Eva vor dem Sündenfall. Maria wurde zur *domina* an sich; sie erhielt die Anrede der adeligen Damen Italiens, »Madonna«, und es entstanden viele Gedichte, die hinter der ehrfürchtig verehrten konkreten Dame die Silhouette der jungfräulichen Gottesmutter ahnen ließen. Dies alles sind richtige Feststellungen, die schon Allgemeingut geworden sind. Warum aber die christliche Religion mit ihrer Verehrung der Heiligen Jungfrau gerade in Frankreich diesen sozialen Effekt hatte, daß von der Makellosigkeit und Königlichkeit Mariens ein kräftiger Strahl auf alle Frauen fiel, vor allem aber auf die »Damen«, und eben nicht in Byzanz oder Alexandria mit ihrer ungleich tiefer verwurzelten Marienverehrung, das ist damit noch nicht geklärt. Die »Dame« ist unerklärlich. Das scheint ihr gut zu passen. »Sphinx ohne Geheimnis« nannte sie Oscar Wilde. Dieser Spott klingt ein wenig eifersüchtig; Sphinx wäre er selber wohl gern gewesen.

In allen Gesellschaften der Welt wird vor allem die Macht verehrt, gleichgültig ob sie königlich, ökonomisch oder familiär begründet ist. Diese Machtverehrung hat ihren festen Ort natürlich auch in Europa; was aber genuin europäisch ist, ist das Hinzutreten der Ohn-Machtverehrung in Gestalt der Dame. Die Dame ist die Königin ihres Kreises, alles geschieht nach ihren Wünschen, die nie Befehle sind, alles bemüht sich, ihr zu gefallen, jede Aufmerksamkeit ist ihr geschuldet – aber nicht weil sie stark, sondern weil sie schwach ist. Ich spreche hier, wohlgemerkt, von der Damen-Doktrin, nicht von der Realität. Die Schwäche der Dame ist, ungeachtet der eklatanten Stärke vieler europäischer Herrscherinnen, im Großen wie im Kleinen – »das waren keine Damen!« ruft der Besserwisser dazwischen – ein Axiom. Die Dame ist ein Paradox, das hat sie mit den wirkungsvollsten Aussagen in Religion und Philosophie gemeinsam: sie ist Herrin, und sie ist schwach. Der Gedanke ist unabweisbar, daß dieser Gegensatz ohne christlichen Hintergrund nicht vorstellbar wäre. Aber von einstigen Madonnen-Bezügen hat die Dame sich bald gelöst. Sie ist selbst Göttin geworden, Hausgöttin im Sinn der kleinen Laren und Penaten der Römer.

Europäischer Gesellschaftsbetrieb ist ohne Dame schwer vorstellbar. Bis zum Ersten Weltkrieg waren Veranstaltungen ohne Damen zweitrangig. Es gab immer das Bedürfnis der Männer, unter sich zu sein, aber während der »Divan«, die feierliche Versammlung der Männer bei einem Emir oder Scheich, den Höhepunkt des geselligen muselmanischen Treibens darstellte, war ein Abend ohne Damen, ein Herrenabend, eine Lizenz, die der infantilen Seite der männlichen Seele konzediert wurde. Als Goethe begann, mit Christiane Vulpius zusammenzuleben, ohne sie zu heiraten, war es für jede Dame unmöglich, fortan sein Haus zu betreten. Wenn irgendwohin die Damen nicht mitgenommen wurden, geschah das, um eine gewisse Mißachtung auszudrücken. Ohne die Damen kam das gesellschaftliche Ritual nicht in Gang. Es fehlte sein eigentliches Ziel: die Verehrung der Dame. Der westliche Europäer hat sich eine Kunstfigur geschaffen, die in der Realität zwar äußerst selten anzutreffen ist, ihren Glanz aber auf die realen Frauen mit verbreitet. Nun, nicht auf alle. Die Dame ist ein Klassenideal. Wenn über Frauen zu Gericht gesessen wird, heißt es gelegentlich, die fragliche Person »sei keine Dame« – entweder weil sie nicht als solche geboren wurde oder weil sie den Damenstatus verspielt hat, durch Mangel an Damenhaftigkeit. Welche Eigenschaften aber zeichnen eine Dame, das rätselhafte Wesen, nun aus?

Sie ist ein höheres, edleres Wesen. Sie ist vollkommener als Männer und Frauen. Sie ist die allzeit Unschuldige, immer schon irgendwie Gerechtfertigte. Sie ist schön – wenn sie nicht schön ist, ist sie in all ihren Bewegungen und Haltungen, der Art, wie sie spricht, wie sie sich schminkt, wie sie ißt (beinahe nichts), wie sie sich anzieht und wie sie denkt, gähnt, hustet, lächelt, so viel geformter als normale Menschen, daß ihr das Recht auf Schönheit dennoch zufliegt. Sie empfängt die Verehrung, die ihr entgegengebracht wird, halb freundlich, halb zerstreut, denn sie kennt es gar nicht anders. Die Dame fordert nichts und erhält alles. Deshalb muß sie keinen Ehrgeiz und keine Ellenbogentechniken entwickeln. Das macht die Gegenwart der Dame angenehm.

Für die Abhandlung über die Sitten eines Landes sind das äußerst unbefriedigende Auskünfte. Man ist dem Autor ins Mittelalter gefolgt, hat mit ihm die Troubadoure und das Dogma der Unbefleckten Empfängnis betrachtet und weiß nun immer noch nicht, wie genau eine Frau sich verhalten muß, um nach der Konvention der überwiegend inzwischen unmaßgeblichen Kreise »Dame« genannt zu werden. Statt dessen wird ein eigentümliches Phantom beschworen, das in seinen Eigenschaften rundum nicht zu fassen ist. Versuchen wir, uns der Dame von außen zu nähern. Wie verhalten sich die Männer (und jungen Mädchen) in ihrer Gegenwart? Die Dame selbst verharrt in großer Ruhe, aber um sie herum summt es wie ein gedämpfter Bienenschwarm.

Die Dame ist ein rohes Ei. Sie muß nach allen erdenklichen Seiten vor Gefahren beschützt werden. Üblicherweise geht der Mann an ihrer linken Seite, wenn er sie begleiten darf, denn an seiner Linken trug er einstmals seinen Galanteriedegen – »Du Schwert an meiner Linken / was soll dein heitres Blinken?« –, und das bleibt offenbar ewig unvergessen. Saust an der rechten Seite der Dame jedoch der Verkehr vorbei, deckt der Mann sie, trotz des nicht mehr vorhandenen, einstmals störenden Degens, von rechts gegen Belästigung ab. Begleiten zwei Männer die Dame, nehmen sie sie in die Mitte. In jeder privaten Umgebung hat die Dame den Vortritt durch jede erdenkliche Tür – außer in Gesellschaft eines regierenden Monarchen oder hohen Prälaten –, aber in Gasthäuser, Hotels und Geschäfte geht der Mann ihr voran, um sie vor dort womöglich anzutreffendem Ungemach zu bewahren. Auch auf Leitern oder steilen Treppen steigt er stets als erster und folgt ihr beim Hinabsteigen, um ihr die Beunruhigung zu ersparen, er könne einen Blick auf ihre Knöchel werfen. Im Auto gebührt der Dame auf der Rückbank der rechte Sitz (wenn der Fahrer links sitzt); nachdem der Mann die Wagentür hinter ihr geschlossen hat, läuft er um das Auto herum und steigt auf der anderen Seite ein. Betritt die Dame ein Zimmer, stehen alle darin befindlichen Männer und jungen Mädchen auf. Erhebt sich die Dame aus ihrem Sessel, schießen alle Anwesenden ebenfalls in die Höhe. Die Dame stellt sich niemals vor; sie wird vorgestellt, nachdem die Unbekannten ihr vorgestellt worden sind. Die Dame gibt an, wann die anderen mit dem Essen beginnen dürfen, indem sie den Löffel in ihre Suppe taucht. Ihr wird als erster serviert. Wenn man sie unterhält, spricht man nicht über Geschäfte, nicht über Geld und nicht über Politik. Niemand käme auf den Gedanken, sie nach ihrem Alter zu fragen. Dafür entscheidet sie, ob geraucht werden darf; wenn ihre Zustimmung nicht sehr entschieden scheint, bleiben die Zigarettenetuis geschlossen. Eigentlich wird die Dame immer nach Hause gebracht, denn Gefahren lauern überall, auf jeden Fall aber zu ihrem Wagen oder zum Taxi. Die Liste, was in Anwesenheit einer Dame alles zu unterlassen sei, war einst lang: Pfeifen, Kautabak kauen, Pfeiferauchen, dreckige Witze erzählen, Ausspucken, das Personal verprügeln, medizinische Details berichten, ekelerregendes Erzählen, unappetitliche Körperfunktionen zweifelsfrei benennen – es gab dafür ganze Listen von schonungsvollen Umschreibungen, vom »Leiden« anstatt »Schwitzen« bis zum »Unwohlsein« für die Menstruation – und alle Formen von Insistieren, Rechtbehalten und Laut- und Penetrantsein.

Wenn es erlaubt ist, noch einmal auf die religiöse Grundlage der Damenverehrung zurückzukommen: Man sieht, daß die Dame tatsächlich eine Art neues, höheres Menschentum verkörpern sollte, das sich in der zuletzt im neunzehnten Jahrhundert erreichten, sehr bürgerlichen Ausprägung vielleicht ein wenig zimperlich ausnahm – in den vorangegangenen Jahrhunderten keineswegs; man denke nur an die venezianische Cinquecento-Dame, oder die englisch-elisabethanische Dame, oder die heilige Therese von Ávila oder Madame de Pompadour. Die Wirkung der Dame auf die Männer war jedenfalls immens. Die gesamte Erziehung eines Mannes drehte sich hauptsächlich darum, wie er einer Dame zu begegnen hatte. Aber was tat sie denn nun selbst, was waren die Regeln, an die sie selbst gebunden war?

Es hilft nicht, dieser Frage weiter auszuweichen. Es gab natürlich hundertundeine Regel, was eine Dame tue und was sie nicht tue. Nur: Diese Regeln machten eine Frau noch lange nicht zur Dame. Die Dame hielt keine Regeln ein, sie stellte welche auf, denen sie selbst natürlich nicht unterworfen war. Sie konnte eigentlich keine Fehler machen. Sie konnte schwere Sünden begehen, aber sie hörte nie auf, Dame zu sein. Eklatante Regelverletzungen gehörten sogar ganz ausdrücklich zu ihren Privilegien. Oft löste sie damit Empörung aus, oft begegnete sie ernstem Widerstand, aber das änderte nichts daran, daß sie eine Dame war und daß jeder das wußte. Die Barockzeit, die letzte Hochblüte der Dame, ist voll von Biographien aufsässiger, unzähmbarer, anarchischer Damen, die jeden Versuch, sie unter eine Ordnung zu zwingen, mit einem Terror beantworteten, der selbst Könige verlegen klein beigeben ließ. Auch als Untertaninnen blieben sie Herrscherinnen eines Reiches, in dem alles ihnen Verehrung zollte, auch wenn sie im Kampf um Macht, Einfluß, Liebe und Geld geschlagen wurden. Welche Mittel einer Dame kurz vor ihrer Hinrichtung noch zu Gebote stehen, zeigte Mademoiselle Charlotte de Corday in einem Brief an den Abgeordneten Barbaroux, als sie nach dem Mord an Marat auf ihren eigenen Tod wartete: »Monsieur, ich bin Ihnen für Ihre vielfältige Hilfe derart zu Dank verpflichtet, daß ich Ihnen, als Zeichen meiner Anerkennung, gestatte, meine Schulden zu bezahlen.«

Obwohl nicht alle Frauen Damen waren – eine Gesellschaft, in der das der Fall gewesen wäre, wäre alsbald in einem überaus glanzvollen Chaos versunken –, erhielt das gesamte weibliche Geschlecht von der Achtung der Dame gegenüber einen guten Teil ab: Ludwig XIV. erhob sich vom Eßtisch, wenn ein Dienstmädchen vorüberging, und grüßte es mit gezogenem Hut. Vor diesem Hintergrund wird die englische Regel deutlicher, die besagt, die Erziehung zum Gentleman dauere zwei Generationen, die Erziehung zur Lady fünf. Dennoch scheinen nicht alle Engländer genau zu wissen, was es mit der Dame auf sich hat. Eine Freundin mosaischen Glaubens, die im Zweiten Weltkrieg nach England emigriert war, erzählte mir ein kleines Erlebnis. Sie fuhr nachts mit dem letzten Omnibus nach Hause. Ihr gegenüber saß mit gestreiften Hosen, Regenschirm und Bowlerhut ein Merchantbanker aus der City. Der Schaffner stammte von den Westindischen Inseln; er hatte vielleicht etwas getrunken. Als sie ihm ihr Geldstück gab, ließ er es fallen. »Heben Sie das auf«, sagte er zu meiner Freundin. Sie sah den Mann an und stellte sich sein an Zurücksetzungen gewiß reiches Leben vor. Dann bückte sie sich und hob die Münze auf. Der Merchantbanker hatte den kleinen Auftritt scheinbar teilnahmslos betrachtet, aber als der Schaffner sich abwandte, sagte er: »A lady never would have done that.« Da irrte der Mann, um von seinem Betragen davor ganz zu schweigen. Es gab eine Reihe von großen Damen, die ohne weiteres so etwas getan hätten, wenn sie dazu Lust hatten; man denke nur an die heilige Elisabeth von Thüringen.

Schopenhauer fand, daß die Griechen über die europäische Dame gelacht hätten, aber er vergaß, daß der Urtyp der Dame eine Griechin war, eine große Gestalt aus dem frühesten Roman der Europäer, der *Ilias*. Die schöne Helena, Tochter der Leda und des in einen Schwan verwandelten Zeus und deshalb aus einem Ei geschlüpft, hatte alles, was die Dame knapp zweitausend Jahre später zu einem sozialen Ideal machte. Ihre Schönheit, das heißt aber vor allem ihre vorbildliche Geformtheit, wurde von Freund und Feind verehrt. Gleichgültig, was sie tat – sie war unschuldig, und niemand wagte es, ihr Vorhaltungen zu machen. Angesichts des offenen Ehebruchs fand sie sogar in Euripides noch einen ritterlichen Verteidiger ihres Decorums, der mit wundervoller Beredsamkeit erklärte, es sei alles eigentlich gar nicht so gewesen. Was sie an Krieg und Zerstörung auslöste, ließ sie unversehrt; aus einem Bett ins andere gelangte sie jungfräulich. Sie argumentierte nicht, um irgend etwas zu erklären; ich nehme an, daß sie ihren zornigen Ehemann nach zehnjähriger Pause einfach traurig ansah und ihm sagte, sie sehne sich danach, nach Hause zu kommen, während im Hintergrund die Trümmer Trojas rauchten. Und das Wesentliche: Menelaus wird sich in diesem Augenblick beschenkt vorgekommen sein und sich gefühlt haben, als habe er den großen Preis gewonnen. Es war deshalb ein Akt höchster Intuition, als Goethe im *Faust II* Faust und Helena als das ideale Paar zusammenführte: den Ritter und die Dame.

Es ist in dieser Betrachtung immer wieder vorgekommen, daß von der Dame im Präsens und dann wieder im Imperfekt gesprochen wurde. Das sieht so aus, als sei es nicht völlig klar, ob es die Dame in unserer Gegenwart noch gebe, oder ob sie in der Vergangenheit versunken sei. Aus allem bisher Gesagten ist klar, daß dies Ideal es im zwanzigsten Jahrhundert nicht leicht gehabt haben kann. Eigentlich jede erdenkliche Strömung dieser Ära war damenfeindlich: der Kommunismus und der Nationalsozialismus, der Sozialismus und die Diktatur jeglicher Art, die Demokratie und der Kapitalismus, die Jugendbewegungen der verschiedenen Jahrzehnte vor, zwischen und nach den großen Kriegen, die Kriege selbst vor allem, die moderne Arbeitszivilisation, die Gleichheit und die Emanzipation der Frau. Vom Mann beschützt und verehrt werden zu sollen wurde ein für viele Frauen geradezu beleidigender Gedanke. Das Klassenideal der Dame sank mit der dazugehörenden Klasse dahin. Die Arbeit in den Fabriken und Büros an der Seite der Männer, die nicht nur eine wirtschaftliche Notwendigkeit, sondern vor allem auch ein Lebensstil geworden ist, macht die Realisierung dieses Damenideals zur schieren Unmöglichkeit. Dies alles ist unbestreitbar, und es gibt dagegen nur zwei kleine Gesichtspunkte zu erinnern.

Zum einen befinden wir uns in einer Übergangszeit, in der es das »Recht, eine Dame zu sein« zwar nicht mehr gibt, dafür aber in Europa noch eine beachtliche Anzahl von realen Damen. Sie sind nicht mehr ganz jung, aber viele sind auch noch nicht alt. Die Erinnerung an Damen, die ihre Lebensform noch völlig unbezweifelt verwirklicht haben, ist gleichfalls noch frisch. Zugleich steht fest, daß all diese Damen nicht mehr die Mütter von Damen sein werden. Ihre Töchter können noch so elegant und souverän sein, die vollkommen unangetastete Selbstgewißheit ihres Dame-Seins werden sie nicht mehr besitzen.

Aber auch wenn in vielleicht zwanzig oder dreißig Jahren die Figur der Dame in der Realität nicht mehr aufzufinden sein wird, bleibt die Macht eines nun einmal für knapp tausend Jahre in die Geschichte eingetretenen Archetypus unabschätzbar. Wer die Schlachten der Geschichte mit einem Schachspiel vergleicht, der vergißt den Unterschied zum

Schach: In der Geschichte werden die geschlagenen Figuren nicht vom Brett genommen; sie dürfen zwar nicht mehr handeln, aber sie sind als nicht aus dem Weg zu räumende Hindernisse weiterhin präsent – schlagen kann man sie nicht mehr, denn sie sind ja schon geschlagen. Eine Betrachtung der Manieren hat viel mit solchen in die Gegenwart hineinragenden, unerklärlich gewordenen Obstakeln zu tun. Unsere zahme Zeit hat das Damenideal vollständig »sozialunverträglich« werden lassen, wie man so schön sagt, aber das heißt nicht, daß die Faszination, die von der Dame ausgeht, nicht dennoch empfunden wird. Nicht nur in der Werbung und in den Filmen lebt die Frau nicht einfach nur als begehrenswertes, sondern als vollkommenes Lebewesen, das zu verletzen ein Sakrileg bedeutete, fort. Gänzlich unvorstellbar ohne das uralte Ideal der Dame aber ist der Feminismus, der doch eigentlich zunächst ein Aufstand gegen die Dame als Monument der Ungleichheit der Geschlechter war.

Es gibt zunächst zu denken, daß der Feminismus ausschließlich Sache der Europäer und der Amerikaner ist; Länder, die in der Geschichte die Dame nicht gekannt haben, kennen auch keinen Feminismus. Das Gelächter, das Schopenhauer in Asien und Afrika über die Dame vermutet, schallt dort desto lauter über den Feminismus der Weißen. Das hat, entgegen den in Europa verbreiteten Ansichten, übrigens keineswegs immer mit einer Mißachtung der Frau in den nichteuropäischen Kulturen zu tun, auch Inder und Zulus lieben ihre Frauen und verehren ihre Mütter. Die rechtliche Stellung eines Menschen ist auch in Europa nicht der einzige Aspekt seiner Geltung, um so weniger in Kulturen, die weit weniger vom Recht geprägt sind als die von den rechtsbesessenen Römern kolonisierten Weißen. Daß man sich in einem islamischen Land nicht nach dem Ergehen der Ehefrau des Mannes erkundigen darf, mit dem man sich so offen und herzlich unterhalten hat, bedeutet nicht, daß diese Frau ein minderes Wesen wäre, sondern daß sie der Sphäre der familiären Intimität zugeordnet ist, die jedem fremden Auge, gerade auch dem des

Herrschers, verschlossen bleibt und also einen Ausdruck der Freiheit darstellt. Wohl ist es zutreffend, daß keine asiatische und keine afrikanische Frau sich zu irgendeinem Zeitpunkt so unabhängig bewegen konnte wie die Frau der abendländischen Zivilisation. Dennoch blühte der Feminismus gerade nicht in den Regionen der Erde, in denen die Ungleichheit der Geschlechter noch unbestritten ist.

Man könnte sagen, daß der Feminismus geboren wurde, als die Demokratie mit dem Ideal der Dame krachend zusammenstieß. Das Gewaltsame seines Ursprungs hat auf seinen Charakter abgefärbt. Der Feminismus versteht sich als eine Interessenvertretung einer unterdrückten Gruppe. Seine Forderungen sind schrill und klingen unversöhnlich. Empörung über uraltes Unrecht schwingt in allen seinen Äußerungen mit. Von allen Unfreien seien die Frauen immer am allerunfreiesten gewesen. Nicht zu reden von den Frauen der Armen, die wie Sklavinnen gehalten worden seien – auch die Reichen hätten ihre Frauen geknechtet. Die Dame sei eine besonders perfide Form der Unfreiheit gewesen – eine Haremsdame der Monogamie habe man aus ihr gemacht; ein unmündiges, nur mit Unernstem beschäftigtes Wesen. Nicht zu Unrecht heiße Ibsens frauenrechterkämpfendes Drama *Nora oder Ein Puppenheim.* Die Dame sei eine Puppe gewesen, mit verkümmerten Instinkten und verkümmertem Geist. Ihr Erscheinungsbild sei einzig und allein darauf zugerichtet worden, den Männern zu gefallen; ganz auf den Mann dressiert sei die Dame gewesen, ohne eigenes weibliches Selbstgefühl.

Herb und ungeschminkt und indem sie sich die altertümlichen Höflichkeitsgesten der Männer verbat, trat die feministische Frau in die Geschichte, auf flachen Schuhen selbstverständlich. Sie zischte den Mann an, der ihr in den Mantel helfen wollte – wenn sie ein wenig erzieherisch gesinnt war, sagte sie bei solcher Gelegenheit: »Nur wenn ich Ihnen dann auch in den Mantel helfen darf!« Der Handkuß und ähnliche Galanterien verboten sich vor ihrem strengen Blick von selbst. Und doch, es wurde sehr bald klar, daß es nicht die spannungslose demokratische Gleichheit war, die ihr wirkliche Befriedigung verschaffen würde. Nicht auf gleicher Höhe wollte sie den Männern begegnen. Das alte, übermächtige kulturelle Ideal der Frau als des vollkommenen Menschen schlechthin, des superioren, edleren, unantastbaren Geschöpfs leuchtete verführerisch durch den fadenscheinigen Vorhang, den die Demokratie vor die Vergangenheit gezogen hatte, um sie den Zeitgenossen als Modell unsichtbar zu machen. Gewiß, da gab es den Kampf um die rechtliche und gesellschaftliche Gleichstellung der Frau, der beständig vorangetrieben wurde und immer subtiler im Auffinden von Ungleichheiten war – inzwischen ist man bei den Ungleichheiten angelangt, die die verantwortungslose Natur auf dem Gewissen hat oder jener frauenfeindliche Gott, der den Menschen als Mann und Frau erschaffen hat. Aber es zeigte sich schnell, daß die feministische Frau nach ihren großen Anfangserfolgen Höheres im Sinn hatte. Sie blickte in den Spiegel, und es strahlte ihr jenes höhere Wesen daraus entgegen, das es eigentlich nicht mehr geben sollte, das es aber mit immer größerer Sicherheit dennoch gab. Je länger die feministische Frau über sich nachdachte, desto deutlicher erkannte sie, daß sie feinfühliger, instinktsicherer, friedfertiger, natürlicher, weiser, lebensfreundlicher, liebesfähiger, geistig gesünder war als jeder Mann. Sie war das Leitbild der neuen Gesellschaft. Sie würde die Menschheit auf eine würdigere, menschengemäßere Entwicklungsstufe führen. »Willst du genau erfahren, was sich ziemt, / So frage bei edlen Frauen an« – wann war das geschrieben worden? Es klang ein wenig altmodisch mit diesem »ziemt«, aber sonst hätte es die feministische Frau auch nicht besser sagen können.

Es besteht für mich kein Zweifel daran, daß der Feminismus der Versuch ist, als weibliche Gegenreaktion auf die Demokratie, in neuer Form das für die europäische, westliche Zivilisation wesentliche Ideal der Dame aufrechtzuerhalten und unter den Bedingungen der industriellen Massengesellschaft mit einem festeren Fundament zu versehen. Gewalt ist in der politischen Rhetorik ohnehin verpönt, aber »Gewalt gegen Frauen« ist die fürchterlichste Verletzung eines Heiligtums geworden, das einen Abscheu erregt, wie ihn die Ritter des Goldenen Vlies aus solchem Anlaß nicht eindrucksvoller hätten äußern können. Es kann aber nicht verhehlt werden, daß die alten Formen, die sich um die Verehrung der Dame rankten, eine Harmonie und Schönheit der Beziehung zwischen den Geschlechtern zum Ziel hatten, das den Aktionen der feministischen Frauen und Männer – auch sie gibt es inzwischen – noch abgeht. Die feministischen Frauen haben sich in ihrem Kampfgeist den Stil und die Haltung verfolgter Minderheiten im Widerstandskampf zum Vorbild genommen. Sie fordern nicht bewundernde Verehrung, sondern den eingeschüchterten Gehorsam, der den Gruß aufgerichteter Geßlerhüte begleitet.

Solche Geßlerhüte sind inzwischen viele aufgepflanzt, vor allem in der Sprache, wo sie besonders peinlich auffallen. In Jahrtausenden ist die Regel gewachsen, Pluralbildungen im Maskulinum, wenn es der Sinn verlangte, immer auch auf Frauen zu beziehen. Die Christen und die Kommunisten, die Studenten und die Ärzte, die Bürger und die Bauern enthielten seit je und von jedermann so verstanden immer auch die Christinnen und Kommunistinnen, die Studentinnen und die Ärztinnen, die Bürgerinnen und Bäuerinnen. Daß Mensch und Mann in den meisten europäischen Sprachen dasselbe Wort ist – die Deutschen dürfen sich der Ausnahme nicht rühmen, denn *der* Mensch ist schließlich auch maskulin –, hinderte zu allen Zeiten in der Geschichte Europas keinen daran, auch Frauen als Menschen anzusehen, wie es das für das Christentum, das Judentum und den Islam verbindliche Alte Testament verkündet hatte. In Amerika nun hat man ausgeheckt, daß das ganze weibliche Geschlecht beleidigt wird, wenn man für den Menschen »man« sagt, wie seit den ersten Spuren einer englischen Sprache üblich. Statt dessen soll das geschlechtsunspezifische »person« gesetzt werden; es soll in Zukunft nicht mehr »chairman«, sondern »chairperson«

et cetera heißen. In den Lexika der englischen Sprache sind besondere Spalten unter dem Stichwort »gender« geschaffen worden. Dort heißt es: »Sie können sehr beleidigend sein, wenn Sie die geschlechtsunspezifische Terminologie nicht beachten.« Man spürt schon aus dem Ton, daß hier die Frage der Manieren keine Rolle spielen soll, denn wenn es auch Gegenstand der Manieren ist, möglichst niemanden zu beleidigen, so noch um so mehr, selbst keine Gründe zu suchen, weshalb man beleidigt sein könnte, ja am besten überhaupt niemals beleidigt zu sein (ein hohes Ziel, von wenigen erreicht). Wenn man vermeiden will, die Erfinderinnen des *gender-speaking* zu beleidigen, steht man vor der sehr unerfreulichen Alternative, statt dessen den Geist und die Tradition der Sprache zu beleidigen und den Geschmack im Umgang mit der Sprache zu verletzen. »Person« heißt etwas durchaus anderes als »Mensch«; was genau, das mögen die *gender-speaker* gründlichen Sprachstudien entnehmen. Wieso soll man allen Ernstes das gestelzte Partizip »Studierende« benutzen, wo »Studenten« doch bereits ein Partizip ist, und zwar nach den Gesetzen des Latein gebildet, wenn auch leider nicht ausdrücklich auch die Studentinnen erwähnend, sie aber gleichwohl enthaltend? Besonders häßlich und abstoßend sind die notorischen »Innen«, der Versuch, statt des pedantischen »Elektrotechnikerinnen und Elektrotechniker« einen einzigen Begriff zu schaffen, von dem kein Mensch weiß, wie man ihn aussprechen soll: die »ElektrotechnikerInnen«. Die Tatsache, daß viele Bezeichnungen in der Grundform männlich sind und eine weibliche Form nur als Ableitung von der männlichen besitzen, schmerzt die FeministInnen, und man könnte diesen Schmerz respektieren wie den eines Bauern, der nach dem Hagelschlag, der die Ernte vernichtet hat, die Hände ringt und die Fäuste gen Himmel schüttelt – denn die Sprache ist wie der Hagelschlag eine Naturgewalt, die ihren eigenen Gesetzen gehorcht, von niemandem geschaffen und nur von der Gesamtheit aller, die sie sprechen – also von niemandem –, zu beeinflussen. Ebensowenig wie der unglückliche

Bauer Wettermacher können die zornigen Frauen Sprachmacher werden, und wenn sie es mit Drohungen und Erpressungen versuchen, dann werden sie genauso scheitern, wie alle »Neusprech«-Reformen der Diktaturen des letzten Jahrhunderts gescheitert sind. Ob den Feministinnen die Vorstellung gefällt, mit ihren Innovationen eines Tages in der Gesellschaft der abgehalfterten *Lingua Tertii Imperii* und anderer erledigter Jargons zu landen? In Eckhard Henscheids *Dummdeutsch* sind sie bereits ausführlich berücksichtigt.

Für die Manieren jedenfalls ist entscheidend, daß sämtliche Gender-Innovationen in dem Teil der Gesellschaft, der auf Formen noch Wert legt, keinerlei Rolle spielen. Das unsägliche »Innen« gibt es hier sowieso nicht, aber es käme auch niemand auf die Idee, einen Brief an »Gräfin und Grafen Johanna und Adolf von Tischbein« zu adressieren; hier heißt es selbstverständlich unverändert »Grafen und Gräfin Adolf von Tischbein«. In England ist die vieles, nämlich die beiden Geschlechter, aussagende »Person« in der eleganten Welt, die teilweise mit dem Abonnentenkreis des *Spectator* identisch ist, ein sicheres Mittel, sich unmöglich zu machen. In Amerika sieht es allerdings ganz anders aus, weil sich hier Gesellschaft und Politik so eng verquicken, daß die apolitischen Freiräume sehr eng bemessen sind. Wer es sich aber in Europa leisten kann, fern von Frauenbeauftragten, Politikern, Betriebsräten und Bischöfinnen und anderen Brüderinnen und Schwesterinnen zu leben, braucht den Geßlerhut nicht zu grüßen. Er besitzt die Freiheit, eine Frau mit allem schuldigen Respekt zu verehren, ohne sie gegen die alten Regeln vor ihrem Mann nennen zu müssen.

Vielleicht hat die Resistenz der alten Oberschicht gegen die feministischen Sprachregelungen ihren Grund darin, daß bei ihr das Originalbild der vollkommenen Frau, die Dame, nicht nur nicht verblaßt ist, sondern von vielen lebenden Beispielen und gerade erst gestorbenen Großmüttern und Tanten frisch gehalten wird. Aber auch wenn eines Tages die letzte Dame dahingesunken ist, wird die Erinnerung an sie die ästhetische

Ausstrahlung der europäischen Manieren beeinflussen – solange es ein kulturell erkennbares Europa noch gibt. Die Dame entsprach dem alten feudalen Konzept einer Hegung und Zähmung der Macht durch die Erziehung der Mächtigen, nicht durch veränderbare Gesetze von schwankender Autorität. Hoch über der Pyramide der kleinen und großen Vasallen und der Krone, über zähnefletschenden Löwen, bedrohlichen Adlern und tollwütigen Keilern stand die Frau, waffenlos, mit Rose und Taschentuch. Sie war das Wunder der europäischen Kultur, und man muß vielleicht außerhalb Europas geboren sein, um dies Wunder wirklich würdigen zu können.

Versuch über den Herrn

»Time of chivalry has gone.«
Edmund Burke

Meine Betrachtung über die Manieren berührt die Geschichte, die Soziologie und die Politik vielfältig, aber unter einem bestimmten Gesichtspunkt. Ihr ist wichtig, was den anderen Forschungszweigen nicht wichtig sein kann: nämlich der äußere Schein. Die Manieren behaupten nun freilich, der äußere Schein sei mindestens ebenso wichtig wie die sich hinter ihm verbergende Realität. Der nackte Körper sieht anders aus als das Gewand, das ihn bekleidet, aber deshalb ist das Gewand keineswegs ohne Interesse. Es interpretiert den Körper, es stellt ihn auf eine Weise zur Schau, wie er es in seiner Blöße allein nicht könnte; es vermittelt, wie eine bestimmte Zeit den menschlichen Körper sah, welche seiner Eigenschaften sie betonen und welche sie verbergen wollte. Wenn nun also hier skizziert werden soll, wie die Jahrhunderte, die die Manieren hervorgebracht haben, das Idealbild der Männlichkeit sahen, dann kann es nicht darum gehen, eine untergegangene Herrschaftsform zu verherrlichen – zweimal schon klingt das Herrenthema an, bald tritt er selbst auf –, sondern darum, den »Herrn« als ein vielen Epochen bis in die Gegenwart hinein vertrautes inneres Bild der europäischen Völker zu begreifen. Daß es den Herrn, ebenso wie die Dame, in seltenen Exemplaren bis heute gibt, soll nicht bestritten werden. Er war vielleicht immer selten, was seine Vorbildfunktion aber nur erhöht. »Die Aristokratie ist ein Traum des Volkes, den die realen Aristokraten verraten haben«, sagt der illusionslose Nicolás Gómez Dávila, aber das Leben der Träume, auch der verratenen, kann zäh sein.

Der »Herr« ist übrigens nicht exklusiv europäischer Besitz: Arabische Beduinenfürsten, japanische Samurai, indische Rajputen und äthiopische Mesafint haben das Herrenideal ebenso eindrucksvoll ausgeformt. Das Wissen, daß nicht jeder Mann ein Herr sein kann, ist in einer Zeit, die jeden Mann als Herrn anspricht und selbst nicht vor der »Herrenoberbekleidung« oder dem »Herrenslip mit Eingriff« oder dem »Hundert Meter Brust der Herren« zurückschreckt, ein wenig in den Hintergrund getreten. Mit Dankbarkeit sehe ich auf vergessenen Bahnhöfen manchmal noch den Wegweiser zum Abtritt für »Männer und Frauen«, auch in Italien kann man an solchen Orten manchmal noch »Uomini« und »Donne« lesen, und wo wäre die nüchterne Benennung der Geschlechter mehr am Platz? Jeder Herr ist ein Mann, aber nicht jeder Mann ist ein Herr; im geheimen wissen wir das alle. Und weil es hier um ein Gebot geht, das die Grenze des demokratisch Korrekten womöglich gelegentlich überschreitet, sei auch gleich aus vollem Herzen gesündigt. Übergroß will ich das Bild des Herrn malen.

In Europa kennt man in allen Ländern die Steigerung der Herrlichkeit: den Großen Herrn (nicht zu verwechseln mit dem Großherrn, dem osmanischen Sultan), den Grandseigneur, den Gransignore. »Un gran signore, un vero signore, un signore-signore« sei ihr verstorbener Herr gewesen, sagte mir eine italienische Köchin. In diesen Worten klingen zwei Motive an: Der Herr ist kein verborgenes, nur dem Kenner sichtbares Phänomen. Er verlangt keine soziale Kennerschaft, um erkannt zu werden, er leuchtet über seine Standesgrenzen hinaus. Die vielbeschworenen »kleinen Leute« haben Zutrauen zu ihm und sympathisieren mit ihm. Man kann in dieser Hinsicht geradezu die Probe aufs Exempel machen – wenn bei einem Mann die Fähigkeit, auf alle Klassen zuzugehen und sich mit ihnen vorzüglich zu verständigen, gestört ist, ist es mit seinem Anspruch auf den Titel des

»Herrn« nicht weit her. Zum zweiten ist aus den Worten der Köchin die Großzügigkeit deutlich herauszuhören. Ein kleinlicher, gar geiziger Mann hat gleichfalls wenig Chancen, Herr zu sein. In der Großzügigkeit liegt womöglich gar eine Gefahr für den Herrn, denn er neigt in dieser Hinsicht zur Übertreibung. Aber auch wenn er ein rechnender Hausvater ist, hat er in seinem Etat immer ein Budget, das die große Geste, die freigebige Unterstützung, das gute Trinkgeld, die aufwendige Einladung möglich macht. Zu dieser Großzügigkeit gehört aber auch, ein großes Geschenk oder einen großen Gefallen annehmen zu können und dafür zwar zu danken, sich aber nicht gezwungen zu fühlen, sich dafür alsbald zu revanchieren. Das Wort »revanche« ist vielsagend, es heißt vor allem Rache. Wer kein Herr ist, leidet oft unter der Vorstellung, einem anderen verpflichtet zu sein, und sucht die entstandene Bindung sofort durch ein Gegengeschenk wieder aufzulösen. »Jetzt sind wir quitt« ist der damit verbundene Gedanke, der jedes Geschenk zu einem Warenaustausch in etwa vergleichbarem Wert erniedrigt. Mehr dazu im Kapitel »Geschenke«.

Der Herr berührt teilweise das Ideal des Gentleman, teilweise aber auch ganz entschieden nicht. Obwohl Gentleman Edelmann heißt, ist er ein demokratisches Ideal, wenngleich eines der wohlhabenden Schichten; noch zu Beginn des zwanzigsten Jahrhunderts war kein Gentleman, wer einem Beruf nachging, um damit Geld zu verdienen. Eine konstituierende Eigenschaft des Gentleman war ganz einfach die Höhe des Bankkontos, und wenn auch das Ideal des Herrn keineswegs mit dem der Bettelmönche zu verwechseln ist, kamen seine Vorzüge oft ganz besonders gut zur Anschauung, wenn das große Geld dahin war. Ich denke da etwa an einen pommerschen Großgrundbesitzer, der in ein stalinistisches Hungerlager geraten war und sich mit dem Stück Speckschwarte, das an Stalins Geburtstag ausgeteilt wurde, die Stiefel wichste, um sein dann auch unmittelbar bevorstehendes Ende nicht mit ungeputzten Schuhen als einem *pars pro toto* einstiger

Soigniertheit erleben zu müssen. Dieser Geste fehlt gewiß nicht etwas leicht Demonstratives, das zum Herrn aber durchaus gehören kann. Er stellt sein Licht nicht unter den Scheffel, aber nicht, um es ehrgeizig zur Geltung zu bringen, sondern weil ihm die ganze Wirtschaft mit dem Scheffel zu betulich und zu ängstlich vorkommt. In der Vergangenheit nahm dies demonstrative Wesen oft provozierende Formen an: Die Herren breiteten einen unschätzbar kostbaren Mantel über eine Pfütze, damit der Schuh ihrer Dame nicht befleckt wurde, sie gaben den Henkern, die ihnen den Kopf abschlagen sollten, einen schönen Ring als Andenken an die seltene Gelegenheit, sie ließen die goldenen Teller ihrer Bankette beim Abservieren aus dem Fenster werfen, und sie ritten hoch zu Roß in den Salon. Sie standen mit einprägsamen Äußerlichkeiten auf gutem Fuß. Die Geste war wichtig. Als König Ludwig XIV., das Urbild eines Herrn, sich besonders unverschämten und erpresserischen Forderungen eines Höflings ausgesetzt sah, beging er, wie sein Todfeind Saint-Simon schreibt, die »schönste Tat seines Lebens«: Er ging zum Fenster und warf seinen Stock hinaus. Dem verblüfften Höfling erklärte er: »Ich wollte mich nicht in die Versuchung bringen, einen französischen Edelmann zu schlagen.«

Vom Gentleman hören wir von einem ausgewiesenen Kenner der Materie, Harold Nicolson, er habe ein wenig schüchtern zu sein. Der Herr ist keineswegs schüchtern. Für ihn ist bezeichnend, daß sich in seiner Gegenwart die Schüchternheit selbst der Schüchternsten auflöst. Aus ritterlichen Zeiten ist ihm als höherer Instinkt geblieben, sich für die »Witwen und Waisen« verantwortlich zu fühlen und in seiner Gegenwart die Mißhandlung Schwächerer nicht zu dulden. Bis in jüngste Zeit hinein wirkte dieser soziale »Herren«-Affekt etwa in die Reihen der britischen Konservativen hinein, wo die Erben der »echten Tories« sich gegen die Aufsteiger-Ethik der Margaret Thatcher wandten, in der es diese demonstrative Sympathie für die Schwachen nicht mehr geben sollte. Diese Protektion der Schwachen als moralisches Ideal des Herrn widerspricht nietzscheanischen Übermensch-Phantasien, die ihre Verwirklichung doch eigentlich gerade im europäischen Herren-Stand hätten suchen müssen. Es gehört zum Herrn klassischerweise eine gewisse Nähe zum Sport, die nicht unbedingt zur Folge haben muß, daß er tatsächlich Sport treibt, sondern sich in einem Interesse an körperlichem Training und Wettkampf ausdrücken kann. Schnelle Wagen, schnelle Pferde, schnelle Fäuste gehören zu dem, was ihn reizt und dem er sich mit geradezu wissenschaftlicher Leidenschaft zuwendet. Diese Leidenschaft kann ihn in reichlich vulgäre Milieus führen. Zuhälter, Mafiosi, die Sport-Gladiatoren und die Rockstars sind denn auch die Spiegelung des Herren-Ideals in trüben Gewässern, eine Art Räuberhauptmannsadel, der die Geducktheit des ökonomisch dressierten Bürgertums hinter sich gelassen hat.

Zur Freude an sportlich geübter Bewegung gehört auch das Tanzen. Der Herr kann tanzen, allerdings nicht im Sinn der Tanzlehrer-Vollkommenheit. Perfekt irgendwelche Tänze zu beherrschen ist für ihn mit einem leisen Hauch der Peinlichkeit verbunden. Daß zum Herrn die Bescheidenheit gehört, wird er unbedingt bejahen und es seinen Söhnen eintrichtern, aber wenn Bescheidenheit als das Dasein der grauen Mäuse verstanden wird, hat er nicht genug davon abbekommen. Zum Luxus ist sein Verhältnis eindeutiger: Der Herr ist der Herr des Luxus, der Luxus muß nach seiner Pfeife tanzen. Der Luxus kann den Herrn nicht überwältigen, der Herr kennt ihn, schätzt ihn, braucht ihn und kann ohne ein Wort des Bedauerns auf ihn verzichten. Große Verschwendung und große Bedürfnislosigkeit bis hin zu schroffer Askese sind für den Herrn sehr typisch. Der Herr ist aber kein Heiliger: auf Verletzungen seiner Ehre reagiert er gefährlich und unnachsichtig. Hier hat die Desinvolture plötzlich ein Ende.

Mit der Kleidung verhält es sich wie mit dem Luxus: Er bestimmt, was er trägt, die Mode hat da gar nichts zu melden, der Schneider auch nicht. Was er anzieht, steht seit langem fest und ist modischen Einflüssen nicht unterworfen. Erkennbare Markenartikel kommen ohnehin nicht an seinen Leib. Monogramme und Wappen anderer Leute zu tragen gehörte zur Livree der Lakaien. Niemand weiß besser als er, was wann getragen werden soll, aber es ist nicht sicher, ob er sich immer daran hält. Seine Kombinationen entsprechen jedenfalls häufig nicht den Ratgebern der Herrengeschäfte; man sieht ihn mit einem speckigen Jagdhut zum Smoking oder in goldbestickten Pantoffeln zur alten Lederhose. Die Todesnot des Aufsteigers, entweder »underdressed« oder, noch schlimmer, »overdressed« zu sein, ist ihm unbekannt. Wenn es der Zufall oder ein Versehen mit sich bringt, daß er falsch angezogen ist, bringt er dafür nicht ein einziges Wort der Erklärung auf. Es ist nicht wichtig. Es ist ja tatsächlich nicht wichtig, aber das ist gar nicht so vielen Leuten klar.

Künstlern und Priestern gegenüber ist der Herr von deutlichem Respekt; es bewegt ihn nicht besonders, was es mit solchen Herren auf sich hat, aber er weiß, daß seine Familie einmal Klöster gestiftet und Bilder bestellt hat und daß es sich dabei um etwas Ehrenwertes handelte. Und zu alldem kommt, daß der Herr, so liebenswürdig, umgänglich und vernünftig er agiert, die ganze Zeit unter einem eigenen, ihn von der Umwelt scheidenden Gesetz steht, das gemischt ist aus vielen Komponenten: seiner Ehre, seiner Tradition, seiner Vorstellung von sich selbst, seinem König (vor allem, wenn es den nicht gibt; realen Königen steht er oft recht feindselig gegenüber), seiner von den Vätern ererbten Verrücktheit, seiner höchstpersönlichen Verrücktheit.

Was ist sonst noch bezeichnend für den Herrn? Er kennt nicht eine Scheidung der Welt in Innen- und Außensphäre. Es gibt für ihn kein Leben in den Kulissen. Wenn seine Geliebte eine Dame ist, wird er ihr auch alle förmliche Verehrung erweisen, die er einer Dame schuldet, wenn sie keine ist, übrigens gleichfalls. Seine Mutter, seine Frau, seine Töchter sind für ihn nicht nur nahe Personen, sondern gleichsam Institutionen; nie geht es zeremonieller bei ihm zu als im engsten Familienkreis. Als Goethes Herzog einer Aufführung seines Freundes beiwohnte, die von Studenten ausgepfiffen wurde, rief er in den Saal: »Wer wagt es, in Gegenwart meiner Frau zu pfeifen!«, und ließ die Radau-Macher ins Loch stecken, eine für den Herrn bezeichnende Reaktion.

Ein unbedingt herrenhaftes Verhalten, das aber nicht unbedingt gentlemanlike war – eine gute Gelegenheit, den Unterschied der Begriffe zu studieren –, zeigte einer meiner Freunde, den ich leider aus den Augen verloren habe. Nachdem er in kurzer Zeit ein großes Vermögen durchgebracht hatte, wollte er dennoch nicht von der schönen Gewohnheit lassen, mit seinen Freundinnen festlich zu dinieren. Eine dieser Frauen hat mir erzählt, wie es bei einer dieser Einladungen – der letzten? – zuging. Man aß und trank vorzüglich in einem großen Hotel. Als man beim Cognac angekommen war, sagte mein Freund: »Liebling, ich habe hier noch etwas zu regeln. Würde es dir etwas ausmachen, wenn du jetzt allein nach Hause gehst?« Nachdem er sie hinausgeleitet hatte, ließ er den Geschäftsführer kommen und erklärte ihm mit bescheidener Würde, daß er leider nicht zu zahlen imstande sei.

Man hat gesagt, ein Herr wundere sich nicht – das ist scharf abzugrenzen gegenüber dem englisch-antikisch-stoizistischen Nichts-Bewundern. Der Herr wundert sich nicht über das, was geschieht und was man ihm zuträgt. Er hält schlechterdings alles für möglich. Er beansprucht die Erfahrung von Jahrhunderten für sich, auch wenn er historisch nicht besonders informiert ist. Wenn man ihm eine Ungeheuerlichkeit berichtet, antwortet er: »Was haben Sie erwartet?« Ausbrüche von Unglauben und entrüsteter Verdutztheit liegen ihm fern. In Frankreich ist auch außerhalb der Herren-Sphäre eine den Deutschen allgemein sehr fremde Mentalität verbreitet, die »C'est normal!«-Haltung. Jemand streut Zucker auf die Salami und Salz in den Kaffee: »C'est normal« – für diesen Typ, könnte man hinzufügen. Der Eiffelturm wurde in die Luft gesprengt: »C'est normal« – bei dieser politischen Situation. Diese Haltung gibt ihm das Air von erheblich mehr Information, als er gemeinhin besitzt, denn in die Zentren der Macht gelangt der Herr heute nur noch selten, weil der Weg dorthin über die Ochsentour durch eine der politischen Parteien führt, eine für den Herrn unvorstellbare Fortbewegungsweise.

Dabei müßte ihm die Langsamkeit eben der Ochsentour doch entgegenkommen. Man hat gesagt, der Herr beeile sich nicht. Die Eile ist die Feindin der Würde. Für die römischen Herren aus den senatorischen Familien war *gravitas,* Schwere und Langsamkeit, der Ausdruck der höchsten Eleganz. Die Sklavinnen, die diesen Herren die Toga in schöne Falten legten, die *vestiplicae,* wußten genau, daß die ganze Pracht herunterfiel, wenn der Senator sich schnell bewegte. Er mußte langsam sein, wenn er nicht buchstäblich im Hemd dastehen wollte. Die Toga, das vielleicht schönste Kleidungsstück, das je ersonnen worden ist – sie lebt in der äthiopischen *Shamma* fort, zu Hause war ich seit früher Kindheit an sie gewöhnt –, ist der absolute Gegensatz zur heutigen Freizeitkleidung und dabei eigentlich sogar bequemer, leichter und luftiger. Gómez Dávila, der wie viele große Philosophen auch ein *arbiter elegantiarum* ist, schlägt vor, »statt das in der Politik zur Bedeutungslosigkeit verkommene Wort Menschenwürde zu benutzen, einfach alles langsam zu tun.« Was der Herr tut, wenn es darum geht, das letzte Schiff oder Flugzeug zu erwischen, weil er sich vor lauter Würde vertrödelt hat, muß uns nicht kümmern, denn wir sind uns ja einig, in ihm eine Idealfigur zu sehen, die schon irgendwie zurechtkommen wird.

Als Sir Harold Acton vor wenigen Jahren starb, wurde er in den Nachrufen als Muster des Gentleman gepriesen: niemand habe von sich sagen können, hieß es dort, *nach* Acton durch eine Tür gegangen zu sein. Das sollte wohl heißen, daß er jedermann zum Vortritt genötigt habe. Ich bin mir offen gestanden nicht so sicher, ob ich solches Anderen-um-jeden-Preis-den-Vortritt-Aufzwingen so elegant finde. Solange die entsprechenden Szenen sich in Actons herrlicher Florentiner Villa abspielten, enthielten sie nichts Bemerkenswertes. Der

Hausherr geht, wenn er Gäste durch sein Haus begleitet, grundsätzlich als letzter durch die Tür, das ist geradezu das Abzeichen seiner Hausherrenschaft, das ihm höflicherweise niemand streitig machen darf. Geht er ausnahmsweise einmal voran, weil die Gäste sonst nicht den Weg finden würden, sagt er das ausdrücklich, in Italien übrigens mit der hübschen Bemerkung: »Faccio strada« – »Ich bereite Ihnen den Weg.« Wenn Sir Harold als Gast tatsächlich darauf spezialisiert gewesen sein sollte, den Hausherrn immerfort dazu zu zwingen, voranzugehen, wäre er das unerfreuliche Beispiel eines Mannes gewesen, der durch die provozierende Exekution seiner vermeintlichen guten Manieren bei anderen ein flaues Schuld- und Inferioritätsgefühl erzeugen möchte: das nicht so seltene Beispiel eines Anti-Herrn, in Herrngestalt natürlich und deshalb besonders skandalös.

Ich komme jetzt zum Allerwichtigsten: Der Herr benutzt kein Portemonnaie. Das Geld klimpert bei ihm in der Hosentasche, die Scheine ruhen in der Brusttasche an seinem Herzen. Wer dieses Gesetz erfunden hat, weiß ich nicht. Im Rokoko und im neunzehnten Jahrhundert waren noch die schönsten, reich bestickten Börsen, oft Geschenke von lieber Hand, im Gebrauch. Und jetzt plötzlich also nicht mehr. An solchen unbegründbaren, das Beliebige streifenden »Regeln« wird ein besonderer Charakterzug der Manieren sichtbar, der axiomatische, den sie mit der Mode gemeinsam haben, mit der gleichfalls nicht gerechtet werden kann.

Das Zweitwichtigste, heute leider nur schwer zu Verwirklichende (aber der Herr liebt das Unmögliche und das Unmögliche liebt ihn): Ein Herr darf einen Ast, eine Aktentasche, ein halbes Schaf oder einen Bilderrahmen tragen, aber keine Tüte. Warum keine Tüte? Keine Antwort, aber man fühlt, meine ich, unversehens, wenn man sich das Bild eines Herrn mit einer Tüte vorstellt, ein sanftes Unbehagen. Seltsamerweise lebt dies Gefühl heute in Frauen mehr als in Männern. Einmal habe ich mit einer sehr eleganten Freundin ein Geschäft betreten, wo wir irgend etwas kauften, das in eine schöne Tüte getan wurde. Ich nahm die Tüte selbstverständlich, aber sie bestand darauf, sie selber zu tragen: »Ich möchte nicht mit einem Mann gehen, der eine Tüte trägt.« Ich gebe zu, daß ich diese Worte in angenehmster Erinnerung bewahre.

Der schöne Schein

Im Deutschen lügt man, wenn man höflich ist«, läßt Goethe im *Faust* den rüpelhaften Baccalaureus ausrufen, dessen moralischer Radikalismus schon die spießbürgerliche Selbstgerechtigkeit erahnen läßt, in der sie sich in ihrem nachakademischen Leben gefallen werden. In einer der deutschen Lieblingskomödien, *Minna von Barnhelm,* die in keinem anderen Land der Welt verstanden werden kann, weil es dort niemandem begreiflich zu machen ist, wieso ein ehrenhafter Mann seine Ehre verliert, wenn er eine Liebesheirat mit einer Frau eingeht, die wohlhabender ist als er, tritt ein französischer Strolch auf, der die Doktrin der Verlogenheit der beschönigenden Rede verkündet: Beim Spiel betrügen nennt er »corriger la fortune« – da dürfen sich die Studenten aus Auerbachs Keller, inzwischen Richter, Ärzte und Studienräte, den Embonpoint vor Lachen halten. So sind sie eben, die Romanen, die Bewohner der Mittelmeerländer, die Orientalen, sie lächeln den Leuten ins Gesicht und sind hinter der freundlichen Maske Egoisten und Übervorteiler. Trotz solcher weitverbreiteten Überzeugungen kommen aber auch die Deutschen mit der »uneigentlichen Rede« in Wahrheit gar nicht so schlecht zurecht. Der Schriftsteller, der in dem Brief, mit dem man seinen Roman zurückschickt, liest, das hochinteressante Werk passe leider gegenwärtig nicht recht ins Programm, kann mit dieser Auskunft besser leben als mit der ehrlichen Überzeugung des Lektors, man solle ihn mit solch erbärmlichem Dreck verschonen. Die Gastgeberin, der mit Bedauern abgesagt wird, schätzt diese Form mehr, als wenn ihr ehrlich mitgeteilt würde, daß man weder auf ihren Fraß noch auf ihre Freunde die geringste Lust verspüre. Der Angestellte läßt sich lieber »aus in der Organisation der Produktionsabläufe liegenden Gründen« kündigen als wegen seiner Faulheit und Unbrauchbarkeit. In all diesen Fällen besteht nach überwiegender Mehrheit der Deutschen sogar ein Recht darauf, belogen zu werden. Und damit hat diese Mehrheit, die dazu eigentlich überhaupt nicht disponiert ist, auch durchaus das Richtige getroffen, das Richtige im Sinne der Manieren, wie sie in der ganzen Welt entwickelt worden sind, um die scharfen Kanten der grundsätzlichen Feindseligkeit zwischen allen Menschen ein klein wenig abzuschleifen, damit nicht gleich bei jedem Zusammenstoß Blut fließt.

Es geht bei der »uneigentlichen Rede« vor allem um die Kunst, nein zu sagen, ohne aus dem Verdruß, den solche Verweigerung hervorrufen kann, eine ernste Verdüsterung des Verhältnisses werden zu lassen. Jeder hat wunde Punkte, die er nicht angesprochen wissen möchte. Worte können tiefer verletzen als Handlungen. Eine stumme Handlung läßt sich immer noch irgendwie interpretieren, eine sprachliche Eindeutigkeit meist nicht mehr. Im Orient hat man für den Komplex, der hier berührt wird, den inzwischen auch in Deutschland gebräuchlichen Ausdruck »das Gesicht verlieren«. Die »ehrlichen Deutschen« wissen eigentlich sehr genau, was das heißt, sie haben auch ihre »Gesichter«, die sie sehr ungern verlieren, und sollten sich lieber mit dem Erlernen der in anderen Ländern entwickelten Techniken zur Vermeidung eines solchen Unfalls, den viele schlimmer nehmen als den Verlust des Lebens, beschäftigen.

»Die Sprache ist dem Menschen gegeben, um seine Gedanken zu verbergen«, lehrt der große Talleyrand, der leider zu beschäftigt war, um eine Darstellung der Manieren seiner Zeit anzugehen – es wäre mit hoher Wahrscheinlichkeit das »ultimative«, quintessentielle Werk über die Manieren der Neuzeit geworden. Verbergen ist hier vielleicht noch nicht ganz der richtige Ausdruck: verhüllen wäre noch besser, bekleiden wäre das allerbeste. Wie die Gedanken im nackten Zustand aussehen, ist nämlich jedem, der sich und andere mit Gelassenheit zu betrachten gelernt hat, bekannt. Hier ist nicht der Ort, darüber zu klagen, daß der Mensch – nur Sie nicht, verehrter Leser, um es wie der Herzog von La Rochefoucauld zu sagen – sich im wesentlichen von seiner Eigenliebe und seinem Vorteil bewegen läßt. Eine Untersuchung der Manieren hat sich nicht damit zu befassen, was schön wäre, wenn wir vollkommen wären, sondern mit den Möglichkeiten, von unserer Hinfälligkeit abzulenken. Manieren sind das Parfüm, das vergessen läßt, daß wir stinken, und wie beim Parfüm ist es klug, sich Manieren anzueignen, die mit den persönlichen Gegebenheiten nicht in kreischendem Gegensatz stehen, sondern sie glücklich ergänzen.

In den metropolitanen Kulturen des Mittelmeerraumes, die seit Jahrtausenden auf das enge Zusammenleben der Menschen ausgerichtet sind, und in den Kaufmannskulturen des Orients – nicht zu vergessen die Despotenhöfe, die wahre Seminare der Menschenkenntnis sind – haben sich frühzeitiger und gründlicher gewisse Einsichten über das Menschenwesen entwickelt als im Norden, wo man lange Zeit eine Tagereise brauchte, um den nächsten Nachbarn zu sehen. Weltkenntnis und Menschenkenntnis stehen demgemäß in allen diesen südlichen Kulturen in hohem Rang. *Savoir vivre* beschränkt sich keinesfalls darauf, eine Champagnerflasche richtig öffnen zu können, sondern hat vor allem den illusionslosen Blick auf sich selbst und auf andere zum Gegenstand, eine durch die religiöse Praxis der Gewissenserforschung in der Kirche einst geförderte Begabung, die inzwischen längst Kultur geworden ist. Solche Lebenskenntnis gebietet, während man den Erklärungen eines Menschen lauscht, sich die Fragen zu stellen: Was will er wirklich? Was müßte er wollen, wenn er seinen Vorteil im Auge hätte? Wo liegen seine Interessen?

Darf man ernsthaft glauben, jemand beabsichtige wirklich, die eigenen Interessen ohne Rekompensation zu vernachlässigen? Für einen südlichen Menschen liegt geradezu eine Unanständigkeit darin, an Absichtserklärungen erinnert zu werden, die für jeden Wohlmeinenden und Verständigen den eigenen Interessen zuwider formuliert waren. Was man sagt, hat eine vollständig andere Funktion als die Beförderung dessen, was sich von selbst versteht. Die Rede ist dazu da, dem menschlichen Bedürfnis nach Wertschätzung und Schonung entgegenzukommen, und hat mit dem, dessen Notwendigkeit ohnehin jedem bekannt ist, gar nichts zu tun. Häßliche Wahrheiten sind nackt genauso unerfreulich wie häßliche Menschen. Das ästhetische Bedürfnis, dessen Ergebnis das »uneigentliche Sprechen« des Orients und des romanischen Südens ist, hat mit Betrug und Verfälschung der Wirklichkeit nichts zu tun, denn es setzt die rückhaltlose Kenntnis der Wirklichkeit voraus; man könnte sagen, seine Funktion ist die des Trostes über die Welt, wie sie nun einmal ist.

Im hochzivilisierten Volk der Ungarn gibt es eine eigene Konjugation, um Verneinungen als Bejahungen auszusprechen. In deutschen Corpsstudentenkreisen kursierte folgende Definition der Dame: »Sagt sie nein, meint sie vielleicht; sagt sie vielleicht, meint sie ja; sagt sie ja, ist sie keine Dame« – dem würde ich nur zustimmen, wenn auch das Gegenteil gilt: »Sagt sie ja, meint sie vielleicht; sagt sie vielleicht, meint sie nein; sagt sie nein, dann ist sie so direkt, wie sie es als Dame eigentlich gar nicht nötig hat.« Der Versuch, Festlegungen zu erzwingen, ist außerhalb der juristischen Sphäre bereits etwas Ungehöriges und wird durch Ausweichmanöver schon milde und schonungsvoll genug bestraft. Nur im Handelsrecht unter professionellen Kaufleuten bedeutet Schweigen Zustimmung; im allgemeinen Privatrecht schon nicht mehr, und im gesellschaftlichen Leben schon gar nicht. Jede Person besitzt das Recht, ein Glacis zwischen sich und die anderen zu legen und selbst zu entscheiden, worüber sie Auskunft gibt und worüber nicht, und auch diese Verweigerung muß erraten werden; es besteht kein Anspruch auf Mitteilungen *expressis verbis:* »No man is an island«, dichtete John Donne, aber man könnte hinzufügen, daß das Leben innerhalb der unlösbar aneinanderhaftenden Menschenketten unerträglich werden kann, wenn nicht wenigstens die Möglichkeit besteht, gelegentlich so zu tun, als sei der Mensch eine Insel, von Nebeln umgeben und unbetretbar.

Daß man des Erratens und diskreten Vermutens auch zuviel tun kann, beschreibt Marcel Proust sehr schön bei den Tanten des Erzählers, die im Umgang mit ihren Mitmenschen so phantasievoll jede Bemerkung auf ihren vermuteten eigentlichen Sinn ausdeuten, daß ein wie immer gearteter harmloser Umgang mit ihnen nicht mehr möglich ist. Wem das Recht zur gesellschaftlichen Lüge suspekt bleibt, der sollte wenigstens die Möglichkeit akzeptieren, für die Entscheidungen seiner Freunde keine Erklärungen zu verlangen. Ich bin immer wieder angenehm berührt, wenn in Frankreich jemand eine gesellige Runde mit der Bemerkung verläßt: »Je vous laisse« – ich verlasse Sie«, ohne dafür Gründe mitzuliefern, wichtige natürlich, um sich für seinen Aufbruch zu rechtfertigen. Wer Rechtfertigungen verlangt, der muß auch Lügen zulassen, so einfach ist das. Genügt es nicht, daß der andere jetzt etwas tun möchte, das ihm wichtiger ist als unsere Gesellschaft? Wer wagt es, gegen die Majestät dieses Grundes Argumente vorzubringen?

In Deutschland kommen leider die schriftlichen Absagen auf Einladungen aus der Mode: »Erich und Ida Schultze (die Namen sind in die Mitte der Karte gedruckt, der Rest ist mit der Hand geschrieben) danken für die Einladung zum Abendessen, der sie zu ihrem großen Bedauern nicht Folge leisten können.« (Keine Unterschrift.) Sehr nützlich und jede Form von »uneigentlichem Sprechen« ersparend waren auch die Abkürzungen auf der Visitenkarte, leider auch nur einem recht kleinen Kreis zugänglich. Auf die Karte wurde in die rechte Ecke je nach Anlaß »p.f. – pour féliciter; p.c. – pour condoler; p.r. – pour remercier; p.p.c. – pour prendre congé« geschrieben, und dann wurde sie mit einem Blumenstrauß oder einer Bonbonniere bei den Leuten abgegeben, bei denen sich bedankt werden sollte. Modernen Menschen kommen solche Formen manchmal kalt und routiniert vor, vielleicht, weil sie so sehr viel mehr Herz haben als die altertümlichen Gesellschaftsmenschen der Vorkriegszeit. Nein, mit Freunden kann man selbstverständlich so nicht umgehen. Freunde haben das Recht auf unsere unumschränkte Offenheit. Schön ist es, dem Freund rückhaltlos die Wahrheit ins Gesicht zu sagen. Noch schöner ist es, wenn die Freundschaft solche Kuren für längere Zeit übersteht.

Körperliche Haltung & Seelische Contenance

Lerma. *Das / Ist teufelisch!*
Parma und Feria. *Was denn? Was denn?*
Medina Sidonia. *Was macht / Der König?*
Domingo (zugleich). *Teufelisch? Was denn?*
Lerma. *Der König hat / Geweint.*
Domingo. *Geweint?*
Alle (zugleich, mit betretnem Erstaunen).
Der König hat geweint?
Friedrich Schiller, *Don Carlos*

Wenn die Manieren den Körper vollkommen unter ihre schon gar nicht mehr spürbare Kontrolle genommen haben, könnte man das Ergebnis Anmut nennen. Beim Militär hat man versucht, alles Zufällige und Individuelle aus der Haltung zu verbannen. Nicht nur das Strammstehen, sondern auch das »Bequemstehen« ist einem exakten Reglement unterworfen. Beim Bequemstehen wird ein Fuß vorgestellt und ein Arm in die Hüfte gestützt, aber ob der rechte oder der linke, habe ich vergessen, obwohl ich schon als Kind viele Paraden gesehen habe. Aber dies Bewegungszeremoniell, das, wie bekannt, überall auf der Welt mit einem scharfen Drill verbunden ist, verhält sich zur zivilen Haltung natürlich wie ein Holzschnitt zum Ölgemälde. Der militärische Drill will eine Einheit unter einer Vielheit von unterschiedlichster Herkunft und Vorbildung erreichen und muß seine ästhetischen Maßstäbe auf das Allereinfachste richten. Was er vermag, wird eigentlich erst deutlich, wenn man einen alten Soldaten in Zivil erlebt. Die Straffheit ist dann gemildert, die Körperbeherrschung erkennbar, die leichtesten Bewegungen »sitzen«. Bei den Preußen war der gesamte ästhetische Vorsprung des

Militärs gegenüber dem Zivil nur leider durch das Hackenzusammenschlagen entwertet, das durch sein demonstratives Gebaren das Gegenteil von Eleganz darstellte; ich habe es noch erleben dürfen an vereinzelten Restexemplaren, und ich kannte, bevor ich es sah, schon den Spott der Engländer über diese Form der Zackigkeit. Zackigkeit hat nun tatsächlich im zivilen Leben keinen Ort. Die Bewegungen sollen fließen, nicht stocken, das Aufeinanderzugehen ist kein Gegeneinanderprallen, sondern ein beinahe tänzerisches im Draufzugehen schon wieder Zurückweichen.

Eine der wichtigsten Fragen, die das Militär geklärt hatte, war: wohin mit den Händen? Das ist für viele ein ungelöstes Problem, und für Schüchterne wird dies Problem zur Qual. Man könnte sich als Kur gegen diese Unsicherheit die Übung vorstellen, eine Gesellschaft mit weit geöffneten Armen zu betreten: Hier sind die Hände, ich zeige sie euch allen! Die einfachste Lösung scheint die schwerste zu sein. Zu meinem Erstaunen bringen es nur wenige Menschen fertig, ihre Arme einfach locker rechts und links am Körper herunterhängen zu lassen, ohne damit etwas zu unternehmen. Dabei ist dies die natürlichste und einfachste Haltung, vor allem, wenn der ganze Körper sich dabei gerade hält. Diese Haltungsfragen sind, wenn man erst einmal erwachsen ist, schwer zu beeinflussen. Wie die Leute dastehen, verrät schon viel darüber, ob in der Kindheit jemand da war, der das Kreuz auf sich genommen hat, unablässig zu gerader Haltung zu mahnen, was eine der erbitterndsten Beschäftigungen für Erzieher wie für Erzogene darstellt. Wir sind in der sonderbaren Situation, Haltungen schön zu finden, die für Möbel gedacht waren, die weitgehend aus dem Gebrauch geraten sind – auch Leute mit Empire-Sesseln sitzen meist oft nicht darauf, sondern haben ihre modernen Polsterlagerstätten, die für ein entspanntes Sich-hinein-Flegeln geschaffen zu sein scheinen. Nur wenige Zentimeter über dem Boden sitzt nun in kerzengerader Haltung mit geschlossenen Knien und weit seitlich gestellten Füßen die damenhafte Frau auf solchem keinerlei Halt bietenden Pfühl und wirkt dabei so gelassen und locker, als könne sie gar nicht anders sitzen, als sei sie ein Vogel, der sich, ob er sich auf einem blühenden Rosenbusch oder einer Kehrichttonne niederläßt, immer gleich verhalten wird.

Die Hände der Männer durften in Deutschland früher nicht in den Hosentaschen sein, aber inzwischen hat sich die englische Sitte verbreitet, daß Männer, wenn sie sich mit Männern unterhalten, die Hände gern in den Taschen lassen können, obwohl das immer noch ein Zeichen der Gleichheit der Gesprächspartner geblieben ist; ein junger Mann würde wohl, wenn er wohlerzogen ist, mit einer Frau oder mit einem alten Mann nicht mit den Händen in den Hosentaschen sprechen. Ich habe den Ruf, der meine Jugend beherrschte: »Hände aus den Hosentaschen, wenn du mit mir sprichst!«, in Deutschland zwar lange nicht mehr gehört, aber die Regel wird wohl noch gelten. Lange habe ich darüber nachgedacht, was es genau ist, das die Eleganz jener Handbewegungen ausmacht, an denen man Leute erkennen kann, die es verdienen, Vorbilder in der richtigen Haltung zu sein. Gemeint ist natürlich nicht ein aufgeregtes Mit-den-Händen-Reden. Es gibt bekanntermaßen Kulturen, in denen die Hände ebenso wichtig zum Sprechen sind wie Zunge und Zähne. In Süditalien kann man Leute am Telefon erleben, die erregt gestikulieren, obwohl dem Gegenüber dies doch alles entgehen muß; er bekommt nur die Hälfte der Botschaft mit. So erheiternd und überzeugend ein solcher Sprecher anzusehen ist – zumal die Gestik uralt ist und aus antiker Rhetorenschule stammt –, auch in Neapel behauptet niemand, in ihm die Krone von Anmut und Eleganz verwirklicht zu sehen. Für aristokratische Neapolitaner, und es rechnen sich viele, viele dazu, ist spanische *gravitas,* also Unaufgeregtheit, Gemessenheit, Souveränität in gleichem Maße Ideal wie im restlichen Europa. Aber ganz ohne Gesten kommt auch die gezügelte, disziplinierte Rede nicht aus. Das Wichtigste dabei ist wohl zunächst die Langsamkeit – ganz allgemein ist der Wert der Langsamkeit für die Manieren nicht zu unterschätzen; das ist wohl einer der schärfsten Gegensätze zu den Idealen der Gegenwart. Das Fuchteln und das Mit-den-Händen-in-der-Luft-Herumfahren, das Schütteln der geballten Fäuste, aber auch fortgesetzte nachhelfende Gesten, so als spreche man mit jemandem, der die Landessprache nicht beherrscht, machen sämtlich keinen seigneuralen Eindruck. Die Geste muß selten sein, den Höhepunkt des Arguments gelassen unterstützen, und aus einer fließenden Bewegung herauskommen, etwas Gerundetes haben. Noch etwas Wichtiges: Meine Jugend ist von der zahlreichen Gegenwart alter Ikonen geprägt. Für das lehrende Sprechen und das Hören gibt es auf diesen Bildern zwei verschiedene Gesten. Das Lehren geschieht mit der aufgestellten Hand, bei der Daumen, Zeige- und Mittelfinger nach oben weisen, Ring- und kleiner Finger aber hinabzeigen. Das Hören besteht aus der ausgestreckten ganzen Handfläche. Die Gesellschaft macht es nun gerade umgekehrt. Ausgestreckte Finger gibt es überhaupt niemals, weder beim Reden oder Zeigen noch beim Schweigen, oder allerhöchstens in ironischer Absicht, während das Sprechen von Bewegungen der ausgestreckten Handfläche begleitet sein kann. Mit der ausgestreckten ganzen Hand kann auch auf etwas gezeigt werden, sie kann etwas zurückweisen, sie zeigt die Richtung, in die man sich begeben soll, und sie sinkt, wenn sie das alles getan hat, langsam wieder hinab.

Wer nicht die Nerven hat, die Hände einfach herunterhängen zu lassen, kann sie – was ein wenig geheimrätlich wirkt, aber zu einer geraden Haltung verhilft – auch auf dem Rücken zusammenlegen oder sie – was ein wenig abwehrend wirkt – vor der Brust verschränken. Die am wenigsten schöne Geste ist eine weitverbreitete, die, so kommt es mir vor, aus neuzeitlichen Gottesdiensten stammen muß und nun eine allgemeine beerdigungsartige Feierlichkeit verbreitet: das Falten der Hände vor den Geschlechtsteilen. Wenn die Leute in einer Mischung von Verlegenheit und Würde Aufstellung nehmen, wählen sie eine Haltung wie eine Reihe Fußballer beim Freistoß. In dem russischen Film *Der gewöhnliche Faschis-*

mus werden Photographien von diversen Nazi-Feierlichkeiten gezeigt, in denen eine Riege von Nazi-Größen mit solcherart tief unter der Gürtellinie gefalteten Händen dasteht, und dieser Anblick wirkt so komisch, daß niemand, der diese Bilder gesehen hat, noch einmal so dastehen wird. Ich glaube, es ist die Halbherzigkeit der religiösen Geste, die sie so fatal werden läßt – irgendwie erinnert man sich an das Händefalten, will es aber auf keinen Fall vor der Brust tun und hofft, daß es dort tief unten am Körper optisch unter den Tisch fallen wird.

Den Gesten und der Haltung entspricht die Miene, mit der wir das gute und das böse, das interessante und das langweilige Spiel betrachten. Durch Amerika hat sich in Europa die Doktrin einer »Offensive des Lächelns« verbreitet, aber sie hat sich zum Glück noch nicht allgemein durchgesetzt. Daß man Menschen, die einem nichts getan haben, mit denen man im Gegenteil einen Abend zu verbringen gedenkt, nicht finster und abweisend anblickt, hat eigentlich mit den Manieren nichts zu tun, so reflexhaft und selbstverständlich geschieht es. Aber es scheint in Nordamerika das Gefühl zu herrschen, daß jede geistige Verfassung, die nicht Bombenstimmung genannt werden kann, den Abend oder die Begegnung schon zum Fiasko werden läßt. Alle sollen immerzu, wenn sie sich begegnen, in einer Laune sein, als hätten sie beim Quiz im Fernsehen soeben eine Waschmaschine gewonnen, oder als seien sie im Begriff, einen solchen Gewinn zu überreichen. Abart dieser heftigen Glücksausstrahlung und gleichfalls über den Atlantik zu uns gelangt, ist das stillere, spirituellere Glückslächeln der Sekten. »Ich verstehe dich und ich nehme dich an«, sagt dies innige, warme Lächeln bereits zu einem Zeitpunkt, an dem die Informationen für ein solch tiefes, herzerwärmendes Verständnis noch gar nicht vorliegen. Das sei doch wenigstens besser als schlechte Laune? Nein, das ist es schon deshalb nicht, weil die schlechte Laune gar nicht die fragliche Alternative ist. Wer schlecht gelaunt ist, muß ohne Abendessen ins Bett und sofort das Licht ausmachen, so war eine alte, leider in Vergessenheit geratene Methode. Schlechte Laune hat auf Verständnis keinerlei Anspruch.

Das erinnert an den seltsamen Stimmungswechsel, der bei der Post eingetreten ist. Früher war ein Postbeamter mißgelaunt und wortkarg und durfte das auch sein, denn er vertrat den grimmigen Staat, und da gab es ohnehin nichts zu lachen. Heute hört man, wenn man anruft, um sich zu beschweren: »Guten Tag und willkommen bei der Deutschen Telekom. Mein Name ist Regina Kowalewski. Was kann ich für Sie tun? Eine Beschwerde? Da muß ich Sie weiterverbinden. Schönen Tag noch und vielen Dank für Ihren Anruf bei der Deutschen Telekom!« Ich glaubte bis dahin, den Höhepunkt an sinnloser Höflichkeit, die ins Belästigende umschlägt, sei bei dem Personal gewisser Londoner Clubs und Luxus-Geschäfte erreicht: »Yes, Sir, no, Sir, how right you are, Sir, I beg your pardon, Sir ...« Einmal habe ich in einem Satz achtmal »Sir« zählen können, aber, wie gesagt, die Deutsche Telekom gibt sich alle Mühe.

Ein alter Wiener Freund, dessen Erklärungen auf jede erdenkliche Frage man aber nicht vollständig Vertrauen schenken konnte, so unterhaltsam sie waren, hatte auch eine überzeugende Etymologie für den »Grant« parat, der das genaue Gegenteil zu der eben erwähnten Freundlichkeitsüberschwemmung ist: Knurrigkeit, Bissigkeit, Schroffheit, Skepsis, Unbestechlichkeit und Unbeeindruckbarkeit. Das alles ist im Grant enthalten. Als ich ihn fragte, was das denn genau sei, das »Granteln«, das »Grantig sein«, begann er mit einer Sicherheit, die mich hätte vorsichtig stimmen müssen, zu erklären, daß seit den Tagen Karls V., der als spanischer König Karl I. gewesen sei, viele Spanier in Wien zu sehen gewesen seien, darunter natürlich auch hoher und höchster Adel, die wohlbekannten »Granden von Spanien«, die für ihren Hochmut und ihre abweisende, schroffe Miene berühmt gewesen seien, so daß man in Wien von einem hochfahrenden, verschlossenen Menschen sehr bald gesagt habe, er betrage sich wie ein Grande, eben grandig, oder auch gleich grantig. Ob falsch oder richtig, mir ist die edle Abkunft des Grants nur recht, denn sie enthält viel Wahres. Das ewige bombenfeste Gelächel hat etwas die Seele Prostituierendes. Gewiß, es gibt große, von Liebe überfließende Herzen, die jeden, der zu ihnen kommt, mit Sonnenstrahlen des Gemüts erwärmen, aber sie sind selten, und wer sich auf diesen »Herzensstil« der überwältigenden Herzlichkeit einläßt, der muß auch die seelische Kraft haben, ihn durchzuhalten – nichts fürchterlicher, als wenn die Maske vor Erschöpfung oder Überdruß plötzlich in sich zusammenfällt. Man verstehe mich richtig: Im »Grant« liegt, das sagt schon der Klang des Wortes, nichts übellaunig Verschwommenes, sondern eine muntere Kernigkeit. Der Grantige ist verführbar, er wartet nur darauf, daß ihm jemand auf spielerische Weise Widerstand leistet und sich vom Grant nicht erschrecken läßt. Alten Leuten steht ein wenig Grant vorzüglich, den jüngeren fehlt dazu meist noch der Pondus und die rechte Autorität. Würdige Grantigkeit kann einen hinreißenden Anblick bieten. Vom Glanz des Granden ist tatsächlich nicht viel mehr geblieben als der Grant, aber im Kern läßt sich an der grantigen Schroffheit mit ihrem Sarkasmus noch ahnen, was das ungebärdige, freie, nicht im Joch der Gesellschaft gehende Individuum einmal gewesen ist. Werden wir Dreißig-, Vierzig-, Fünfzigjährigen uns noch zur Höhe echter Grantigkeit aufschwingen mit ihrer wohlverborgenen Lebenslust, oder bleibt uns nichts mehr als Verdrossenheit und Resignation, wenn wir mit sechzig sehen, daß das längste Kapitel des Lebens noch vor uns liegt?

Wenn vom Bewegen und Auftreten die Rede ist, sollte vielleicht auch ein kurzes Wort auf das Tanzen gewandt werden. Das Tanzen in der Form, daß ein Mann mit einer Frau tanzt, ist etwas sehr Europäisches, und es ist auch sehr europäisch, daß man in Gesellschaft sich nicht von Tänzern und Tänzerinnen vortanzen läßt, sondern selbst tanzt. Das schöne Fontane-Gedicht, das ich in diesem Zusammenhang gefunden habe, könnte ebenso auf Äthiopien passen: »Ein Chinese ('s sind schon an zweihundert Jahr) / In Frankreich auf einem Hofball war. / Und die einen frugen ihn: ob er das kenne? / Und die anderen frugen ihn: wie man es nenne? / ›Wir nennen es tanzen‹, sprach er mit Lachen, / aber wir lassen es andere machen.‹« Auch die Römer und die Griechen ließen es andere machen. Aber dann kam das höfische Mittelalter, und das Tanzen in geschnörkelten Figuren wurde zum Teil des zeremoniellen Umgangs zwischen Mann und Frau. Es gehörte nun wie das Reiten und Fechten auch das Tanzen zu den ritterlichen Künsten. Noch lange übrigens. Es war ein soziales Klischee, daß der verabschiedete junge Offizier, der »nichts gelernt hatte«, Gigolo auf einem Ozeandampfer oder in einem mondänen Badeort wurde, bis in die Zeit nach dem Ersten Weltkrieg. »Schöner Gigolo, armer Gigolo / Denke nicht mehr an die Zeiten / Wo du als Husar / Goldverschnürt sogar / Konntest durch die Straßen reiten ...« Walzer linksherum tanzen, das war beinahe so etwas wie eine gesellschaftliche Unbedenklichkeitsbescheinigung.

Man erinnere sich auch an den Ball in Tomasi di Lampedusas Roman *Der Leopard,* bei dem das schöne Mädchen zweifelhafter Herkunft, in den Armen des Principe di Salina sicher geführt, die Überlegenheit dieses Mannes als Repräsentant seines Standes erotisch fasziniert genießt. Tatsächlich tanzen die alten Männer am schönsten, wenn sie mit kleinen Schritten und winzigen Bewegungen dem Rhythmus folgen und dem Tanzen eine Spur von Ironie mitgeben. »Old gentleman black bottom« wurde dies andeutende Tanzen auf kleinstem Raum genannt. Viel mehr als ein rhythmisiertes Stehen ist es im Grunde nicht, und deshalb kann man sich auch gut dabei unterhalten. Irgendwann ist dem Tanzen nämlich der rechte gesellschaftliche Glanz abhanden gekommen. War es, weil die Tänze zu kompliziert wurden? Nichts komischer als eine Tango-Tanzstunde, in der die kunstvollen Schritte mit auf den Boden gerichteten Blicken wie ein mathematisches Geschicklichkeitsspiel geübt werden. Es kam dann nach dem Zweiten Weltkrieg und bei noch jungem Fernsehen der »Tanzsport« auf, bei dem nach den Regeln von Kür und Pflicht alle möglichen Gesellschaftstänze in eine Art Trockeneislaufen verwandelt wurden, mit sonderbaren Kostümen für die Tanzpaare und einem Schiedsgericht, das nach unerfindlichen Regeln am Ende des Rumba oder Samba Nummern in die Luft hielt. Daß es der Gipfel des Unausdenklichen wäre, auf einem Fest solcherart Tanzkünste vorführen zu wollen, versteht jeder von selbst. Das war die Bedrohung des Tanzes von seiten seiner Perfektionierung durch einen fragwürdigen Geschmack. Auf der anderen Seite hob die Revolution der Rock- und Pop-Musik jede verbindliche Tanzregel auf – so viele Saisonmoden da auch immer gerade im Schwange sind –, und in einer überfüllten Diskothek (kein traurigerer Ort als eine nicht überfüllte Diskothek) ist ein irgendwie reguliertes und geformtes Tanzen auch vollständig unmöglich.

Man kann sagen, daß das Tanzen zu einem wichtigen Teil der Jugendbewegung geworden ist – war es übrigens schon bei den ersten Anfängen dieser für das zwanzigste Jahrhundert prägenden Bewegung, damals allerdings mit Volkstänzen à la Zupfgeigenhansel, und auch die Klampfe hatte dort schon ihren festen Platz. Es handelt sich also um eine Revolution, die in bezug auf ihre Formsprache sehr konservativ ist. Ich bin weit davon entfernt, hinsichtlich der Entwicklung, die das Tanzen genommen hat, irgend etwas zu beklagen, aber ich sehe mich zu der Feststellung gezwungen, daß das Exekutieren von Tänzen nach Rock- und Pop-Musik ausschließlich jungen Leuten vorbehalten ist. Nichts peinlicher, als wenn ein in Ehren herangereiftes Paar – ich spreche bewußt nicht vom grau gewordenen! – nun unversehens die Hüften zu wiegen beginnt, den Unterkörper kreisen läßt, verführerische Schlangenbewegungen mit dem Körper macht und sich mit kennerhaftem Ernst in die harten Rhythmen von einst, die nicht wesentlich anders sind als die von jetzt, hineinschmeißt. Ab einem gewissen Alter müssen wir das »andere machen« lassen.

Wann beginnt dieses Alter? Es beginnt früh! Aber sind wir denn nicht alle so jung, wie wir uns fühlen? Nein, wir sind so alt, wie wir aussehen, und wir sehen ganz genau so alt aus, wie wir es sind, auch wenn es rings um uns von »glänzend erhaltenen Fünfzig-, Sechzig- und Siebzigjährigen« nur so wimmelt. In Fortentwicklung der Devise »Trau keinem über dreißig« könnte man sagen: »Kein Dreißigjähriger möge sich auf eine Rock-Tanzfläche trauen!« Das sei zu früh? Gut, dann eben fünfunddreißig.

Tanzfeste unter diesen Umständen zu geben ist, wenn nicht nur aus einer Altersgruppe eingeladen wird – was eigentlich immer eine sterile Angelegenheit bleibt –, deshalb schwierig geworden. Viele Erwachsene haben geradezu einen Haß auf die Rock-Musik, und viele junge Leute fühlen sich bei Walzer und Tango wie beim Seniorentanztee in Bad Kissingen. Wird ein einheitlicher Stil gewahrt, werden viele unzufrieden sein, und wird er nicht gewahrt, dann bekommt der Abend oft etwas Geborstenes und Zerfetztes.

Von den alten Regeln für ein Tanzfest oder einen Ball, das Tanzen mit Handschuhen, das Sich-Eintragen in die Tänzerliste einer Dame, das Anstecken von »Kotillon«-Schleifen und was es da noch alles gab, ist nur geblieben, daß ein Mann mit der Hausfrau und mit seiner Tischdame und der Frau, mit der er zum Fest gekommen ist, getanzt haben muß, und es wird längst nicht mehr als Unvollkommenheit und Mangel an Erziehung angesehen, wenn dies Tanzen nur ein wenig angedeutete Bewegung zur Musik ist, weil man halt nicht tanzen »kann«. Die Geste zählt hier, und noch mehr zählt sie, wenn da eine Frau allein sitzt und sich niemand um sie kümmert. An solchen »Mauerblümchen« wird deutlich, wozu das ganze alte Regelwerk gut war: daß sie nämlich nicht vorkamen, weil sich in das Getriebe eines solchen Festes eben jeder Geladene einzufügen hatte und es viele Pflichten zu erfüllen galt. Die neue Freiheit des Ellenbogens und der Selbstverwirklichung – »Was ist denn wohl ein Fest mit Pflichten!« – führt in der Nußschale eines Tanzfestes zum gleichen Ergebnis wie im Großen und Ganzen der Gesellschaft: manche genießen in vollen Zügen, und viele andere kommen zu kurz.

Als soziale Besonderheit ist noch anzumerken, daß die jungen Aristokraten in Deutschland sehr gut an ihrem Tanzen zu erkennen sind. Sie tanzen nämlich zu beinahe jeder Art von Musik Rock 'n' Roll, reichen sich dazu wie in den fünfziger Jahren eine oder beide Hände und wirbeln die entsprechenden Figuren, mitunter recht virtuos, hintereinander weg. Seltsamerweise nennen sie das »Friesen-Rock«, als ob in Friesland, das für seine Provinzialität berühmt ist, sich eben ansonsten vergessene Tanzsitten in einer Nische erhalten hätten.

Zu einer Betrachtung der Haltung gehört auch ein Wort zur inneren Haltung, die als »Contenance« einst ein Zentralbegriff der Manieren war. Den Verlust des ganzen Vermögens am Spieltisch ohne sichtbare Gefühlsregung auszuhalten, am Grab eines geliebten Menschen »gefaßt« zu stehen, bei der Niederlage eines Feindes nicht in Jubel auszubrechen, galt als wünschenswert. Unsere Zeit sieht das anders. Die Fassung verlieren zu können, wird nun nicht mehr nur als Schwäche, sondern womöglich sogar als Stärke angesehen. Diesen Aspekt konnte ein Zusammenbruch der strengen Fassade auch früher gelegentlich haben. Wenn Schiller den Herzog von Lerma in *Don Carlos* sagen ließ: »Der König hat geweint«, dann liefen dem bürgerlichen Publikum Schauer den Rücken hinunter. Aber man täusche sich nicht: Das Publikum schätzt solche Verluste der Fassung mehr bei Königen und ihren Nachfolgern als bei armen Schweinen. Da heißt es zwar nicht: »Schmeißt ihn raus, er bricht mir's Herz«, aber gedacht wird das unaufhörlich. Obwohl von den Sitten der Zeit nicht mehr gefordert, bleibt die Contenance deshalb ein hohes Gut, vor allem für den, der sonst nichts zu verlieren hat.

Diskretion & Understatement

»Alter, Vermögen, häusliche Not,
Liebeserlebnis, Geheimnis und Plan,
eigene Schande und eigener Furz –
darüber schweigt der Verständige still.«
Aus dem Sukasaptati, ca. 1000 n. Chr.

Die Diskretion ist die gesellschaftliche Fortentwicklung des Schamgefühls und war als solche in den mit den Wissenschaften spielenden Revolutionsmilieus der Universitäten etwas ganz Schlimmes. Überall in Europa stammten die jugendlichen Aufbegehrer aus vorwiegend bürgerlichen Häusern und hatten dort, was das Schämen angeht, noch einen schwachen Abglanz von der Herrschaft der Scham im neunzehnten Jahrhundert erfahren. Nachdem das Bürgertum über die Aristokratie gesiegt hatte, war der Bereich dessen, was das Schamgefühl berührte, schier bis an die Grenzen des Möglichen erweitert worden. Man macht sich natürlich völlig falsche Vorstellungen von dieser Zeit, wenn man glaubt, daß diese Überdehnung des Schambegriffs irgend jemanden daran gehindert hätte, zu tun, wonach ihn verlangte, aber ein wirklicher Konsensus herrschte doch in der Überzeugung, daß eine Fülle von Dingen in strikter Verborgenheit zu geschehen hatten und jedenfalls nicht erörtert werden durften. Schon das Wort »Bauch« war problematisch, auch in England, man sollte lieber »Magen« sagen, was in England zum Glück ein medizinisch klingendes Fremdwort war. Den ängstlich jeden Quadratzentimeter ihrer Haut bedeckenden Europäerinnen wurden die nackt gehenden Wilden in ihrer »heidnischen Schamlosigkeit« von Künstlern und Philosophen als Zeugen paradiesischer Unschuld vorgehalten (obwohl ebendiese Europäerin, wenn sie zu einem Ball bei Hof ging, dazu verpflichtet war, mit einem Riesendécolleté weit mehr von ihren Brüsten zu zeigen, als gewagte Abendkleider der Gegenwart das tun). Inzwischen haben die Ethnologen den paradiesischen Charme der Tropen entzaubert – »Traurige Tropen« heißt das Stichwort angesichts einer Vielzahl drohender und belastender Tabus in den »steinzeitlich« gebliebenen Gesellschaften, die sich allerdings nicht unbedingt, oder in anderer Weise, auf die Geschlechtsorgane und die Notdurft erstrecken. Das Schamgefühl ist als eine dem Menschen auch ohne Erziehung eigene seelische Regung erkannt worden, wobei die Erziehung allerdings die Richtung, die das Schamgefühl nimmt, beeinflussen kann. Die Berücksichtigung des eigenen und fremden Schamgefühls ist deshalb unauffällig sogar in die akademischen Kreise zurückgekehrt, wobei nicht wenige dort anknüpften, wo sie die Diskretion einst hatten verlassen wollen, aber auch das entspricht vielleicht einer gewissen Notwendigkeit.

Was als peinlich, allzu direkt, allzu bedrängend körperlich empfunden wird, ist stets das, was allen gemeinsam ist. Mit der Logik ist diesem Impuls nicht beizukommen. Zu meiner Zeit in Cambridge zeigte man mir eine Stelle am Fluß, die ein wenig verborgen war; die Professoren pflegten hier nackt zu baden. Eines Tages, die Geschichte spielt vor dem Zweiten Weltkrieg, habe sich dem vollbesetzten Strand ein Boot voll Studentinnen genähert, und alle Professoren griffen eilig zu Handtüchern, um ihre Blöße zu bedecken. Nur der Professor für Logik und Mathematik wand sich sein Handtuch um den Kopf und sagte strahlend, als die Gefahr vorüber war: »Gentlemen, mich jedenfalls erkennt man an meinem Gesicht.«

Nein, nicht das Individuelle ist das Pudendum, sondern das Allgemeine. Das Schamgefühl wendet sich gegen die animalische Seite der Existenz, das Inter-faeces-et-urinas-Geboren-Sein. Wer auf den Stufen am Rande eines Sees einmal armen indischen Frauen beim Baden zugesehen hat, die sich dabei in vollendet eingeübten Bewegungen stets neu mit nassen

Tüchern umwinden und umwickeln und die schließlich trocken dasitzen, ohne daß man viel mehr als ihre nackten Arme gesehen hätte, versteht, daß es ein Bedürfnis geben muß, den eigenen Körper nicht in der Masse der Menschen aufgehen zu lassen und wenigstens unter dem Zelt des eigenen Gewandes allein und von den anderen getrennt zu sein. Worüber dann im einzelnen der Schleier gelegt wird, ist Frucht der jeweiligen Kultur und Ritual.

In Bengalen ist es zum Beispiel unpassend, die eigene Frau »meine Frau« zu nennen; man spricht dort von »der Nichte meiner Tante«. Türken mögen es nicht, wenn die Kinder sehen, daß die Eltern sich küssen; alle Zärtlichkeiten zwischen Eheleuten haben in Gesellschaft von Familienmitgliedern zu unterbleiben. Uns äthiopischen Christen ist in der Osterwoche der eheliche Verkehr verboten; wer dagegen verstößt, sagt in der Beichte: »Ich bin aus dem Bett gefallen.« In den Vereinigten Staaten hört man ohne weiteres die Frage: »Wieviel verdienen Sie?«; oder: »Wie viele Units haben Sie?« (eine Unit ist gleich 100 Millionen Dollar) – eine Frage, die in Europa (erstaunlicherweise) immer noch mehr oder weniger entgeistert zurückgewiesen würde; ich habe sie in über fünfunddreißig Jahren noch nicht ein einziges Mal stellen hören. Ist es nicht bezeichnend, wie nah für die bürgerlichen Europäer das Geld an die Schamteile herangerückt ist? Das Eingeständnis, nicht eine einzige »Unit« auf die Waage zu bringen, gäbe ihnen das unerfreuliche Gefühl, ohne Hosen in gesitteter Gesellschaft zu stehen.

Das Fragen ist generell eines der schwierigsten Unterfangen auf dem Felde der Diskretion. In seiner amüsanten Manier, das Pferd stets von hinten aufzuzäumen – oder an anderen durchaus unerwarteten Stellen –, hat Oscar Wilde zwar dekretiert, Fragen seien nie indiskret – Antworten hingegen bisweilen, aber das ist nur ein schwacher Trost, wenn das Kind bereits in den Brunnen gefallen ist. Wer einen anderen in der Konversation in die Lage gebracht hat, die Antwort verweigern zu müssen, hat gegen die Diskretion schwer gesündigt. Generell gilt, daß alles, was die Lebensumstände und Gewohnheiten des anderen betrifft, freiwillig und unsollizitiert mitgeteilt werden muß. Wir sind weder die Untersuchungsrichter noch die Psychoanalytiker unserer Tischnachbarn. Auch wenn die Fragen sich im diskreten Rahmen halten, kann ein Gespräch, das den Charakter eines Interviews annimmt, sehr lästig sein. Ich rechne jede gesellschaftliche Begegnung zu den gelungenen, bei der ich nicht nach meinem Beruf gefragt worden bin. Künstler lieben die Frage: »Können Sie denn davon leben?« Schön ist auch: »Ach, das ist Ihre Frau? Das letzte Mal habe ich Sie doch mit jemand ganz anderem gesehen!« Wirte vor allem sollten sich in der hohen Kunst des Nichtwiedererkennens üben, die bei ihnen noch vor der ebenso nützlichen Kunst des Wiedererkennens rangiert. Die zutrauliche Frage »Dasselbe wie gestern?« kann unerfreuliche Folgen haben, wenn die Konstellation, in der man sich befindet, nicht dieselbe wie gestern ist. Nicht fragen, was immer man Auffälliges und Seltsames bemerkt, ist die Generalregel.

Daß sie auch Ausnahmen kennt, beweist in dem Gründungsmythos der europäischen Ritterlichkeit, der Gralserzählung, eine Schlüsselszene. Der junge Parzival gelangt auf seiner schweifenden Fahrt zur Gralsburg und darf dort am Mahl der Gralsritter teilnehmen. Bei diesem Mahl begegnen ihm befremdliche Dinge: Eine Lanze wird hereingetragen, desgleichen ein Kelch, und der kranke König des Grals, Amfortas, und seine Ritter brechen in Wehe-Rufe aus. Parzival, der eine ritterliche Erziehung genossen hat, verharrt in perfekter Diskretion und schweigt zu allem, was er sieht. Und gerade das ist sein schwerer Fehler: Seine Frage hätte den unheilvollen Bann, der über Munsalvaesche liegt, gebrochen. Die Diskretion war etwas Selbstverständliches, aber zu einem vollendet ausgebildeten Menschen gehörte noch mehr: das Mitleid. Das Mitleid setzt der Diskretion eine Grenze – intelligent muß das Mitleid allerdings sein, wenn es dieses Privileg genießen soll, denn das dumme Gefühl kann auch beachtlichen Schaden anrichten.

Die Körperausscheidungen, die Jesus in seiner Rede über das Händewaschen vor dem Essen so einfach und klar beim Namen nennt, sind in Europa gleichfalls von sprachlichen Schleiern umgeben. Es gibt für den Ort, an dem sie vorgenommen werden, noch nicht einmal eine gesellschaftlich und literarisch eindeutige und unverstellte Bezeichnung. Bei Goethe heißt dieser Ort noch »das Scheißhaus«, später werden die Bezeichnungen dann immer gewundener. Die »Toilette« ist trotz ihrer Affektiertheit sehr populär geworden; benannt nach den Ankleidezimmern, in denen die Wäsche, »les toiles«, aufbewahrt wurde und zugleich oft auch der Leibstuhl stand. Schon heute verstehen junge Leute oft nicht, was »Toilette machen« eigentlich heißt, nämlich »sich schön machen, sich für einen Abend festlich anziehen« und jedenfalls nicht: »in die Toilette machen«. Das »Klo« als Abkürzung des englischen »water closet« ist ein wenig plump und roh, obwohl es doch ein Kunstwort aus einer anderen Sprache ist, aber deswegen eben auch weniger geziert als die Toilette. Der meist eindeutig gemeinte Wunsch, »sich die Hände waschen zu dürfen«, kann immerhin mißverstanden werden. In England wurde die Frage »Where can I powder my nose?« schon in meiner Studentenzeit eigentlich nur von Männern in scherzhafter Absicht gebraucht und sollte jetzt nicht einmal in dieser Absicht mehr fallen. In Italien sucht man selbst in einer schlichten Trattoria, in der man kein Bad zu nehmen gedenkt, »il bagno« auf. In Österreich spricht man gerade auch in der Schönen Welt vom »Häusel«, eine schein-ländliche, aber doch entspannte, unaufgeregte und vor allem nicht beklommen-fremdsprachliche Lösung des Problems.

Die Anschauungen, wie weit das eigene Geschlechtsleben Thema von Konfessionen in Gesellschaft werden kann, sind ins Wanken geraten, seitdem amerikanische Psychoanalytiker an den Küsten der Vereinigten Staaten jedenfalls bei den Damen der Gesellschaft die Rolle einnehmen, die bei den entsprechenden französischen Damen des achtzehnten Jahrhunderts ein unterhaltsamer, konversationserfahrener Herr Abbé spielte. Unversehens kann man beim und nach dem Abendessen jetzt erstaunliche Details zu hören bekommen. Und immer ist es noch so, daß die übrige Gesellschaft sich dann in Verlegenheit windet, es sei denn, die Bosheit siegt und stachelt den Bekenntnisdrang noch weiter an. Es gehört zu den Begleiterscheinungen des diskreten Menschen, daß ihm gegeben ist, sich für die Entgleisungen anderer ebenso heftig zu schämen wie für die eigenen. Wie oft habe ich bei Entgleisungen anderer heimlich gefleht, der Boden möge sich öffnen und das gesamte Eßzimmer verschlingen oder der Kronleuchter möge mit voller Wucht auf die Tafel stürzen, nur um das unberatene und hemmungslose Geschwätz zu beenden. Es mag zutiefst ungerecht sein, aber ich habe bisher immer festgestellt, daß in Gesellschaft der Bericht sexueller Erfolge, die doch in den meisten Fällen gar nicht ausgeschlossen sein müssen, keineswegs geglaubt wird; der Indiskrete steht dann auch noch als Erfinder da und ahnt nicht, mit welcher Art von Neugier man ihm lauscht. Auch Casanova wurde in Gesellschaft vor allem gebeten, seine Flucht aus den venezianischen Bleikammern zum besten zu geben; den Rest las man lieber.

Angst gehörte lange Zeit zu den Pudenda, da sie gleichfalls etwas Allgemeines ist – hinter den vielen Ängsten, die uns befallen, lauert im Kern immer nur die eine, die Todesangst, und die betrifft bekanntlich jeden. Die Überwindung der Todesangst hat ihre Wurzeln in der Scham und der Diskretion, wächst als moralische Leistung allerdings weit über diesen Ursprung hinaus. Ich habe die volle Bedeutung dieses Geschenks an die andern als zwölfjähriger Bub während des Staatsstreiches in Äthiopien im Jahre 1960 selbst ermessen dürfen, aber das ist nichts im Vergleich zu dem, was meine Brüder durchgemacht haben, als sie während der Mengistu-Diktatur im Keller des Menilek-Palastes eingekerkert waren. In regelmäßigen Abständen wurde nach unerfindlichen Gesichtspunkten einer herausgeholt, der nicht mehr wiederkommen sollte. Die Gelassenheit und äußere Ruhe dieser Menschen, viele davon Familienmitglieder, denen in Wahrheit das Blut in den Adern stockte, vermittelte ihnen ein unbegreifliches Gefühl von Sicherheit. Keiner der Gefangenen gestattete sich die allzu verzeihliche Verzweiflung und Panik. Ich bin mir darüber im klaren, daß eine solche Haltung von niemandem verlangt werden kann; wenn man sie aber erleben darf, wächst die Bewunderung für eine bis zum Ende die Existenz geprägt habende Form zum äußersten.

Im Grunde verhält es sich mit der Diskretion wie mit der Literatur. Von dem, was wir alle sowieso genau wissen, wollen wir in einer guten Erzählung durch kleine Hinweise und das Mittel des *pars pro toto* unterrichtet werden, weil wir uns den Rest schon selber ergänzen können. Was in der Diskretion verborgen wird, ist das Offensichtliche, Allzuvertraute.

Das Allervertrauteste aber sind wir uns selbst. Im Gegensatz zu allen anderen schafft diese Vertrautheit uns keine Langeweile, sondern ergötzt uns täglich neu. Was soll man groß darum herumreden: Wir sind die einzige Person auf der Welt, die uns interessiert. Jeder, der couragiert in sich hineinhorcht, weiß das von sich und weiß auch, wie scharf er damit zu den simpelsten Geboten der Moral im Gegensatz steht. Unser Selbstinteresse ist schrankenlos, aber es ist uns auch peinlich. Wir fühlen in uns den Drang, es vor den anderen zu verbergen, es ist eben auch, da ein allgemeines Laster, ein Pudendum. Aus dem Schamgefühl über die Maßlosigkeit unserer Eigenliebe ist das gesellschaftliche Prinzip der Untertreibung erwachsen, das die Engländer als Understatement in einem Maße für sich in Anspruch nehmen, das ich gelinde gesagt nicht mehr *understated,* sondern *exaggerated* finde. Die Untertreibung ist internationales Prinzip. Sprachlich untertreiben die Engländer übrigens besonders wenig: In englischen Erzählungen über Theaterabende, Ferien in Frankreich, Bücher und Geschäfte häufen sich nicht eigentlich untertreibende Vokabeln wie »brillant, superb, splendid, magnificent, marvellous, tremendous und terrific«. Nur wenn es von irgendwelchen Leuten heißt, sie besäßen »a very nice house«, hat man zu verstehen, daß es sich um einen von Inigo Jones errichteten Palast mit einem van Dyck im Drawing-room handelt. Hochmeister in dem durchsichtigen und doch so angenehmen und der sozialen Hygiene so förderlichen Spiel, die eigenen Umstände herunterzuspielen, sind ohne Zweifel die Chinesen und Japaner. Ich weiß nicht, ob japanische Einladungen wirklich so aussehen, wie es mir ein langjähriger Japan-Korrespondent, der aber keine rechte Liebe zu Japan entwickelt hatte, aufzubinden versucht hat: »Ich erlaube mir, Sie zu mir in meine erbärmliche Hütte einzuladen, wo meine Frau, die schlampige Vettel, Ihnen ein für Sie vermutlich ungenießbares Mahl bereiten wird« – aber wenn er damit sagen wollte, daß weitreichende Demutsgesten bei solchen Gelegenheiten angemessen seien, darf ich ihm gewiß vertrauen. Aus dem Neapel des achtzehnten Jahrhunderts ist folgender Dialog zwischen zwei guten Bürgern, die allerdings vom berauschenden Getränk spanischen Hochmuts und spanischer Phantastik genossen haben müssen, überliefert: »Ich empfehle mich Ihnen als der letzte Knopf am letzten Rock Ihres letzten Lakaien!« Und die Antwort, die die unmittelbare Verflochtenheit des Understatements mit dem Overstatement, der nur mit Gewalt verhinderten, aber auf der Zunge schon parat liegenden Prahlerei, besonders schön zeigt: »Signore, der letzte Knopf an der letzten Livree meines letzten Lakaien ist ein Diamant!«

Im Untertreibungston der Gegenwart wird eine lebensgefährliche Operation, die man soeben hinter sich gebracht hat, »eine lästige Sache«, das rauschende Fest, das man gegeben hat, »ein netter Abend«, der große geschäftliche Coup »recht zufriedenstellend fürs erste«. Der angelsächsische Geschmack hat darin gesiegt, daß weltläufige Leute sich nun dauernd verpflichtet fühlen, besonders die komischen oder gar lächerlichen Seiten der eigenen Erlebnisse und die unrühmliche und groteske Rolle, die man darin gespielt hat, hervorzukehren. Von ihrer Natur her ernsthafte Ereignisse wie etwa Königskrönungen müssen als »wahnsinnig komisch« dargestellt werden. Soziales Vorbild scheint hier der Typus des Fernseh-Conferenciers zu sein, der von vorauseilendem mechanischem Gelächter bereits begrüßt wird, wenn er noch gar nicht den Mund aufgetan hat. Niemals war das Understatement so künstlich wie in der Gegenwart, wo sich Wirtschaftsbosse in launigen Reden als trotteliges Opfer von Slapstick-Unfällen geben, Politiker mit Schiebermützchen Kinderstolz über gebrochene eigene Rekorde beim Marathonlauf mimen, Bischöfe sich beim Abtrocknen photographieren lassen und Kriegsherren sich beim Stöckchenwerfen mit dem Hund auf dem Rasen erwischen lassen. Das Unterspielen muß heute immer auch noch mit einer gehörigen Prise Treuherzigkeit vermischt werden, die manchem so übel werden läßt, daß er sich nach den naiven Prahlereien eines Miles gloriosus sehnt.

Diskretion verbot früher Tränen in der Öffentlichkeit, jedenfalls von Männern. Da man Frauen das Weinen nicht vollends glaubte aberziehen zu können, waren sie von der Teilnahme an Beerdigungen auch naher Verwandter absolviert, und eine nicht zu unterdrückende Träne der Witwe am Grab verbarg ein dichter Schleier. Diese Übertragung ästhetischer Prinzipien einer kleinen Gruppe stoischer antiker Philosophen auf eine gesamte Klasse, das Bürgertum, führte notgedrungen zu Maskenhaftigkeit und Starre – und zu dem genauen Gegenteil der Tränen, dem gefürchteten »fou rire« bei Beerdigungen, durch das sich die unterdrückten Gefühlsaufwallungen einen Notausgang bahnen.

Wie stark die Vermeidung des Weinens nicht nur eine willentliche Unterdrückung einer spontanen Regung, sondern eine wirklich kulturelle »zweite Natur« werden kann, habe ich als kleiner Junge in der Schule an einem japanischen Mitschüler, einem Diplomatensohn, erfahren dürfen. Heute noch, wo ich an europäischen und afrikanischen Kindern die Grenzen der Erziehung und ihrer Möglichkeiten gelegentlich allzu deutlich feststellen kann, staune ich über die Leistung, einem achtjährigen Jungen das Samurai-Ideal der vollständigen Selbstbeherrschung erfolgreich einzuprägen. Oder sollte jene

Schule, die behauptet, die Erziehung bewirke über die Jahrhunderte genetische Veränderungen, doch recht haben? Wenn wir uns balgten und einer hinflog und sich die Knie aufschlug, pflegten ich, meine Brüder und Freunde in eine entrüstete Heulerei auszubrechen. Ganz anders Toshiaki. Wenn er sich richtig weh getan hatte und blutete, in einem Maße, das bei uns ein sirenenartiges Wehgeschrei erzeugt hätte, setzte er sich auf seine Fersen, legte die Hände auf die Knie und versteinerte buchstäblich. Er war kaum imstande, der herbeigeeilten Lehrerin seine Verletzung zu zeigen, und antwortete auf keine Frage. Erst wenn der Schmerz überwunden war, löste sich die Verzauberung, in die er sich selbst versetzt hatte; er stand auf und benahm sich, als sei nichts gewesen.

Daß heute auf europäischen Beerdigungen – mit Maßen – geweint wird, halte ich für einen Gewinn, obwohl die Menge der vergossenen Tränen niemals an eine äthiopische Beerdigung heranreichen wird, wo die Hinterbliebenen einen Wettstreit mit den von ihnen selbst engagierten Klageweibern und -männern aufnehmen müssen und dabei regelmäßig unterliegen. Auch in der Politik sind Tränen ein immer beliebteres Mittel geworden. Bismarck blieb mit seinen erpresserischen Weinkrämpfen noch auf dem beschränkten Forum eines königlichen Arbeitszimmers, aber moderne Politiker schämen sich neuerdings ihrer Tränen auch vor laufenden Kameras nicht. Das öffentliche Weinen solcher Personen ist aber nicht etwa als bloße Lockerung der Disziplin, als Aufweichen der *stiff upper lip,* zu sehen, sondern steht gleichfalls im Dienst einer in ihrer Äußerungsform allerdings neuartigen Form von Untertreibung: »Seht her, welch schlichter Mensch ich bin«, sagen solche Tränen, »die alte Oberschichts-Starrheit ist mir fremd; ich bin, trotz meiner Macht, immer einer von euch geblieben!«

Ein mitteleuropäischer Staatspräsident, der besonders eindrucksvoll weinen kann, fragte seinen Kabinettschef – und der hat's mir erzählt – nach einem Auftritt, den er mit seiner Erschütterung gewürzt hatte: »Ich war gut, nicht wahr? Wenn ich weine, ham's mich am liebsten.« Am wertesten, am Allerwertesten, wäre die richtige Antwort gewesen.

Zum Understatement gehört, daß etwas da ist, was herunterzuspielen sich lohnt. Wo kein Geld ist, lohnt es sich nicht, den armen Mann zu spielen. So ist denn das Jammern und Klagen über überzogene Konten und ruinöse Steuern und haushohe Internatsrechnungen und die Kosten für das Dachdecken – »Sie können sich vorstellen, was es kostet, dieses Dach zu decken, dafür bauen sich vernünftigere Leute als wir ein Haus!« – geradezu zum Abzeichen des Wohlstandes geworden. Deutsche Großgrundbesitzer – und die der anderen Länder – betragen sich wie chinesische Bauern, die bei einer guten Reisernte rufen: »Schlechter Reis! Schlechter Reis!«, damit die Dämonen getäuscht werden und meinen, ihr Zerstörungswerk sei schon getan. Einen vermeintlich wohlhabenden Mann, der nicht jammert, sollte sich der für die Kredite zuständige Sachbearbeiter der Bank genau ansehen – hier ist Gefahr im Verzug. Bei dieser Form des Understatements ist übrigens der eigentliche Bereich der Manieren schon verlassen. Hier geht es ja nicht mehr darum, die auf andere abstoßend wirkende und für einen selbst erniedrigende Egomanie zu dämpfen, sondern dem Neid der anderen zu wehren, mit einer freilich besonders naiven Form der Schlauheit.

Das moderne Leben ist unübersichtlich – reich ist nicht gleich reich. Die Mittel des Understatements müssen aber auf das Milieu, auf das sie wirken sollen, exakt zugeschnitten sein, sonst hilft der ganze demütige Aufwand wenig. Marcel Proust hat ein solches mißglücktes Untertreibungsmanöver im ersten Band seiner *Recherche* geschildert. Da gerät der mondäne Dandy Swann auf den Spuren einer geliebten Frau in das Haus reicher, aber gesellschaftlich unsicherer Leute. Um der Frau willen ist er entschlossen, alles zu tun, um dort gute Aufnahme zu finden. Swann verkehrt normalerweise in den reaktionären Kreisen des Faubourg St. Germain, in denen man die Republik verachtet, und so kommt er sich denn geradezu selbstverleugnend und musterhaft bescheiden vor, als er den Verdurins erklärt, er trage seinen Frack, weil er von einem Essen beim Präsidenten im Élysée-Palast komme. Für die Verdurins hingegen steht der Präsident der Republik hoch oben auf der sozialen Leiter; und so bekommt Swanns erster Auftritt bei ihnen die denkbar schlechtesten Noten: er hat sich als das aufgeführt, was er tatsächlich am wenigsten ist – als Angeber. Ja, muß man zum Untertreiben denn ein Studium der Soziologie absolviert haben? Ich fürchte, ja.

Pünktlichkeit & Unpünktlichkeit

Wenn ich über die Tugend der Pünktlichkeit schreiben soll, muß ich von meiner Jugend zu meiner Gegenwart einen gewaltigen Sprung machen. Zwei überaus widersprüchliche, dabei aber höchst friedlich beieinanderwohnende Grundhaltungen bestimmten unser Leben: Die eine war ein Umgang mit der Zeit, den man in Europa vermutlich »orientalisch« nennen würde, obwohl die Jahrhunderte, in denen die Europäer in ihrer überwiegenden Anzahl selber ein »orientalisches« Verhältnis zur Zeit hatten, gar nicht so weit zurückliegen. Man lese in kulturhistorischen Studien nur einmal nach, wie schwer es den deutschen Fabrikaufsehern zu Beginn des neunzehnten Jahrhunderts fiel, ihre aus dem Kleinbauerntum stammenden Arbeiter an die Sklaverei der Uhr und die Regelmäßigkeit industrieller Arbeit zu gewöhnen. Für uns war Zeit ein uferloses Meer, in dem man sich schwimmend bewegte, ohne jemals an Grenzen zu gelangen. Die Verpflanzung des Haushaltes an einen anderen Ort geschah stets für Monate; unsere Gäste erschienen nicht zu einem exakt vorherbestimmten Termin und reisten auch keineswegs zu einem festgelegten Zeitpunkt wieder ab, sondern sie traten, wie mir vorkam, unerwartet in unser Leben und teilten es dann lange. Für uns Kinder gab es immerhin die Schule, eine deutsche Schule *nota bene,* die alles tat, um in den Fluß der Zeitlosigkeit energisch Pflöcke einzuschlagen, aber für meine zahlreichen älteren Onkel und Tanten, die bei uns lebten und die Atmosphäre unseres Haushaltes maßgeblich bestimmten, gab es solche Pflöcke nur in Form der großen kirchlichen Feste. Daß man »die Feste feiern müsse, wie sie fallen«, hätte man ihnen nicht predigen müssen: von dieser Pflicht waren sie durchdrungen, es war vielleicht die einzige Pflicht, die sie über sich anerkannten.

Für die Geschichte der Zeiteinteilung und der Zeitmessung scheinen mir überhaupt die kirchlichen Gebräuche eine entscheidende Rolle gespielt zu haben. Von den Juden hatten die christlichen Mönche in Ägypten das Stundengebet übernommen, die Gewohnheit, zu fünf oder später sieben nach dem Stand der Sonne bestimmten Malen am Tage zu beten. Die Mönche sahen in diesem Stundengebet die Widerspiegelung einer Liturgie, die der Kosmos mit Sonnenaufgang und -untergang, mit dem Lauf der Sterne und des Mondes zum Lobe Gottes feierte, und da kam es darauf an, mit diesem Planetenlauf Schritt zu halten und gewisse Zeitabläufe zu beachten. In der äthiopischen Kirche wie bei Kopten und Orthodoxen wurde dieser Zeitrahmen aber flexibel gehalten: Dauerte die Nacht lang, beteten auch die Mönche lang; wurden die Nächte kürzer, verkürzte sich auch das nächtliche Gebet, ohne daß die Stundenzahl sich verringerte – die Nacht war immer zwölf Stunden lang, nur daß eine Stunde eben zwischen vierzig und neunzig Minuten dauern konnte. So blieb auch für uns eine Stunde etwas nicht genau Festgelegtes, sie dauerte so lange, wie sie eben dauern mußte.

Zugleich stand meine familiäre Umgebung aber in großer Nähe zum Kaiserhof, und hier regierte die Pünktlichkeit, wenngleich in einem anderen Sinn als im westlichen Geschäftsleben. »Die Pünktlichkeit ist die Höflichkeit der Könige«, ist ein im Westen häufig zitierter Satz, der aber doch einer Erklärung bedarf, um nicht mißverstanden zu werden. Ich habe solche »königliche Pünktlichkeit« studieren dürfen und kann versichern, daß sie mit Eile und ökonomischem Umgang mit der Zeit und Zuverlässigkeit und Pedanterie zunächst einmal wenig zu tun hat. Die Pünktlichkeit der Könige ist rituell. Der persische Großkönig, der in vielem das Modell sakraler Monarchie von der byzantinischen Monarchie bis zu den Kaisern des Hauses Habsburg war, befahl jeden Morgen der Sonne aufzugehen und mußte sich zu diesem Zweck überaus pünktlich erheben, damit die Sonne nicht in die Versuchung geriet, eigenmächtig zu handeln und den Befehl nicht abzuwarten. In allen Monarchien mit einer stark religiösen und rituellen Prägung war der Tagesablauf des Monarchen wie der eines Planeten gestaltet. Auch hier herrschte eine Teilnahme an der erwähnten »Liturgie des Kosmos«. In Europa führte König Ludwig XIV., während er den modernen französischen Zentralismus schuf, diese Anschauung noch einmal zu einem Höhepunkt. Jeden Morgen betrat der Kammerdiener zur gleichen Stunde das Schlafzimmer des Sonnenkönigs, schlug die Vorhänge zurück und sagte: »Sire, es ist Zeit«, und von diesem Augenblick an begann die Riesenmaschinerie des Hofes anzulaufen, die ebensowenig anzuhalten war wie der Lauf der Sterne. Die Pünktlichkeit der Könige bedeutete für ihre Umgebung vor allem eins: warten. An allen Höfen bis zur Gegenwart besteht die Hauptaufgabe der Hofbeamten darin, zu warten, um im festgelegten Augenblick bereit zu sein. Schon bei Ludwig XIV. gerieten die Erfordernisse dieser rituellen Pünktlichkeit mit den Erfordernissen des praktischen Regiments allerdings in eine komplizierte Konkurrenz. Der König arbeitete viel und mußte sich häufig von dem planetarischen Zeremoniell durch eine Tapetentür verabschieden. Sein Hof bestand aus ungeduldigen Individualisten, die das zeremonielle Warten ohne König als Leerlauf empfanden – mit den bekannten Folgen für den Fortbestand der französischen Monarchie.

Als ich in den siebziger Jahren in Cambridge studierte, war der englische Umgang mit der Zeit, aus meiner Perspektive jedenfalls, von dem orientalischen bei uns zu Hause noch nicht schmerzhaft unterschieden. In Deutschland sah das anders aus. Deutschland war ein modernes Land. Dennoch kam mir die deutsche Tugend der Pünktlichkeit hier zunächst als etwas Altertümliches entgegen. In Afrika galt als der deutscheste aller deutschen Gegenstände die Kuckucksuhr. Auch wir besaßen selbstverständlich eine Kuckucksuhr, die uns Kinder begeisterte, ohne daß wir ahnten, welch ein strenger Vogel dieser Kuckuck war, der uns zunächst nur dazu verleitete, viel Zeit vor seinem Gehäuse zu vertrödeln, um sein schnarrendes Hervorschießen und seinen Ruf nicht zu verpassen. Als »möblierter Herr« während meiner Studien in Tübingen erlebte ich noch die bürgerlichen Gewohnheiten einer deutschen Kleinstadt, in der man früh aufstand, die Arbeit aber mit einem tüchtigen Mittagessen beim Glockenschlag eins und darauffolgendem Mittagsschlaf unterbrach und mit dem Glockenschlag zehn ins Bett ging. Die Pünktlichkeit hatte hier immer noch einen rituellen Zug. Sie stand nicht mit dem Willen zu höherer Effizienz oder dem »Time is money«-Gedanken in Verbindung, sondern schuf ein sogar recht behagliches Korsett, das allzu großen Eifer eher behinderte.

Immerhin war sie eine gewisse Einübung für die neuartige Pünktlichkeit, die sich nach dem großen Modernisierungsschub von 1968 sehr bald allgemein entwickelte. Die ökonomische Mentalität, die wir alle, ohne es immer zu bemerken, längst angenommen haben, zwingt uns dazu, nicht nur die einstmals als reiches und unbeschränktes Geschenk angesehene Zeit, sondern überhaupt alles, jeden Lebensaugenblick, jeden Gedanken und jeden Genuß, den Schlaf keineswegs ausgenommen, in Beziehung zu Geld oder geldwertem Vorteil zu setzen. Unpünktlichkeit ist vor diesem Hintergrund nicht nur unhöflich – damit könnten wir leben –, sondern ein Anschlag auf fremdes oder eigenes Vermögen. Der Bewohner einer Großstadt ist heute beinahe immer in eine Tretmühle eingesperrt, die ihm kaum die Zeit zum Luftholen läßt. Verabredungen können hier längst nicht mehr mit »orientalischer« Lässigkeit (oder mediterraner oder irischer oder russischer Lässigkeit, man setze ein, was einem beliebt) angegangen werden. Wer ahnt, wieviel organisatorischer Aufwand für einen Geschäftstermin getrieben werden muß, wird sich lieber in der prunkvollen Halle des Bankhauses unter den fühllosen Augen des Portiers mit einem Brieföffner entleiben als sich zu spät kommend die gepreßte Bemerkung anhören, man habe sich schon Sorgen gemacht. Man könnte sich sogar auf den Standpunkt stellen, die Pünktlichkeit bei geschäftlichen Verabredungen gehöre wegen des enormen Druckes, der vor allem auf dem Teil lastet, der vom anderen etwas will, eigentlich nicht mehr zu den Manieren, denen doch immer auch ein winziges Moment von Freiwilligkeit und spielerischer Haltung anhaften soll. Für die ist in der geschäftlichen Sphäre kein Raum. Da wird es ernst. Um so beachtlicher sind die Fälle, in denen sich der ökonomisch überlegene Teil, der es sich leisten könnte, den andern warten zu lassen, ohne wirtschaftliche Nachteile befürchten zu müssen, diesen dennoch nicht warten läßt. Es ist in solchen Momenten, als sei ein schrecklicher Kreislauf durchbrochen; auch eine herbe Ablehnung läßt sich leichter einstecken, wenn einem nicht schon bei längerem Aufenthalt im Vorzimmer klargemacht worden ist, wie gering das Gewicht ist, das man in diesem Hause auf die Waage bringt.

Wenden wir uns also der verbleibenden freien Zeit zu, wenn wir uns mit den Leuten verabreden, die wir zu unserem Vergnügen treffen wollen. Hier gilt allgemein auf der Welt zweierlei Maß: Die höherstehende Person darf sich verspäten, die niedrigere hat pünktlich am Platz zu sein. Der Mann hat die Frau zu erwarten, der Gastgeber ist vor seinen Gästen zur Stelle, der junge Mann findet sich vor dem alten Mann ein. In Deutschland wird das Maß an Verspätung, das jedermann zu konzedieren ist, nach dem Universitätsbrauch, Vorlesungen c.t. oder s.t. (*cum tempore,* also mit viertelstündiger Verspätung, oder *sine tempore,* ohne Verzug) anzusetzen, das »akademische Viertel« genannt, auch wenn ein Abendessen – hoffentlich ganz ohne akademische Vorträge – zu erwarten steht. Ich vermute, daß es für Deutschland bezeichnend ist, daß die Universität in solchen Sitten inspirierend wirkte. Bei ihr lagen eben die Stil-Ressourcen der Bürgerlichkeit. Daß man zu einem gesetzten Essen pünktlich kommt, ergibt sich aus der Natur der Sache und versteht sich von selbst. Ein gemeinsames Essen ist eine Zeremonie, die nicht beginnen kann, bevor der magische Kreis um den Tisch geschlossen ist (von den Schwierigkeiten, die bei Verzögerungen in der Küche entstehen mögen, ganz zu schweigen). Wann aber ist man pünktlich? In Deutschland und den nördlichen Ländern ist das einfach, es steht auf der Einladungskarte oder ist mündlich mitgeteilt worden. In mediterranen Ländern oder in Südamerika kann es noch Stunden nach der angegebenen Zeit dauern, bis man sich zu Tisch setzt. Die Gäste wissen das auch und treffen mit Verspätungen ein, die den Nordmenschen erbleichen ließen.

Auf der anderen Seite ist nichts unangenehmer, als zu früh zu erscheinen. Niemand mit der bescheidensten Lebenskenntnis rechnet damit, seine Gastgeber auch nur eine Minute vor der Zeit empfangsbereit zu finden. Ich sehe Helden der Courtoisie vor mir, die einerseits unbedingt pünktlich sein wollen und deshalb zehn Minuten vor der Zeit schon vor dem Haus stehen, andererseits aber auch keinesfalls zu früh sein wollen und nun draußen so lange auf und ab gehen, bis die Uhr fünf nach acht zeigt und mit reinem Herzen geklingelt werden kann.

Bei Empfängen und Cocktails ist häufig die Dauer angegeben, es heißt dann etwa »ab 18 bis 20 Uhr«. In England ist diese Angabe unbedingt wörtlich zu nehmen; um 20 Uhr ist der Empfang mit Gewißheit zu Ende, weil die Gastgeber dann selbst noch anderswohin aufbrechen. In romanischen Ländern, in denen spät zu abend gegessen wird, kann ein solcher Empfang aber länger dauern, man kann deshalb auch zwei Stunden später eintreffen. In Deutschland sind Cocktails sehr oft abendfüllend, auch hier darf man eine Stunde später erscheinen, wird es noch später, sollte man das aber vorher ankündigen.

Wichtiger noch als Bemerkungen zur Pünktlichkeit erscheinen mir Überlegungen zum Umgang mit den Unpünktlichen. Es ist hier, wohlverstanden, immer nur vom Privatleben die

Rede, denn im Geschäftsleben regeln sich derlei Dinge von selbst, und zwar nach dem Recht des Stärkeren. Wem die Pünktlichkeit in den Genen sitzt, vermag für die Unpünktlichen nur schwer Verständnis aufzubringen. Jedem stößt es einmal zu, daß er in einer Verkehrsstauung steckenbleibt, ein Flugzeug nicht fliegt oder ein Wasserrohr platzt, aber die Unpünktlichen scheinen an einem Karma zu tragen, das derlei Hindernisse über ihr ganzes Leben ausstreut. In der ersten Aufwallung der Gereiztheit mögen viele von den Unpünktlichen Geschädigte in dieser Unfähigkeit, die vereinbarte Zeit einzuhalten, vor allem zunächst die Unverschämtheit und Rücksichtslosigkeit im Umgang mit der Zeit der anderen sehen. Gewiß mit Recht, aber es kommt bei dieser Sicht die Riesenlast des schlechten Gewissens zu kurz, die viele Unpünktliche beständig mit sich herumschleppen. Es ist für das Zusammenleben gewiß am erträglichsten, wenn man die chronische Unpünktlichkeit als eine Art Geisteskrankheit behandelt, deren Auswirkungen man ignoriert, wie man sich ja auch bemüht, ein gewisses nervöses Gesichtszucken bei einem Freund nicht wahrzunehmen und es schließlich dann auch tatsächlich nicht mehr sieht. Die Welt ist ungerecht, besonders in bezug auf die Manieren. Leute, die man mag, dürfen alles, auch unpünktlich sein; Leuten, die man nicht mag, hilft auch die Pünktlichkeit keinen Schritt weiter in unser Herz hinein. Solange man aber miteinander umgeht, sollte eisern die Fiktion aufrechterhalten werden, daß niemand sich aus bösem Willen eine Nachlässigkeit zuschulden kommen läßt. Wer dem Unpünktlichen gegenüber Groll zeigt oder gar zu einer Strafpredigt anhebt, »hat seinen Lohn schon dahin«.

»Das Häufen von glühenden Kohlen auf fremde Häupter«, um gleich in der Sprache der Bibel zu bleiben, hat im Bereich der Manieren keinen Raum. Marcel Proust schildert in seiner *Recherche,* die in Fragen der Manieren unerschöpfliche Inspiration bietet, wie der Erzähler zu spät zu einem Essen beim Herzog von Guermantes erscheint. Der Herzog ist ein Mann von perfekten, gelegentlich etwas zu demonstrativen Manieren, die bei ihm Härte und Kälte leider nicht ausschließen, aber im Umgang mit seinem verspäteten Gast beweist er vollendete Delikatesse. Angesichts der wartenden Gästeschar besteht er darauf, dem Gast in einem anderen Stockwerk des Hauses erst noch gewisse Aquarelle zu zeigen, als habe man alle Zeit der Welt, einzig um die Befürchtung des Gastes zu zerstreuen, er habe die Gesellschaft aufgehalten. Man kann diesen Effekt noch einfacher erzielen: indem man zur vorgesehenen Zeit mit dem Essen anfängt, ohne auf die Nachzügler zu warten (sofern es nicht gerade der Ehrengast ist, der ausgeblieben ist). Viel von der Spannung der Wartenden verflüchtigt sich, wenn man erst einmal bei Tisch sitzt, und dem Verspäteten werden vielfältige Erklärungen abgenommen, wenn er mit einem gedämpften Wort des Bedauerns auf seinen Platz schlüpft. Unaufmerksamkeit wird zur Tugend, wenn der Verspätete glauben darf, sein Ausbleiben sei gar nicht bemerkt worden.

Die Manieren und die Religion

Wer wird künftig deinen Kleinen lehren / Speere werfen und die Götter ehren?« In diesem Vers ist das pädagogische Programm enthalten, das alle alten Gesellschaften miteinander gemeinsam haben. Diese beiden »Unterrichtsfächer« enthielten die wichtigsten sozialen Funktionen; alles weitere entfaltete sich aus der Pflicht, die Gemeinschaft zu verteidigen und die Gebote der Religion zu respektieren. Während man auch zu Beginn des einundzwanzigsten Jahrhunderts in Afrika noch auf viele Milieus stoßen kann, in denen die Erziehung auf diesen beiden Säulen ruht, hat sich Europa inzwischen vollständig anderen Idealen zugewandt. Weder das Speere-Werfen noch das Götter-Ehren begründen hier die Gesetze des Zusammenlebens. Das Speere-Werfen ist an den Staat delegiert, der das Gewaltmonopol besitzt und den Bürgern die handgreifliche Verteidigung der eigenen Interessen, aber auch den bewaffneten Schutz ihrer Ehre verbietet. Das republikanische Pathos, mit dem den Monarchien das Bürgerrecht auf das Waffentragen und auf die Teilnahme an der Landesverteidigung einst abgetrotzt wurde, ist sehr leise geworden. Heute wünschen die meisten Bürger in den westlichen Ländern die Rückkehr zum Berufsheer, das unter dem gefürchteten Namen »Söldnerheer« doch eben noch als höchst bedenklich galt. Die Religion hingegen ist strikte Privatsache und im öffentlichen Raum der Gesellschaft nur geduldet; keinesfalls begründet sie Gemeinsamkeiten, oft noch nicht einmal unter ihren Mitgliedern, die auf den gesellschaftlichen Druck, unter den die Religion geraten ist, höchst unterschiedlich reagieren.

Dennoch wäre es falsch, in einer Betrachtung über die europäischen Manieren den Umgang mit religiösen Verhaltensweisen ausschließen zu wollen. Wie wir schon mehrfach gesehen haben, sind es religiöse Verhaltensweisen, die das Fundament vieler unserer Umgangsformen bilden. Obwohl die Religion im europäischen Westen an einem nun schon mehr als zweihundertjährigen Schwächeanfall leidet, betrachten sich viele Leute als gläubig. Die Verhältnisse in Deutschland bringen es mit sich, daß sich beständig Anhänger verschiedener Religionsgemeinschaften begegnen. Inzwischen verhalten sie sich bei solchen Begegnungen überwiegend friedlich. Die Zeiten, die regelrechte Feindseligkeiten zwischen den Konfessionen auch im alltäglichen Nebeneinander ausbrechen ließen, sind vorbei. Keinem Gelehrten wird der Ruf auf einen Lehrstuhl mehr verweigert, weil er Katholik oder Protestant ist. Die seit meiner Ankunft in Deutschland mir häufig vorgetragene Anekdote (so häufig, daß ich inzwischen an ihrer Wahrscheinlichkeit zweifle), am katholischen Fronleichnamsfest hätten die protestantischen Bauern Mist gefahren, um die Prozession zu stören, am Reformationstag hingegen hätten die Katholiken ein heftiges Teppichklopfen angefangen, beschreibt schon geradezu legendär gewordene Verhältnisse. Es gibt immer noch Milieus, in denen es mit Mißvergnügen aufgenommen wird, wenn die Tochter einen Mann außerhalb des eigenen Bekenntnisses heiratet, aber sie sind selten geworden. Hochzeiten sind denn auch der Regelfall, bei dem Protestanten und Katholiken in einer Kirche zu einem Gottesdienst zusammenzukommen pflegen. Solche Fälle sind es, in denen sich die Manieren mit der Religion berühren, und diese ausschließlich sollen hier betrachtet werden.

Das ist eine bedeutende Einschränkung. Allen Religionen ist es eigen, für ihren Gottesdienst, aber auch außerhalb des gemeinschaftlichen Gottesdienstes, Verhaltensmaßregeln für ihre Gläubigen zu entwickeln. Wie bereits erwähnt, ist nach der Überzeugung des französischen Moralisten Joubert die eigentliche Schule der Manieren die Liturgie, und man könnte mühelos darlegen, wie sich aus dem liturgischen Dienst der lateinischen und der griechischen Kirche die wesentlichen Formen der Ehrfurcht und des Respekts ableiten lassen, die in den europäischen Manieren so lange bestimmend waren. Indessen fehlt mir die erforderliche distanzierte Kälte, um das Knien und Weihwassernehmen eines frommen Katholiken oder die ungezählten Kreuzzeichen und das Küssen der Ikonen eines andächtigen Orthodoxen, die Bedeckung des Hauptes eines Juden, die unablässigen Verneigungen eines Muslims und das Ablegen der Schuhe in Moschee und Hindu-Tempel unter dem profanen Begriff der Manieren zu behandeln. Ich siedele die Manieren einige deutliche Stufen unter diesen das Gebet begleitenden Verhaltensweisen an. Sie beginnen, wo die religiöse Übereinstimmung aufhört, das heißt, wenn der Fall eintritt, der für den religiös Überzeugten eigentlich gar nicht eintreten dürfte. Wer einer Religion anhängt, tut dies im besten Fall, weil er von ihrer Wahrheit durchdrungen ist. Wer dieser Religion nicht folgt, muß sich also im Irrtum befinden. Wir machen es uns mit unserer inzwischen allgemeingültig gewordenen Auffassung des Begriffes der Toleranz etwas zu leicht, wenn wir diese Tugend als Konsequenz eines mild auf- und abgeklärten Indifferentismus pflegen. Ihre Stärke entfaltet die Duldsamkeit erst, wenn sie gegenüber dem als zutiefst irrig und falsch Erkannten geübt wird.

Gerade unter diesem Aspekt der Manieren ist Toleranz in religiösen Fragen niemals ein Recht, auf das der Nichtreligiöse pochen darf, sondern eine beträchtliche moralische Leistung, die mit Dankbarkeit quittiert zu werden verdient. Vielmehr hat die Hindu- oder Muslim- oder Sikh-Gemeinschaft, die Andersgläubigen den Zutritt zu ihren heiligen Stätten verbietet, ein Recht zu einem solchen Ausschluß, und keine kunsthistorischen Interessen und kein Bildungsbedürfnis des kamerabewehrten Weltreisenden können diesem Recht etwas abhandeln. Unter den Christen glauben inzwischen nur noch die Orthodoxen – keineswegs alle, aber doch in Rußland und Griechenland nicht wenige – das Recht zu besitzen, Andersgläubigen die Teilnahme an ihren Riten zu verweigern. Wer Religion ernst nimmt, wird daran nichts auszusetzen finden, und wer es nicht tut, hat keine andere Behandlung verdient.

Und auch wer die Religion nicht ernst zu nehmen imstande ist, sollte zunächst stets damit rechnen, daß der Angehörige einer Religionsgemeinschaft das tut. Seine Speisegesetze, seine Fastenzeiten, seine Gottesdienste und Gebetsgewohnheiten müssen durchaus unkommentiert bleiben. Religiöse Ehrfurcht ist ein empfindliches und leicht zu störendes Gefühl. Gelassenheit und Überlegenheit gegenüber verständnisloser Verletzung der Ehrfurcht zu fordern obliegt allein den Gläubigen – der Außenstehende hat dazu kein Recht. Es wäre eine Verdoppelung des Hohnes, wenn jemand, der die religiöse Überzeugung eines anderen verletzt hat, auch noch triumphierend darauf hinwiese, solche Angriffe müßten eben mit dem Geist der Liebe ertragen werden. Eine wachsende Unsicherheit der Amtsträger der Religion hat im Westen die Gewohnheit entstehen lassen, anderer Leute Religion, der man selbst weder angehört noch anzugehören wünscht, vor ihnen dreist und ungefragt ausführlich zu kritisieren und sogar mit Verbesserungsvorschlägen nicht zu geizen. Liegt nicht eine ungeheure Komik darin, wenn sich Leute über die Moralauffassungen des Papstes entrüsten, die weder Christen sind noch sich dem Papst im mindesten verpflichtet fühlen? Immer wieder erleben wir Wellen von Forderungen, die religiösen Bücher aller möglichen Religionsgemeinschaften sollten dem politischen Konsensus der gerade eben herrschenden Verhältnisse angepaßt werden – sie dringen bis in die Tischgespräche vor, wo sie im Rahmen der Manieren jedenfalls nichts zu suchen haben.

Wer die Kirche einer Religionsgemeinschaft betritt, der er nicht angehört, muß es in dem Bewußtsein tun, daß dieser Ort den Leuten, die ihn zu ihren Gottesdiensten aufsuchen, heilig ist. Wer kein Katholik ist, braucht kein Weihwasser zu nehmen und keine Kniebeugen zu machen, aber er muß wissen, daß der Altar und der mit einer roten Lampe gekennzeichnete Schrein mit den gewandelten Opfergaben für Katholiken Zonen der Ehrfurcht bilden. Hier wird nur mit gedämpfter Stimme gesprochen, und es wird vermieden, mit dem Rücken vor Altar oder Tabernakel zu stehen, um ausführliche kunstgeschichtliche Betrachtungen abzuhalten. Nach christlichem Brauch nehmen Männer in der Kirche den Hut ab, auch wenn es beinkalt ist und Erkältungen drohen – der Hut muß herunter. Frauen hingegen sollen nach einer vom Apostel Paulus ausgesprochenen Regel im Kirchenraum ihr Haar bedecken. Auch wenn die schwarzen Kirchenschleier aus Spitze, die früher vor allem im Süden üblich waren, heute nur noch selten zu sehen sind, befolgen gerade die eleganten Damen, selbst wenn sie der Kirche gleichgültig gegenüberstehen, keines ihrer Gebote mit mehr Phantasie und Begeisterung. Wenige werden freilich wissen, wenn sie sich für eine Mariage à la mode ein winziges Gebilde aus rosa Tüll ins Haar stecken, daß sie soeben dabei sind, die paulinische Anweisung, die Frauen mögen »mit Rücksicht auf die Anwesenheit der Engel« den Schleier tragen, zu befolgen.

Anständig bekleidet sein soll, wer eine Kirche betritt. Was anständig ist, unterliegt dem Zeitgeschmack; vielerorts ist man sich wenigstens noch darüber einig, daß Badekleidung jedenfalls nichts in der Kirche zu suchen hat. Die Kirchen sollten ermutigt werden, in dieser Hinsicht fest zu bleiben und den kurzen Hosen auch weiterhin den Eintritt zu verwehren, durchaus in ihrem eigensten Interesse: Für viele ist heute ein solches Hindernis die erste Begegnung mit dem Heiligen und damit ein unschätzbares Bildungserlebnis, das gerade dem aufgeklärten Proletariat nicht vorenthalten werden sollte. Es unterliegt doch keinem Zweifel, daß die staunenden Urlauber aus Manchester oder Zwickau, denen in einer andalusischen Kirche das Eislutschen verboten wird, mehr über die betreffende Kirche erfahren haben, als ihnen der beredteste Fremdenführer hätte mitteilen können. Wer an heiligen Handlungen teilnimmt, die ihm nichts bedeuten, versuche sich im Hintergrund zu halten. Es gibt bei Katholiken und Orthodoxen Augenblicke in der Liturgie, in denen die Gläubigen sich tief verneigen oder knien. Wer das aus gutem Grund nicht mitvollziehen möchte, bleibe aber keinesfalls sitzen, sondern stelle sich irgendwo am Rand des Geschehens auf, wo sein Rücken nicht aus der Schar der Knienden einsam herausragt. Sitzen gilt in solchen Momenten als demonstrative Ehrfurchtslosigkeit. Ich muß in diesem Zusammenhang immer an Goethe denken, für den »Ehrfurcht« ein Schlüsselbegriff war und der in Rom bei der Begegnung mit dem ihm verdächtigen Katholizismus doch so wenig davon besaß, wenn er etwa beschreibt, wie er sein Mittagsschläfchen auf dem Papstthron in der Sixtinischen Kapelle machte. Ich bin der Überzeugung, daß kein gerecht Denkender ein ernsthaftes Vergnügen an solchen Tabuverletzungen empfinden kann. Die Unverschämtheit, die Unfähigkeit, Grenzen zu akzeptieren, ist vielleicht der eigentliche Charakterkern der Vulgarität.

Zur Anerkennung solcher Grenzen gehört auch, allfällige Segnungen, heilige Handlungen, die Kommunion: alles, was für den Gläubigen von sakramentalen Eigenschaften besetzt ist, als Außenstehender nicht einfach auch für sich verlangen zu wollen. Man sollte sich immer aufs neue klarmachen, daß in sakraler Sphäre niemand und schon gar nicht der Außenstehende die mindesten Ansprüche besitzt. Selbstverständlichkeit, Unbekümmertheit und Ungezwungenheit, sonst so schöne und anmutige Gaben, sind hier fehl am Platz. Der heilige Ort, sei er Kirche oder Tempel oder Moschee, ist *locus terribilis,* schrecken- und ehrfurchtgebietender Ort; wer sich solcher Auffassung grundsätzlich verschließt, sollte davon absehen, solche Orte zu betreten. Man muß nicht überall sein wollen. Das eigene Besser- und Mehr- und Neueres-Wissen ist nicht der Maßstab für den Rest der Welt.

An der leichten Gereiztheit, die in diesen Bemerkungen unversehens mitklingt, ist zu erkennen, daß in diesen Fragen im europäischen Westen längst Verworrenheit herrscht. Bilderstürmerei und Säkularisation haben die Entweihung von Kirchenräumen als vom kunsthistorischen Standpunkt beklagenswert, vom politischen aber erfreulich und fortschrittlich erscheinen lassen. Die nackte Göttin der Vernunft auf dem Altar von Nôtre-Dame de Paris räumte ihren Thron zwar bald wieder, ließ die Priester und Gläubigen aber eingeschüchtert zurück. Von nun an war es der Glaube, der sich immerfort zu rechtfertigen hatte. Seit Mitte des zwanzigsten Jahrhunderts sehen die verbliebenen Gläubigen sich nun auch noch durch einen antisakralen Affekt ihrer eigenen Theologen attackiert. Wie soll man sich etwa verhalten, wenn die Gemeinde nach Musikstücken oder gar einer Predigt oder einer Begrüßung in der Kirche unter Anleitung der eigenen Priester zu klatschen beginnt? In Bayreuth darf nach dem ersten Akt des *Parsifal* nicht geklatscht werden, und moderne Prälaten baden sich mit törichter Selbstzufriedenheit beim Einzug in ihre Kathedralen im Applaus der Frommen. Hier sind die Dinge derart aus dem Lot geraten, daß an die Verse Robert Gernhardts erinnert werden muß: »Paulus schrieb an die Apatschen / Ihr sollt nicht nach der Predigt klatschen.« Das Klatschen gehört ins Theater und auf den Parteitag, in der Kirche ist es ein Zeichen von Nichtachtung.

Vom Standpunkt der Manieren aus gesehen, ist es das Angemessenste, sich von allen demonstrativen Zeichen der Nichtachtung fernzuhalten, was immer man in diesen Fragen denken mag. Wer nicht imstande ist, in der Religion die Wahrheit zu erkennen, der kann sie um ihres Alters willen verehren. Das sehr Alte ist immer verehrungswürdig. Was sich über die vielen tiefen Brüche in der Kultur über Jahrtausende am Leben erhalten konnte, verdient auch jenseits religiöser Einsicht Bewunderung wie ein riesiger Baum. Uns Afrikanern ist der leichtfertige Umgang westlicher Großstädter mit der Religion ohnehin unheimlich. An einem der heiligsten Orte Äthiopiens, in Kulubi Gabriel, kommen Christen, Muslime und heidnische Animisten zusammen, um den Erzengel Gabriel zu verehren. Wir hängen nicht alle demselben Glauben an, aber »religionsfreier Raum« ist uns fremd. In bezug auf die Religion bewährt sich für uns eine Regel, die für die Manieren ganz allgemein gilt: lieber zu respektvoll sein als ein klein wenig zu respektlos.

In England hatte man wahrscheinlich schon aus den Tagen der Religionskriege zu der Übereinkunft gefunden, die Religion zu den verbotenen Themen in der gesellschaftlichen Konversation zu zählen, da immer einer anwesend sein könne, der sich durch die Behandlung religiöser Fragen so oder so verletzt fühlen würde. Verbotene Themen in der Unterhaltung bei Tisch sind natürlich eine praktikable, aber doch etwas unbehaglich stimmende Lösung. Sie haben für sich, daß in dieser Hinsicht jedenfalls keine Mißstimmung aufkommen kann, aber sie stellen den gesellschaftlichen Fähigkeiten der Anwesenden ein trauriges Zeugnis aus. Warum sollten nicht auch heikle Themen in einer Form besprochen werden können, die für jeden am Tisch akzeptabel ist? Das Religionsthema vermag allerdings mehr als heikel zu sein: unversehens öffnet es Schluchten zwischen Personen, die bis dahin glaubten, sich in allen wichtigen Fragen einig zu sein. Ein Religionsgespräch kann in heftige Feindschaft münden, die auch geschliffenen Gesellschaftsmenschen nur noch schwer zu verbergen gelingt. Das Religionsthema ist womöglich noch gefährlicher als das politische, weil es nicht nur Meinungen streift, sondern die Fundamente der Person berührt; hier werden Unvereinbarkeiten sichtbar, und das ist für die Manieren schwer zu verwinden, die den Gedanken des Irreversiblen scheuen und immer Ausschau nach letzten verbindenden Strohhalmen halten.

Nicht allen Religionen, aber der christlichen und auch der islamischen etwa ist es eigen, daß sie von ihren Anhängern das offene Bekenntnis und auch ein apostolisches Wirken verlangen. Das Bekenntnis »Ich bin Christ« werden die Manieren noch gestatten, wenn auch widerstrebend, denn Bekenntnisse sind nicht so recht nach ihrem Geschmack. Was die Manieren wahrscheinlich verbieten, ist das Werben für den Glauben, das Missionieren, das den Christen aber ganz ausdrücklich aufgegeben ist. Dies ist einer der Fälle, die zeigen, daß mit den Manieren nicht jedes erdenkliche Lebensverhältnis zu lösen ist. In England hört man allein mit dieser Überlegung bereits auf, ein Gentleman zu sein, denn das Gentleman-Sein besteht in der Überzeugung, daß die Manieren einen Raum umgrenzen, der in einem ganzen Leben nicht ein einziges Mal verlassen werden muß. Deshalb sagt man in England auch: »Ein Baptist kann kein Gentleman sein« – denn als Mitglied einer Sekte empfindet er das eigentlich allgemein gültige Missionsgebot als noch frisch und verbindlich, während die Mitglieder der Staatskirche sich der Segnungen der Religion nur in entspannter Beiläufigkeit bedienen. In der katholischen Kirche gab es in ihrer Weltzugewandtheit übrigens gelegentlich Versuche, das Missionsgebot mit den Manieren zu versöhnen. François de Sales, der Bischof von Genf, und der englische Kardinal Newman, beide unter protestantischer Majorität wirkend, stehen in dem Ruf, ihr Apostolat mit den Geboten der Weltläufigkeit vollendet verbunden zu haben. Wer unter den Freunden der Manieren Bedürfnis nach geistlicher Lektüre empfindet, schlage die Werke dieser Herren auf.

Das Komische an den Zeremonien

»Jede Abweichung ist per se dümmer als die Regel.« Peter Hacks

Gute Manieren soll man haben – aber soll man sich mit ihnen auskennen? Diese Frage kennzeichnet eines der vielen Paradoxa auf dem Feld der Manieren. Die Manieren sind im übrigen von paradoxen Phänomenen in einem Ausmaß erfüllt, daß man sie im ganzen als das Feld des Paradoxen bezeichnen könnte. Diese Eigenschaft deutet auf ihre Nähe zum Leben hin, das sich zwischen Weltanschauungen, politischen und ökonomischen Systemen und den Marksteinen der Weltgeschichte hin und her schlängelt, mit seinem stetigen Strom die Uferbefestigungen und Hindernisse auf seinem Wege geduldig unterhöhlt und gelegentlich zum Einsturz bringt. Gerade in den Kreisen, in denen die Manieren herrschten und immer noch herrschen – was bekanntlich nicht mit dem Regieren zu verwechseln ist –, war es immer auch ganz besonders wichtig, sich nicht richtig darin auszukennen. Dafür gab es Leute, die man fragen konnte. Das waren die Genealogen, die die in germanischen Milieus von Anbeginn entscheidende Frage des Vortritts zu lösen hatten – man denke nur an den unerfreulichen Auftritt der Damen Brünhild und Kriemhild an der Domtür von Worms. Das maßgebliche englische Handbuch für solche Fragen fällt seine Urteile in Problemfällen mit unnachahmlicher Deutlichkeit.

Unter dem Stichwort »Aga Khan« erfährt man dort: »Hoheit. Behauptet, von irgendwelchen Göttern abzustammen. Ein englischer Herzog hat den Vortritt.« Die Wappenkönige, Adelsmarschälle, Hofmarschälle, Zeremonienmeister waren unentbehrlich für die Lösung der Rätsel, die die Etikette jeden Tag von neuem aufgab. Unvergeßlich die Führordnung, die ein solcher Zeremonienmeister zur Zeit des deutschen zweiten Kaiserreichs anläßlich einer Fürstenhochzeit abfaßte: »Um zwölf Uhr versammeln sich die Allerhöchsten Herrschaften in der Schloßkapelle, um den Höchsten zu ehren.« Auch in Addis Abeba in meinem Elternhaus gab es einen solchen Zeremonienmeister: einen Agafari. Seine Abkunft war *impeccable.* Er stammte zwar nicht von der Königin von Saba ab, dafür aber von ihrer Magd, und war beinahe so vornehm wie der Kaiser. Sein Wesen bestand aus einer stets in höchstem Alarmzustand befindlichen Würde. Zeremonienmeister sind Kulturpessimisten (also eigentlich höchst intelligent). Sie wissen, daß alles, was schiefgehen kann, auch schiefgeht. Sie glauben an die Form und sehen sie beständig zu Recht beschädigt und in Lebensgefahr. Sie sind davon überzeugt, daß alles einstürzt, wenn die Form verletzt ist.

Sie haben auch recht damit, denn der periodisch wiederkehrende Einsturz von allem kündigt sich stets durch Risse und Brüche in der Form an. Bei einem Staatsbesuch halten sie es für das einzig Wichtige, daß jeder den richtigen Platz am Tisch erhalten hat, und tatsächlich ist es das einzige, was von einem Staatsbesuch in Erinnerung bleibt, wenn jemand falsch plaziert worden ist. Dennoch, obwohl sie eigentlich immer recht haben, nimmt die Zeremonienmeister und Hofmarschälle niemand wirklich ernst. Sie gelten beinahe schon als Narren. Shakespeares Malvolio in *Twelvth night* ist ein solcher Majordomus. Er ist das Gespött der gesamten vornehmen *ménage.* Weil Shakespeare ein so großes Herz hat, macht er deutlich, daß man Malvolio grausam behandelt. Er ist der, soweit ich sehe, einzige Rächer der Zeremonienmeister in der schönen Literatur. Ansonsten herrscht Undankbarkeit. Zeremonienmeister sind verknöcherte Eunuchen in der Verbotenen Stadt oder steifnackige Reaktionäre wie der österreichische Fürst Montenuovo bei Karl Kraus, der dem ermordeten Thronfolger eine Beerdigung dritter Klasse zubilligte, weil der

Erzherzog eine Mesalliance eingegangen war. Unmenschlich, nicht wahr? Aber eines steht fest: Einen Krieg hätte dieser Montenuovo für den falsch verheirateten Franz Ferdinand ganz gewiß nicht geführt.

Ich weiß noch, wie wir uns über unseren alten Zeremonienmeister immer amüsiert haben. Er glaubte wirklich zu wissen, welches Reglement bei der allerhöchsten Zusammenkunft zwischen der Königin von Saba und dem König Salomon gegolten hatte, und durfte er etwa nicht auf seine Informanten hören? Das waren sein Vater und sein Großvater gewesen und viele Ahnen davor, und ihre mündliche Überlieferung war zuverlässig. Jeder hatte mit seinem Sohn die schier unendlichen Reihen der Vorfahren auswendig gelernt; als langer Gesang konnte sie unser Zeremonienmeister bei jeder erdenklichen festlichen Gelegenheit vortragen. Wir hatten unsere gesamte Verantwortung für den formvollen Ablauf unseres Lebens an ihn delegiert. Mit sorgenzerfurchter Stirn überwachte er, wenn nach seinen Vorschriften mein Vater die Gouverneursuniform gegen den Frack oder den halb priesterlichen Fürstenornat eintauschte, unruhig wanderte sein Blick über die lange gedeckte Tafel, wenn sich etwa beim Mundschenk wieder einmal Anzeichen einer leichten Angetrunkenheit bemerkbar machten. »Jede Abweichung ist per se dümmer als die Regel« – dieses goldene Wort des stalinistischen Klassizisten Peter Hacks hätte unseren treuen Diener mit der tiefsten Befriedigung erfüllt. Nur er wußte, wann welche Art Geschenk wohin zu schicken war, was beim Empfang eines Stammesfürsten auf den Tisch zu kommen hatte und welchem Gast mein Vater wie viele Schritte entgegengehen mußte. Es gehörte zum Vergnügen der Familie, die Pläne des alten Mannes mit seiner scheinbar lächerlichen Wichtigtuerei zu durchkreuzen und ihn in Verzweiflung zu stürzen. Pedanterie ist doch wahrlich das Gegenteil von Eleganz. Aber er mußte sterben, und die ganze löwenhafte Kaiserherrlichkeit mußte dahingehen, damit mir klar wurde, daß er es war, der uns unseren ironischen, desorientierten Umgang mit der Form, der meinem Vater etwa solch einen lässigen Charme verliehen hatte, überhaupt möglich machte. Über dem stetigen, unbeirrbaren *basso ostinato* einer eisernen Form wirkten unsere Silberflötenimprovisationen wie edelster Nachtigallengesang; ohne diesen rhythmischen Hintergrund standen wir so ratlos da wie die Heerscharen, die abends nach dem Büro auf den Bus warten.

Das Malheur

»Ce grand malheur, de ne pouvoir être seul.«
La Bruyère

In früheren Zeiten beschäftigten sich Ratgeber für die Manieren mit besonderem Nachdruck mit Zwischenfällen, die in Deutschland gern als »Malheur« bezeichnet wurden. »Malheur« heißt Unglück, aber das richtige große Unglück, das über jedem Menschenleben hängt, war damit nicht gemeint. In der Sprache der alten Gesellschaft nannte man Bankrott, Scheitern, Gefängnis und andere Katastrophen »Ennui«, was eigentlich Belästigung, Langeweile heißt. In dieser Vertauschung der Bedeutungen kam ein Gesetz des Gesellschaftsjargons zum Ausdruck, das auch heute noch gilt: Unbedeutendes mit Riesenwörtern, wirklich Gewichtiges herunterspielend auszudrücken. Malheur war, wenn man nicht rechtzeitig den Topf erreichte. Ein offener Hosenlatz im Salon, ein Loch in der Jacke, eine geplatzte Naht, alles irgendwie Körperliche, das an die animalischen Aspekte der Körperlichkeit gemahnte, war ein Malheur.

Unnötig zu sagen, daß solche letztlich unschuldigen Bekundungen der natürlichen Existenz des Menschen beunruhigend vor allem auf die puritanisch geprägten Völker des Nordens wirkten. Die Angst vor dem Malheur, der demontierenden Peinlichkeit war etwas Bürgerliches. Bürgerliche Würde und Feierlichkeit schien offenbar gefährdeter als die der Aristokraten. Das Achten auf möglichst makellose »Dehors« war irgendwie schon von kommerziellen Rücksichten bestimmt; die »Firma« sollte einen guten Eindruck machen, und das tat sie nicht, wenn der Prinzipal rülpste und furzte. »Niemand kann den Hamlet spielen, wenn ihm dabei ein weißes Fädchen aus der Hose hängt«, schrieb ein berühmter Theaterkritiker der Jahrhundertwende und drückte damit genau diese Ängstlichkeit aus, die Shakespeare vollkommen unverständlich gewesen wäre, denn abgesehen davon, daß Hamlet nicht gerade ein Heros ist, wäre ihm mit weißem, aus der Hose hängendem Fädchen nach Anschauung der Elisabethaner kein Quentchen seiner Prinzenwürde abhanden gekommen (und als Schauspieler besaß er ohnehin keinen Anspruch auf Achtbarkeit).

Liselotte von der Pfalz berichtet in einem Brief an ihre Halbschwester, wie sie zusammen mit Monsieur, ihrem hohen Gemahl und Herzog von Orléans, ihrem Sohn, dem Herzog von Burgund, und dessen Frau, einer Tochter Ludwigs XIV., bei Tisch ein Wettfurzen veranstaltete, das auch den die hohe Familie festlich umstehenden Hofstaat herzlich erheiterte. Man muß diese Szene nicht als vorbildlich ansehen, um die ängstliche Sorge bei der Vermeidung von Malheurs abzustreifen, sollte man sie je empfunden haben. Was man auf jeden Fall beneidenswert nennen darf, ist die große Portion Kindlichkeit, die sich die Erwachsenen anderer Epochen bis ins hohe Alter bewahrten und die mit den bewußten Versehen auf angemessenere Weise umgeht, als der puritanische Geschmack es suggeriert.

Nun, Kindlichkeit ist ein Geschenk und kann nicht adaptiert werden. Wir sind ernste Leute und wissen auch, warum. Seit ich aus dem von Krisen geschüttelten Afrika in das reiche, sichere Europa gekommen bin, habe ich den Eindruck, es stehe jedermann hier unter großem inneren Druck. Aber auch ernsthafte Leute (Leute, die nicht wie die Kinder bei solchen Unfällen in lautes Lachen ausbrechen müssen) haben eine Technik entwickelt, den puritanischen Stil zwar nicht aufzugeben, aber doch vernünftig zu bleiben: Sie bemerken derlei einfach nicht. Was anderen peinlich sein könnte, wird auf dezidierte Weise nicht wahrgenommen. Bei Thomas Mann habe ich in dieser Hinsicht eine sehr schöne Stelle gefunden. Überraschenderweise, könnte man sagen, denn ich rechne ihn, vielleicht zu Unrecht, eher jener bürgerlichen Fraktion zu, die mit einer gewissen Lüsternheit auf alles irgendwie Peinliche starrt. In der Erzählung *Die Betrogene* kommt ein junger Amerikaner vor, der aus bescheidenen Verhältnissen stammt und als Gaststudent das Gefallen einer eleganten älteren Frau erregt hat. Wenn der junge Mann rülpst, sagt er stets verschämt »Pardon me«, weil er nicht weiß, daß elegante Leute sich niemals für so etwas entschuldigen, um die Aufmerksamkeit auf diesen Punkt nicht noch durch einen ihm geltenden Dialog zu vergrößern. Und wie kann es anders sein: dieser Mangel an Schliff macht als Abzeichen der Ahnungslosigkeit Frau von Tümmler nur noch mehr verliebt.

Das Naseputzen gehört zwar eigentlich nicht zum Themenkomplex des Malheurs, aber wegen seiner Äußerung als Körperlichkeit wird es dennoch in diesem Zusammenhang genannt. Im Orient ist man, was das Naseputzen angeht, recht heikel; man muß dabei unbedingt den Kopf abwenden. In Deutschland stellte ich fest, daß die Schöne Welt, in ihrem Eifer, sich von den um gute Formen bemühenden Kleinbürgern abzugrenzen, nun gerade dies Kopfabwenden in Acht und Bann getan hat. Die Putz- und Schnaub-Prozedur wird von den eleganten Leuten *en face* zum Gegenüber erledigt, und in Milieus, in denen über solche Erkennungszeichen Buch geführt wird, schießen die Blicke hin und her, wenn der unschuldsvolle und zugleich erkältete Aufsteiger rücksichtsvoll seine Nase aus dem Gesprächskreis entfernt, um sie zu schneuzen. Wenn man versuchen wollte, etwas Positives in solchen Regeln zu finden (wohlgemerkt nicht in der Buchführung über ihre Einhaltung!), dann käme man vermutlich zum Ideal der »Ungezwungenheit«, das sehr modern klingt, aber sehr alt ist. »Ungezwungen« wollten die europäischen Aristokraten sich auch im achtzehnten Jahrhundert schon benehmen, als sie sich turmhohe Perücken aufstülpten und Mouches ins Gesicht klebten. Man sieht daran, wie wenig abstrakten Begriffen zu trauen ist: sie sind Gefäße, in die jede Zeit vollständig andere Realitäten füllt. Die französische

Adelsdame des achtzehnten Jahrhunderts wandte ihren Kopf eben »mit einer entzückend ungezwungenen Geste« zum Niesen zur Seite. Ihre Ururenkel hätten sie bei dieser Operation voll Verlegenheit betrachtet.

Lob des Spiessers

Es ist vielleicht überraschend, in einem Buch über die Manieren ein Lob des Spießers zu finden. Solche Bücher wollen üblicherweise ihre Leser gerade über all das unterrichten, was zu vermeiden wäre, um nicht als Pfahl- und Kleinbürger, als Provinzler und Spießbürger zu gelten. Es ist dies ein Vorwurf, der wirklich schmerzt. Niemand will ein Spießer sein. In diesem Vorwurf mischen sich auf sehr komplizierte Weise moralische und ästhetische Kategorien. Der Spießer ist der Schnüffler und Denunziant, der Heuchler und Kriecher, der Engherzige, der erbarmungslose Verfechter der Gruppenmoral, der Verbreiter von haltlosem Geschwätz und Verdächtigung, geduckt, hinterhältig, verlogen und unappetitlich. Gut, über diesen Spießer wird jeder Wohlmeinende sich gern erheben, wenn dieses Sich-Erheben nicht nur auch schon so gefährlich nahe am Spießertum läge.

Nun wird aber nicht nur das soeben geschilderte niedrige Spießertum mit Verachtung bedacht, sondern es werden auch gewisse Formen kleinstädtischen Lebensstils als »spießig« gebrandmarkt, die diese Stigmatisierung nach meiner festen Überzeugung nicht verdient haben. Als ich nach Deutschland kam, waren diese Kleinstädter für mich die wahren Deutschen, so wie ich sie mir in Afrika zurechtgeträumt hatte. Sie hatten eine unverwechselbare Form – ich lernte später, daß die Intellektuellen und die eleganten Leute darüber lachten –, und es war ihnen wichtig, formvoll zu sein. Sie liebten Traditionen. Sie feierten die Familienfeste und Weihnachten in überlieferter Weise. Sie erkannten die grundsätzliche

Notwendigkeit, als würdiger Mensch Manieren zu haben. Es waren leider nur die falschen, wie ich von den Verächtern der provinziellen Lebensart bald erfuhr. Was war eigentlich so unmöglich daran, am Sonntag in Tracht in die Kirche zu gehen? Die Trachten waren doch sehr hübsch. Nein, sie waren nicht hübsch, denn sie waren keine echten Trachten, sondern verunglückte Mischformen, die von der Textilindustrie entwickelt worden waren, mit Loden- und Blümchenanklängen, mit Grandlschmuck und Hirschhornknöpfen, dazu aber Bügelfalten und Reißverschlüssen und unklassischen Mustern. Ich habe aber heute noch die feste Überzeugung, daß solche – von mir aus mißlungene – Festgewänder ehrwürdiger sind als die Unisex-Freizeitkleider, in denen es sich die Massen längst bequem machen. Das Es-sich-bequem-Machen ist der eigentliche Todfeind der Manieren. In der Gegenwart rangiert sehr hoch die Tugend der »Ehrlichkeit«: Es sei wenigstens ehrlich, wenn man es sich im Schweinestall – jeder hat einen Schweinestall – behaglich macht und sich darin suhlt. Diese Kleinstädter in den verkehrten Trachten, die ich bei meinem Eintreffen als die eigentlichen Deutschen ansah – die sie vielleicht sogar wirklich sind –, wollten sich nicht suhlen. Sie hatten Formen ererbt, denen sie, mit einer gewissen ästhetischen Blindheit, treu zu bleiben versuchten.

Europa ist in ästhetischer Hinsicht bekanntlich von höchster Launenhaftigkeit. Der gesellschaftliche Stil hatte große Konstanten, kannte im einzelnen aber immer neue Moden. Im achtzehnten und im frühen neunzehnten Jahrhundert wurde die deutsche Gesellschaft französisch dominiert, dann kam die Phase der Anglophilie, darauf die Nachahmung der Amerikaner. Generell kann man ja sagen, daß immer die politische Führungsmacht den eleganten gesellschaftlichen Stil bestimmt – es war für den Führungsanspruch der Sowjetunion ein übles Vorzeichen, daß selbst in Jahren, in denen die westlichen Intellektuellen den Bolschewismus mit Sympathie betrachteten, niemals russische Moden, russische Musik, russisches Essen, russische Redensarten die mindeste Chance hatten, den mondänen Stil zu infiltrieren. Die Gesellschaft hat den Instinkt von Zugvögeln, die genau wissen, wann es Zeit ist, aufzubrechen. Aber die Kleinstädter, die wahren Deutschen sind treu. Hier wird vieles bewahrt, was die Schöne Welt längst wieder von sich geworfen hat. Der abgespreizte kleine Finger beim Halten der Kaffeetasse, einst das Symbol für spießige Geziertheit – inzwischen nur noch selten zu sehen –, war im achtzehnten Jahrhundert aristokratisch und galt als sehr anmutig, wie wir auf den herrlichen Bildern des hochmondänen Boucher, des »Art-Director« der Madame de Pompadour, deutlich erkennen können. Aus derselben Zeit stammt der Kult der Spitzen, die zur aristokratischen Garderobe gehörten, auch der der Männer, und die nun in Gestalt von Spitzendecken fortleben, überhaupt in Deckchenform, mit Brokat eingefaßt und mit Stickereien versehen. Sie sind vielleicht nicht gerade schön und mögen für den weitläufigen Geschmack kleinlich und lächerlich wirken, aber sie bewahren etwas Historisches, aus einer anderen, für Deutschland sehr wichtigen Epoche, deren Schönheitsideale zwar unverstanden fortleben, aber doch von dem Wunsch zeugen, sich an großen Vorbildern auszurichten und das menschliche Leben irgendwie edler zu machen.

Ich hatte einmal die besondere Freude, bei einem Industriearbeiter und Feierabendbauer zu Gast zu sein. Der Sohn des Hauses setzte sich mit mir zu Tisch, während die Eltern uns umstanden, das Essen vorlegten und uns beim Essen zusahen. Hier sah ich Reste einer uralten Kultur, die unserer orientalischen verwandt war – Odysseus war bei den Phäaken nicht anders bewirtet worden. Ich bin zutiefst dankbar, daß ich im modernen Westen noch einmal ein solches Erlebnis haben durfte, obwohl ich weiß, daß es sinnlos wäre, der wohlhabenden Aufsteigerin diese Art, Gäste zu haben, nahebringen zu wollen. Natürlich begann die Mahlzeit mit dem Wunsch »Guten Appetit«, der als Gallizismus einmal hochelegant gewesen ist und die religiös getönte »Gesegnete Mahlzeit« abgelöst hatte. Inzwischen gibt es so viele wirklich vulgäre

Menschen, die wissen, daß es spießig ist, »Guten Appetit« zu sagen, und die sich triumphierend und höhnisch ansehen, wenn dieser Wunsch in ihrer Gegenwart fällt, weil sie dies Wissen als Quintessenz ihres Aufstiegs in höhere Sphären ansehen, daß man geradezu darüber nachdenken müßte, das kuriose »Guten Appetit« als Abgrenzung gegenüber der falschen Eleganz wieder einzuführen. Dies den Gast bedienende Elternpaar empfand undeutlich, daß eine Mahlzeit mehr ist als das Stillen einer Notdurft; sie sahen das Rituelle, das Zeremoniell-Religiöse des Gastmahls und waren darin gerade auch im Geist der Manieren vielen überlegen, die sich in den Manieren besser auszukennen glauben.

Vulgarität

Mit einer gewissen Beklommenheit nähere ich mich nun einem Gegenstand, der jeden Autor von Betrachtungen über die Manieren in Verlegenheit setzen muß, weil er die absolute Grenze bildet, jenseits deren die Manieren ihre Kraft verlieren und nichts mehr vermögen. Die Rede ist von dem unversöhnlichen Gegensatz der Manieren, der Vulgarität. Wo die Vulgarität herrscht, ist »die Nacht, in der niemand mehr wirken kann«. Vom Wortstamm »vulgus« her genommen, scheint die Vulgarität eine gewisse zivilisatorische Entwicklungsstufe vorauszusetzen. Vulgus ist der Pöbel der großen Städte, entwurzelt, in den Handwerkerstand nicht eingegliedert, von der Zivilisation ernährt, ohne Anteil an ihr zu haben. Das Vulgus kennt von der Religion nur noch den Aberglauben, vom Staat nur Korruption, Erpressung und öffentliche Speisung, von der Familie nur die Frage, wie um die Alimente herumzukommen sei, von der Sprache nur den Alltagsslang.

Bei einer solchen Beschreibung wird einem beinahe romantisch zumute. Auf der Suche nach authentischen Milieus sind die Literatur und der Film längst schon beim Vulgus der vorzugsweise amerikanischen Stadtwüsten angekommen. Eine Art Urzustand ästhetischer Art wird hier vom unter der zivilisatorischen Entfremdung wie unter einer gigantischen Langeweile leidenden bürgerlichen Publikum erhofft. Man ahnt jetzt schon, daß diese Vulgarität der drogensüchtigen jugendlichen Mörder und ihrer alkoholisierten Mütter, soweit sie auch von jeder menschlichen Haltung entfernt sein mag, nicht das sein kann, was wir uns als das Phänomen denken, dessen Vorhandensein jede Form von erfreulichen Manieren ausschließt. Gerade vulgäre Leute glauben oftmals ganz genau zu wissen, was vulgär ist, und führen das Wort, wenn sie ein wenig instruierter sind, auch gern im Munde. Vulgär sind Kraftausdrücke aus dem Anal- oder Genitalbereich – nein, so vulgär drückt man sich einfach nicht aus, da wird sogar Mozart mit seinen Bäsle-Briefen ausgeschimpft und kopfschüttelnd in die Ecke gestellt. Vulgär sind Falscher-Lachs-Brötchen mit ihrem strahlenden Rot oder Currywürste in ihrer scharfen Süßlichkeit. Plastiktischdecken sind unsäglich vulgär und Lourdes-Madonnen nicht minder, aber auch Fernseh-Schlagermusik und Schunkel-Lokale in Rüdesheim. Rülpsen, Furzen und Gähnen sind Körperfunktionen, denen der Vulgäre freien Lauf läßt. Das ist alles richtig, aber es stimmt auch wieder nicht. Allen genannten Beispielen haftet in ihrer vollendeten Geschmacklosigkeit eine unschuldige Kindlichkeit an, eine Geschmacksunfähigkeit, die ohne Ansprüche daherkommt und die daher niemals das wirklich Verletzende echter Vulgarität besitzen kann.

Nein, Vulgarität ist kein Klassenmerkmal. Sie ist nicht auf Slums und sanierte Plattenbauten beschränkt. Sie ist, das hat sie mit dem altertümlichen römischen Vulgus gemein, kein Naturprodukt, sondern eine Erscheinung der Zivilisation. Vulgarität ist vor allem ein moralisches Phänomen, aber dies Phänomen schlägt unversehens ins Ästhetische um. Selten wird bei Betrachtung der Manieren so deutlich, daß es sich bei ihnen nicht einfach um eine zu erlernende Formsache handelt, wie wenn es gilt, sie von der Vulgarität abzugrenzen. Das zutiefst Häßliche und das zutiefst Böse fallen in der Vulgarität in eins, und so darf ich denn wagen, einem der großen Lehrer *in aestheticis* und Moralisten, Oscar Wilde, zu widersprechen, der scherzhaft vermutete, die Hölle sei der interessantere Ort als der Himmel, weil sich die anregenderen Leute in ihr versammelten. Das glaube ich nicht. Ich glaube vielmehr, daß die Hölle ein Ort der Vulgarität ist, dessen Schrecken vor allem in dem dort eingeschlossenen Publikum besteht, und ich glaube zu ahnen, daß Wilde sich an seinem Lebensende darüber im klaren war.

»Überall gibt es Pöbel, auch in den angesehensten Familien«, schreibt ein anderer großer Moralist, der spanische Jesuit Baltasar Gracián. Wie könnte solch hochmögende Pöbelhaftigkeit nun aussehen? Ich möchte statt einer abstrakten Definition lieber eine Reihe von Beispielen pöbelhafter Denkweise geben, die sich jeder selbst mühelos ergänzen kann, durchaus auch im Sinne der Gewissenserforschung. Die Scheidung von der »gens non sancta« – mit den Worten der Psalmisten – wird, wie gesagt, niemandem in die Wiege gelegt und muß im Grunde täglich vollzogen werden.

Ganz hoch möchte ich beginnen, mit einer Vulgaritätsbeschreibung, die nun tatsächlich so grundsätzlich ist, daß einem ganz bange wird, denn diesen *comble de la vulgarité* hat vermutlich schon jeder einmal betreten. Hier ein Zitat aus Paul Valérys *Tel quel* in der Übersetzung von Heimito von Doderer: »Als der Gipfelpunkt des Ordinären erscheint mir, sich solcher Argumente zu bedienen, die nur vor einem Publikum gelten – also vor einem Zuschauer und Zuhörer, der notwendigerweise nach dem jeweils dümmsten der Anwesenden ausgerichtet ist – und die keinen Beistand haben vor dem kühlen und einsamen Menschen. Man darf niemals im Hinblick auf einen Gegner – auch auf einen angenommenen nicht – Argumente gebrauchen und Ausfälle machen, die man, mit sich allein, vorzubringen nicht ertragen würde, die nicht wirklich gedacht werden können, die nur publikumswirksam sind, aber in der Nacht und der Einsamkeit uns in Schande und Elend stürzen.« Man muß bei diesen Worten nicht gleich an die Politiker denken, die in der Demokratie, so wie sie sich entwickelt hat, Wahnsinnige und Selbstmörder sein müßten, wenn sie sich ernsthaft an Valérys Maxime hielten. Ich würde deshalb Valérys Worte zu modifizieren wagen: Der Gipfel der Vulgarität wird nicht schon beim Aussprechen von der eigenen Überzeugung nicht entsprechenden Argumenten betreten, sondern beim Ausbleiben jener Schande und jenes Elends in der darauffolgenden einsamen Nacht, wenn es also gelungen ist, das Gewissen endgültig zum Schweigen zu bringen. Und so meine ich fortfahren zu können, daß eine wichtige Voraussetzung der Vulgarität die Unfähigkeit ist, sich schuldig zu fühlen. Der Eifer, mit dem wir die pseudowissenschaftliche Botschaft, Schuldgefühle seien etwas Krankhaftes, aufgenommen und uns zu eigen gemacht haben, sollte uns nachdenklich machen.

Vulgär erscheint mir weiterhin die Unfähigkeit, zu verehren, und die Neigung, hinter allem Großen und Gelungenen, hinter jeder Schönheit und Güte irgendeinen schäbigen Trick zu vermuten. Leichtgläubigkeit kann lächerlich machen, aber das grundsätzliche Mißtrauen, das auf der Überzeugung ruht, der Vollbringer eines großen Werks welcher Art auch immer sei im Kern so dürftig ausgestattet wie man selbst und habe nur den richtigen Dreh gefunden, ist noch viel peinlicher. Überhaupt ist es vulgär, bei der Betrachtung der Handlungen anderer als Motiv immer nur das allerniedrigste für wahrscheinlich zu halten. Es spricht zwar viel dafür, ist als geistiges Prinzip aber fanatische Ketzerei und als Lebenseinstellung von schmutzigem Zynismus; schmutzig, weil die Lizenz dabei herausschaut, sich selbst ebenfalls keine Hemmungen aufzuerlegen.

Der nächste Punkt ist schwieriger zu erklären, aber womöglich noch wichtiger. Es geht um das Erkennen des Ranges einer Person oder einer Sache. Wer nicht vulgär ist – oder nicht in vulgärer Verfassung ist, wie man vorsichtiger sagen sollte –, wird den Rang auch nicht immer erkennen, aber der Vulgäre ist habituell zum Erkennen des Ranges unfähig. Der Rang ist eine der geheimnisvollsten, am schwersten faßbaren Qualitäten. Daß nicht alles Gold sei, was glänzt, leuchtet ein, aber wichtiger ist, daß Gold häufig genug überhaupt nicht glänzt, sondern stumpf und unscheinbar aussehen kann. Der älteste kostbarste Brokat wirkt beim ersten Anblick oft wie graue Lumpen. Eine seltene Versammlung aller guten Eigenschaften sagt über den Rang noch wenig aus. Als Kronzeugin für das Erkennen des Ranges möchte ich eine Frau benennen, die in jeder Hinsicht ein staunenswertes Schauspiel von unfehlbarer *bienséance* in jeder, auch der schlimmsten Lebenslage geboten hat: Jeanne d'Arc, die Jungfrau von Orléans, die von einer kleinen Hirtin zu einem weiblichen Lohengrin wurde. Wer ein Vorbild für richtiges und schönes Verhalten unter Todesdrohung sucht, lese die Gerichtsprotokolle der Jeanne d'Arc. Zu Beginn ihrer Laufbahn, als sie sich zu dem besiegten Dauphin durchschlug, versuchte man, sich einen Scherz mit ihr zu machen. Auf den Thronsessel setzte sich ein prächtig gekleideter Höfling, während der königliche Prinz, ein kleiner häßlicher Mann in bescheidenen Kleidern, in der letzten Reihe des Hofes stand. Jeanne sah den Höfling und sagte sofort: »Das ist nicht der Dauphin«, suchte unter den Gesichtern und beugte vor dem richtigen Mann das Knie. Wie immer man diese Geschichte bewerten mag, sie ist eine vorzügliche Illustration für dieses Erkennen des Rangs, der in diesem Paradefall mit irgendwelchen vorzüglichen Eigenschaften ja gerade nicht einherging. Mit einem einzigen trüben Tropfen Vulgarität im Leib hätte die Jungfrau den Prätendenten in seiner trostlosen Unfähigkeit niemals erkennen können.

Vulgär ist die Freude am Denunzieren und Bloßstellen. Der Bloßgestellte ist wehrlos und seiner Waffen beraubt. Am Anblick eines schutzlos der allgemeinen Verachtung Preisgegebenen kann sich nur der Vulgäre erbauen. Vulgär ist es, jeden Gegenstand allein auf seinen Signalwert in der gerade herrschenden Mode anzusehen. Nur was eben gerade Vorteil bringt, soll gelten. Entscheidend sein soll ausschließlich, die eigene Person unablässig ins rechte Licht zu setzen durch die gerade passenden Menschen, Sachen und Meinungen. Was diesem Vorteil nicht dient, gilt als wertlos.

Und so ist es auch vulgär, edle Dinge zu verbrauchen und zu verschwenden, nicht weil man sie liebt, kennt und bewundert, sondern weil sie teuer sind und weil ein geheimer Vernichtungswunsch allem Edlen gegenüber sich an dem Abscheu der Zeugen weidet.

Gelegentlich ist schon angesprochen worden, wie bedenklich es sich auf den Charakter auswirkt, wenn man sich zu irgend etwas und überhaupt eigentlich zu allem berechtigt fühlt. Das Recht ist eine der erhabensten Schöpfungen der Menschheit, wenn es ihr nicht offenbart worden ist, aber das Sich-berechtigt-Fühlen ist einer der niedrigsten Geisteszustände. Im geheimen weiß jeder, daß er allenfalls das Recht auf einen Tritt in seinen Hintern besitzt. Dies Wissen zum Schweigen gebracht zu haben ist sicheres Anzeichen von Vulgarität.

Man könnte die Grundposition der Vulgarität vielleicht am besten so beschreiben: Sie besteht in einem Nihilismus, der aber nicht, wie es redlich wäre, zu Verzweiflung und Selbstmord führt, sondern zur Unverschämtheit.

Und diese Unverschämtheit tönt das gesamte Auftreten und Verhalten und die Hervorbringungen des vulgären Menschen. Gar nicht so selten kennt er sich in den Manieren gut aus, aber er verwendet sie nur dazu, sich einen interessanten Auftritt zu verschaffen und anderen Leuten Peinlichkeiten zu bereiten. Seine Höflichkeiten sind durch seine Kälte verdorben und durch seine Verachtung für alles, was nicht seinen Vorteil betrifft, vergiftet. Wenn er vor einer Dame aufsteht, hat das beinahe etwas Beleidigendes, wenn er ihr die Hand küßt, etwas Anzügliches, wenn er etwas Freundliches sagt, klingt es fatal. Die Vulgarität durchdringt den Menschen bis auf die Knochen – wer vulgär ist, ist immer und ganz und gar vulgär.

Kann Erziehung hier etwas ändern? Ja, gelegentlich, aber nur die härteste mit dem unbarmherzig fest geschnürten Korsett, das keine unwillkürliche Regung mehr zuläßt. Gehirnwäsche hießen solche zu Recht gefürchtete Methoden im zwanzigsten Jahrhundert, und es soll kein Spott damit getrieben werden, aber wer mit voll erblühter Vulgarität schon einmal zu tun hatte, mag ihrer seufzend gedacht haben.

Auch eine überdurchschnittlich hohe Intelligenz kann eine Chance sein. Cäsars Neffe Oktavian zeichnete sich im römischen Bürgerkrieg durch eine Bösartigkeit, Grausamkeit und Feigheit aus, die selbst in den schon vollkommen verrohten Verhältnissen außer jeder Proportion stand. Nun hatte er alle seine Gegner besiegt, und die Macht gehörte ihm allein. Wie ein idealer Herrscher aussehe, fragte er seine Freunde, die ihn berieten. Die Freunde gingen ein unerhörtes Wagnis ein. Sie beschrieben den idealen Herrscher, seine Weisheit, Gerechtigkeit, Güte und Großherzigkeit, und es war jedem klar, daß Oktavian von allem das genaue Gegenteil darstellte. Der Princeps hörte sich das schweigend an und verließ den Kreis, aber als er sich am nächsten Tag erhob, heißt es, habe er über Nacht alle die genannten, ihm einst so fernen Eigenschaften angenommen und sei ein wahrhafter Augustus geworden. Ich weiß nicht, wie die Historiker über diesen Vorgang denken, aber ich will mir den Glauben daran nicht rauben lassen. Zu schön ist die Vorstellung, es könne einem Menschen gelingen, aus eigenem Vermögen den Teufelskreis der Vulgarität zu verlassen.

Der Grobianismus

»Wie nennt man es doch, wenn junge Herren Türklopfer abbrechen, anderer Leute Geld verspielen und was dergleichen mehr ist?« »Aristokratisch?« riet der Steuereinnehmer. »Ja, richtig, aristokratisch! – Es hat etwas ungemein Aristokratisches an sich. Nicht?«
Charles Dickens, *Nicholas Nickleby*

Manieren« heißt ursprünglich, daß der Mensch, der sich ihrer befleißigt, eine Manier, eine bestimmte Art annimmt, die mit seinem ihm angeborenen Verhalten nichts zu tun hat. Das triebhafte kleine Monstrum, von dem der heilige Augustinus sagt, es würde, wenn man es gewähren ließe, »seinen Vater töten und seine Mutter entehren«, soll geschliffen und dressiert werden, um seine primären Neigungen zu mildern oder zu verbergen. Gemäß schon in der Antike aufgestellten Erziehungsidealen soll sich der Mensch von seinen animalischen Ursprüngen so weit wie möglich entfernen, sich glätten, sich mäßigen, sich einer Form, die als »schön« empfunden wird, unterwerfen. Als man anfing, darüber nachzudenken, was brutal, ungeschliffen, tierisch sei, fand man, was nicht verwundert, so schnell kein Ende. Sogar die Sprache, die doch genuin menschlich ist und vom Tier, abgesehen vom Grunzen, Rülpsen, Gähnen, Stöhnen, denkbar weit entfernt ist, wurde nun genauer betrachtet – all das, was an ihr grob, roh, primitiv sei und infolgedessen für einen höher gebildeten Menschen nicht mehr in Frage komme. Die Sprache wurde einer kritischen Prüfung unterzogen: Bestimmte Wörter wurden für »gemein« oder »ekelhaft« oder »niedrig« erklärt. Ich glaube, daß man diesen Vorgang in beinahe allen Kulturen verfolgen kann, auch im Amharischen, meiner Muttersprache, gibt es eine große Zahl »böser Wörter«, die jedermann kennt und doch nicht benutzen darf. Das ist das Eigentümliche an den geächteten Ausdrücken: Aus der Welt lassen sie sich auch durch Verbote nicht schaffen; sie bleiben im Bewußtsein gerade auch derer, die sich ihrer ganz dezidiert nicht bedienen wollen, ja, sie sind sogar notwendig, um ein bestimmtes Ideal von Reinheit und Schönheit der Sprache zu definieren. Der Triumph des »Schönsprechens und -schreibens« besteht für den Kenner ja gerade darin, daß er sehr wohl weiß, welche Sümpfe und Schlammgruben hier vermieden worden sind, wie elegant es gelungen ist, einer kruden Realität unmißverständlich, aber formvoll und angenehm gerecht geworden zu sein. Höhepunkt solchen skrupulösen Sprachbewußtseins ist gewiß, wenn sich die jeweiligen Herrschergestalten dem Diktat des »schönen Sprechens« unterwerfen. Für Ludwig XIV. war es Abzeichen seines Königtums, niemals ein gemeines Wort in den Mund zu nehmen; das war zu der Zeit, als die noch junge Académie Française dabei war, die französische Sprache von den Spuren des Mittelalters, seiner Dialekte und Wildwüchse zu befreien. Niemals hätte ein Ludwig XIV. das »Caesar super grammaticos« (Ein Cäsar steht über den Grammatikern) ausgesprochen, das – vielleicht zu Unrecht – dem deutschen Kaiser Sigismund zugeschrieben wird.

In allen Kulturen sind aber auch Gegenbewegungen gegen den stilisierenden Formzwang zu beobachten: Diogenes, der sich schimpfend in seine Tonne zurückzog, als die hellenistische Kultur in höchster Blüte stand, und selbst seinen Trinkbecher wegwarf, als er beobachtete, wie einer aus den hohlen Händen trank, ist keineswegs der erste der »grobianischen« Fraktion, die die Hochkulturen beständig begleitet. Wenn sich die Kultur zu einem Höchstmaß verfeinert, gibt es immer auch Strömungen, die gegen das Stildiktat aufbegehren. Der Ruf »Zurück zur Natur« wird zwar Rousseau zugeschrieben, aber solche Rufe hat es auch davor schon gegeben. Wenn er erschallt, werden Sprachregelungen über Bord geworfen, Kleidersitten bekämpft, die jeweiligen »Guten Manieren« lächerlich gemacht. Eine Betrachtung der Sitten, die das Verhalten der Menschen ohne Parteinahme wie ein Naturphänomen studieren will, wird sich stets untersagen, solche vom Standpunkt einer »Physik der Sitten« her geradezu notwendige Erscheinung zu bedauern. Nur eines gilt es durchaus ohne Leidenschaft festzuhalten: Der »Grobianismus«, der »Sturm und Drang«, das »Zurück zur Natur«, der »Naturalismus«, der »Expressionismus« und wie immer solche Bewegungen in der Vergangenheit geheißen haben, stoßen keineswegs in einen stilfreien Raum vor, sie sind vielmehr gleichfalls Stil. Aus dem Stilgefängnis kommt der zivilisierte Mensch nicht mehr heraus, er kann nur die Moden wechseln, wenn er einer Verhaltensart müde geworden ist.

Man merkt dem Wort »Grobianismus« an, daß es nichts mit den vielbeschrienen »einfachen Leuten« zu tun hat, denn ein »Ismus« ist immer den »besseren Leuten« vorbehalten. Grobianismus ist eine Sache der Intellektuellen und des Adels. Er kokettiert mit der Vulgarität, ohne selbst notwendig vulgär zu sein. Einer der namhaftesten Repräsentanten des deutschen Grobianismus ist der große Philosoph und Theologe Doktor Martin Luther, und er zeigt damit auch gleich die Lieblingsspielwiese dieser Geistesart: die Universität, die Zeitungen, den Raum der öffentlichen Meinung, die Literatur. Grobianismus kommt selten ohne eine, noch so verborgene, politische Zielrichtung aus. Es geht nicht einfach nur gegen die gezügelten, geschliffenen Manieren mit den plumpen und maßlosen Manieren, sondern auch gegen die herrschende Schicht, deren Sprach- und Verhaltenstabus umgestoßen werden sollen. Der Grobianist weidet sich am Erschrecken der Mächtigen, denen die Formverletzung als Vorbote des Umsturzes erscheinen soll.

In der Gegenwart ist die riesengroße herrschende Schicht die mittlere Bourgeoisie mit ihren Idealen des gesellschaftlichen Konsensus, der nach allen Seiten hin rundgeschliffenen Meinungen, des Euphemismus, des Vermeidens allzu scharfer

Konflikte, der besänftigenden Sprachregelungen, der Hegung der Leidenschaften. Der gegenwärtige Grobianismus kommt aus drei Richtungen: Es gibt einen aristokratischen, einen intellektuellen und einen aus dem Kleinbürgertum hervorgegangenen Grobianismus.

Der aristokratische, im weitesten Sinne »herrschaftliche« Grobianismus entstammt dem Groll darüber, daß die Bourgeoisie viele Verhaltensregeln der Aristokratie übernommen und sie damit aus der herrschenden Position verdrängt hat. Zugleich sieht man in der bürgerlichen Abneigung gegen die Vulgarität eine Schwäche – nicht von Stilsicherheit rühre sie her, sondern von Angst vor der nachdrängenden Schicht. Bürgerliches »gutes Benehmen« wird als lächerlich und gezwungen empfunden. Der grobianistische Aristokrat suggeriert, daß er dem niederen Volk und dessen »Kraft« näherstehe; die Aristokratie wurzele tiefer im Volk als die bürgerlichen Intellektuellen und Finanzleute. Ausgesprochen werden solche Gedanken selten; der einzelne grobianistische Aristokrat mag sich seiner Motive kaum vollständig bewußt sein, aber ähnliches mag er empfinden. Vor allem die nördliche und östliche Aristokratie hat vielfach die Hemmungen vor Kraftausdrükken abgelegt. Das für die preußischen Junker der Fontane-Zeit noch ungewöhnliche Wort »Scheiße« ist unbedingt salonfähig geworden. Kraftausdrücke für das umfassende Thema der physischen Liebe sind keinesfalls mehr mit Bann belegt, auch die Frauen, die sich generell etwas im Verbalen zurückhalten, können hier mitunter deutlich werden. Der Stil ändert sich hier von Familie zu Familie, aber der Grobianismus ist doch nichts Ungewöhnliches, in seinen Grenzen eher sogar Typisches. Man solle ruhig noch etwas vom Hummer nehmen, ermuntert etwa die uradlige Gutsbesitzerin, draußen sei noch genug Hummer zum Schweinefüttern. Sie hat auch Ratschläge für die Bereitung der Hummer parat: »Furzwarm« sei der Hummersud am besten. Ich sehe noch eine besonders ehrfurchtgebietende alte Dame vor mir, mit Monokel und Samtbarett, Tochter eines berühmten semiaristokratischen

Architekten, die bei einer literarischen Soiree, wie der junge Rimbaud, laut »Scheiße« in den Saal rief. Das war in diesem Fall ein Relikt der zwanziger Jahre, die mit der Jugendbewegung gerade für das intellektuelle und politische Milieu bis ans Ende des Jahrhunderts stilbildend gewesen sind. Die katholische westfälische, bayerische und österreichische Aristokratie ist verbal vielleicht eine Spur weniger ostentativ, vielleicht weil sie überhaupt wenig ostentativ ist, aber sie zeigt gleichfalls Erscheinungen, die als »grobianistisch« bewertet werden können. Es gibt Leute unter ihnen, die unversehens in Lederhosen in die Kirche gehen, um in dem Gestühl Platz zu nehmen, in dem ihr Großvater in einem von einem tschechischen Schneider gemachten Anzug saß. Das Dirndl- und Jagdhut-Wesen ist weit verbreitet – keinesfalls traditionell, bis 1918 trat man nur in untadeligen Monturen auf.

Ältere Herren kultivieren gelegentlich das Air eines Waldschrats, schlabbern die Suppe mit um den Hals gebundener Serviette und sind zu einem urbäuerlichen Dialekt zurückgekehrt, den die in der Kleinstadt arbeitende verbliebene ländliche Bevölkerung nicht mehr versteht. In vielen dieser Verhaltensweisen ist Englands Oberschicht Vorbild gewesen. Seit je bewahrte die englische Herrenschicht ein gleichsam altgermanisches Herrenrecht, die »Bourgeoisie zu epatieren«, Sachen kaputtzuschlagen, Lärm zu machen und sich über bürgerliche Prüderien in deftiger Obszönität hinwegzusetzen. Seitdem die viktorianisch geprägte Bürgerschicht auch in England in allen wesentlichen Fragen das Ruder übernommen hat, fühlt sich der aristokratische Grobianismus nur bestätigt. Seit jeder Müllfahrer »Gentleman« und jede Busschaffnerin »Lady« sind, will die alte Gentleman-Schicht es nicht mehr sein. Der bloße Gebrauch des Wortes »Gentleman« für einen Mann verrät schon die Zugehörigkeit zu den in ästhetischer Ahnungslosigkeit schmorenden Klassen. »Ein Mann hat für Sie angerufen«, sagt die eingeweihte Gastgeberin, keinesfalls ein »Herr«. Ein kurzes Telefongespräch mit einem Unbekannten liefert wahrlich nicht genügend Material, um den

Herrentitel unbedenklich zuerkennen zu können, obwohl das langsame Stottern und die eigentümliche Verlegenheit und Irritiertheit am anderen Ende doch schon deutlich in die »Gentleman«-Richtung wies. Alles, was der Mittelklasse an gehobenen Manieren vorgelebt und eingetrichtert worden war, ist, seitdem das Lernziel flächendeckend erreicht wurde, plötzlich »wahnsinnig unelegant«. Ein Pullover muß nun mindestens zwei große, nicht mehr zu stopfende Löcher haben, bevor man ihn überhaupt anlegen kann. Hat man etwas nicht verstanden, sagt der in ängstlichen Manieren gedrillte Kleinbürger: »I beg your pardon«, wohingegen ein (nicht so genannt werden wollender) Gentleman sagt: »What?«, in einem Ton, der deutlich macht, daß ihm die Antwort völlig gleichgültig ist. Nur eines beweist bei solch herben Herrschaften, daß es etwas gibt, was ihr Herz weich und zärtlich stimmt: der Geruch nach Hunden in allen Salons und das über alle Fauteuils verteilte Hundehaar.

»Scheiße« war aber auch das Schlüsselwort der Studentenrevolte von 1968, mit der die Bourgeoisie von der anderen Seite, von ihren eigenen Kindern in die Zange genommen wurde. Deutsche Studenten waren zu allen Epochen der Universität seit ihrer Gründung zu wüsten Männlichkeitsritualen und Radau imstande. Der Junggelehrte nahm gerade in Deutschland gern die Attitüde von Antiintellektualismus, Traditionsfeindschaft und anarchischer Kraftgebärde an, wie Goethe es in der Gestalt des Baccalaureus beispielhaft dargestellt hat: ob sich die Studenten im Mittelalter Straßenschlachten mit den Bürgern lieferten, ob sie im achtzehnten Jahrhundert ihre großen Pudel auf die Professoren hetzten, ob sie sich im neunzehnten und zwanzigsten Jahrhundert politisch radikal gaben und eine eingeschüchterte Vätergeneration vor sich her trieben – unter allen erdenklichen Fahnen versteht sich. Eines der Lieblingswörter zur Brandmarkung all jener, die Schönheit und Wagnis des Lebens nicht verstanden haben, der Spießer, ist studentischen Ursprungs. Es stammt aus der Zeit, als sich die verzweifelten Stadtbürger gegen den unablässigen studentischen Terror zur Wehr setzten und mit Hellebarden ausgerüstete Milizen gegen die nächtlichen Schreihälse vorgehen ließen. Die Studenten sahen sich in der Rolle des charmanten David, der mit seiner Schleuder den langen dummen Goliath zu Boden gestreckt hatte, und die Bürger um ihren Spieß herum wurden zu »Philistern«, ein anderes, etwas altmodischeres, etwas weniger hämisches Wort für den Spießer, das auch in England seltsamerweise gebräuchlich ist. Während in früheren Zeiten der deutsche Jugendgrobianismus aber ein augenblickliches Ende mit dem Verlassen der Universität fand, hat seine Version von 68 stilbildend gewirkt und eine Generation hervorgebracht, die bereit war, alle ihre studentischen politischen Ideale zu verraten, nur die dazu gehörenden Manieren nicht – ein weiterer Beweis dafür, wie »wesentlich« Formen sein können. Von allen Werther-Fräcken, Schillerkrägen, altdeutschen Mänteln, Schwarz-, Rot- und Braunhemden war der 68er Kleidungsstil der häßlichste, eine lumpige Farb- und Formlosigkeit, der es gelang, den physischen Vorteil der Jugend vollständig zu verbergen. Er besaß aber die Fähigkeit, international ein wirklicher Komment zu werden, der für den Intellektuellen, der sich ihm nicht unterwarf, alle Nachteile des Außenseitertums bereithielt. Daß Geisteswissenschaftler keine Krawatte tragen, an sie angehängt Schriftsteller, Werbeleute, Maler, Verlagslektoren, Theaterleute und Filmleute, ist seitdem als berufstypisches Merkmal durchgesetzt; auch im neunzehnten Jahrhundert sollte die politische Befreiung mit der Befreiung der Hälse einhergehen. In der Halsbinde saß die unterdrückende Erziehung, wie Wilhelm Hauff es im *Jungen Engländer* so schön beschrieb: Wenn der als Mensch verkleidete Affe zu dreist wurde, zog ihm sein Herr die Halsbinde fester. Nun ist dieser wahrhaft das Prädikat »Jugendstil« verdienende Stil schon längst in den Händen der großen Mode-Konfektionäre zu einem bequemen, kuscheligen Ältere-Herren-Freizeit-Stil geworden; edleres Material, vorteilhaftere Schnitte, ein verborgener Luxus lassen den grobianistischen Ursprung beinahe vergessen, wenn da nicht der nackte Hals wäre, der ist ganz wichtig, solange der nackt ist, ist man sich treu geblieben.

Das wichtigste und zahlenmäßig stärkste, ja alles überschwemmende Beispiel für Grobianismus ist aber die Rock- und Pop-Musik, die Musikmacher und deren Anhänger. Soziologisch stammen ihre Hervorbringer, ursprünglich jedenfalls, aus der Unterschicht, wobei man sich darunter natürlich kein dickenssches oder engelssches Elend vorzustellen hat, sondern eine weitgehend von kleinbürgerlichen Idealen geprägte Klasse – die sich mithin vom Rest der Gesellschaft also gar nicht weiter unterschied, von der Beschränkung der Ressourcen einmal abgesehen. Ihre Musik hat die ganze Gesellschaft erobert, die Jugend aller Klassen und Nationen fühlt sich angesprochen und verstanden. In einer Zeit relativ hoher allgemeiner Sicherheit, eines Wohlstandes, der als selbstverständlich empfunden wird, der Ächtung aller Aggressionen, mit Sanftheit und Harmlosigkeit als höchsten gesellschaftlichen Tugenden erbaut man sich an Texten, die von Unterwelt und Straßenkampf, Drogensucht, einsamem Verrecken, heroischem Einzelkämpfertum, haltloser Promiskuität, Messerstechereien und Satanismus singen und sagen. Mit dem Untergang und der Zähmung des europäischen Proletariertums, der »Bestie« von 1848 und 1871, hat die Gesellschaft alle Hoffnung auf Erfahrung der Wirklichkeit und echter Vitalität auf diese nicht mehr vorhandene Klasse übertragen, die »letzten Wilden«, die eben erst nach der Ausrottung richtig schön werden. So wie sich der hohe spanische Adel nach den Bauernkriegen, in denen den Bauern die Zähne der Selbständigkeit gezogen worden waren, Bruegels grobe Bauern mit großen Hosenlätzen und drallen Weibern in seine Säle hängte, schwelgen die wohlgenährten, teuer gekleideten Pflänzchen des Bürgertums in der romantischen Phantasie der Gesetzlosigkeit in schmutzigen Straßen.

Mode & Zeitstil

Wenn man versucht, sich darüber klarzuwerden, wie die Manieren es mit der Mode halten, lohnt es sich zunächst, die Begriffe zu klären und die Mode vom Zeitstil zu unterscheiden. Der Zeitstil ist das Gesicht der Geschichte. Dem Zeitstil kann niemand entkommen, alle sind bis über beide Ohren in den Stil ihrer Zeit hineingetunkt. Den Zeitstil geschaffen zu haben, kann niemand für sich reklamieren, obwohl natürlich entsprechende Anekdoten darüber zu kursieren pflegen. So spielte man im siebzehnten und achtzehnten Jahrhundert Tragödien, die in der Antike angesiedelt waren, im modernen Kostüm; die alten Römer traten also mit Allonge- und Zopfperücken auf. Der Schauspieler Talma von der Comédie Française trat nun kurz vor der Französischen Revolution in Racines *Berenice* in der Rolle des Titus mit kurzgeschnittenem, »original römischem« Haar auf – das sei der Augenblick gewesen, in dem der Zopf fiel und die moderne Männerfrisur geschaffen worden sei.

Und wenn es sich auch so zugetragen haben sollte, ist Talma doch nur ein Instrument des Zeitstils gewesen. Eine neue Interpretation von dem, was ein Mann sei, kann niemals ein einzelner leisten. Alles, was an philosophischen, religiösen, ökonomischen und ästhetischen Vorstellungen in einer bestimmten Epoche kursiert und die Gesamtstimmung eines Zeitalters ausmacht – die immer erst, wenn dies Zeitalter endgültig vergangen ist, vollständig sichtbar wird –, fließt in den Zeitstil ein, in dem Männer und Frauen ihre Erscheinung gestalten. Der Zeitstil ist unbeeinflußbar wie eine Naturgewalt. In den Zeitstil schickt man sich klaglos oder macht ihn mit Freuden mit – abweichen von ihm kann man ohnehin nicht. Viele Kulturkritiker und Künstler haben die grundsätzliche Häßlichkeit unserer modernen Kleidung mit überzeugenden Argumenten gegeißelt, ohne deshalb auch nur einen Tag lang den Versuch gemacht zu haben, in purpurnen Gewändern auf die Straße zu gehen – und zwar gewiß nicht nur aus Schüchternheit, sondern vor allem aus dem vollständig richtigen Gefühl der Unmöglichkeit, und zwar einer axiomatischen Unmöglichkeit: »Es geht eben nicht« – dieser Satz ist hier der Weisheit letzter Schluß. Der Zeitstil stampft seinen Rhythmus, zu dem alle tanzen müssen, gerade auch die, die sich besonders nonkonformistisch wähnen – ihr Nonkonformismus geht im Ganzen des Zeitstils, betrachtet man ihn nur von einem gewissen Abstand aus, nahtlos auf.

Für die Kleidung der Männer beginnt der Zeitstil etwa um das Jahr 1850, wo sich der Anzug aus kurzer Jacke und langer Hose, ausgeführt in grauem und schwarzem Tuch, durchgesetzt hatte. Diese Silhouette regiert, von den tausend aufgeregt notierten Unterschieden in Schnitten, Farben und Accessoires einmal abgesehen, bis heute. Die weibliche Mode ließ im neunzehnten Jahrhundert, vielleicht in dem dunklen Bewußtsein, daß eine grundsätzliche Änderung des Stils unaufhaltsam auf sie zukam, noch einmal ein Feuerwerk, von den unterschiedlichen Epochen inspiriert, abbrennen, von den griechischen Kleidern der Kaiserin Joséphine bis zum Rokoko der Kaiserin Eugénie und schließlich, während in der Innenarchitektur der *style tapissier* begann, die Verwandlung der Frau in ein boutonniertes, roßhaarverstärktes Polstermöbel. Ab Mitte des Ersten Weltkriegs fallen dann die Korsette, und die Röcke werden kurz, schon in den zwanziger Jahren tragen Sportlerinnen und Filmstars Hosen und karierte Männerhemden. Wie stetig und einheitlich, wiederum von den tausend Detailänderungen abgesehen, seither die weibliche Silhouette geblieben ist, läßt sich auch daran gut ablesen, daß die Kleider der großen Couturiers aus den fünfziger Jahren sämtlich heute noch getragen werden können, ohne im mindesten »zitathaft« oder wie eine Verkleidung auszusehen.

Man hat gern behauptet, die neuere weibliche Mode sei aus dem Gesichtspunkt der Praktikabilität entstanden, ein Argument, das sich mit der erhabenen Unbegründbarkeit eines Stilwechsels nicht abfinden kann und verzweifelt nach einer rationalen Erklärung dieses Vorgangs sucht. »Praktisch«, soviel ist nach einem vom »Praktischen« geprägten Jahrhundert beinahe unstreitig klargeworden, ist ein ebenso ideologischer Begriff wie »funktional« – jeder weiß ja, daß man bei Bauwerken der Nachkriegszeit alle die Eigenschaften »funktional« nennt, die besonders schlecht oder überhaupt nicht funktionieren. Die Entscheidung für das »Praktische« und das »Funktionale« ist magisch-ästhetisch und steht mit alltäglichen Vorgängen des Lebens und Arbeitens in keinerlei Beziehung. Es ist schon richtig, daß eine Frau mit Schleppkleid und Federhut es in der U-Bahn nicht leicht hätte, aber gerade Frauen sind grundsätzlich zu allem bereit, was Mode und Stil befehlen. Man sehe nur ihre Schuhe an: Als in den letzten Jahren ziemlich formlose und plumpe Gesundheits- und Sportschuhe unter dem Gesichtspunkt der »Bequemlichkeit« propagiert wurden, vergrößerte die Mode diese Schuhe sofort ins Maßlose, bis sie wie Fußprothesen für Leute aussahen, die auf Tellerminen getreten waren, und die »Bequemlichkeit« so weit gesteigert war, daß man bald keinen Schritt in diesen Schuhen mehr tun konnte, geschweige denn Auto oder Fahrrad fahren. Wer einmal indischen Bauarbeiterinnen beim Steineschleppen, Zementrühren, Schubkarrenfahren und Lehmziegelformen zugesehen hat und ihre karminroten und smaragdgrünen Saris oder ihre violetten und rosafarbenen Schleier, die sie bei dieser Tätigkeit tragen, bewundern durfte, weiß von diesem Augenblick an, was er von dem Argument der »Praktikabilität« zu halten hat.

Im Gefängnis des Zeitstils mit seinen undurchdringlichen Mauern zappelt und brummt und surrt und schlägt unablässig gegen die Wände die Mode, die in jeder Saison mit dem Anspruch des ganz Neuen, des »ultimativen« Schönen schließlich scheitern muß. Das Spiel der Mode ist in seiner Vergeblichkeit manchmal unterhaltsam anzuschauen. Je fester ein Rahmen gesteckt ist – und es gibt keinen festeren als den Zeitstil –, desto größer die Herausforderung, ihm das Äußerste an Überraschung abzugewinnen, ihn immer neu zu interpretieren und zu versuchen, ihn zu überlisten. Immer ist mit der Mode viel Geld verdient worden, Purpurfärber, Fächermacher und Kürschner sind zu allen Zeiten reich geworden, aber es war doch etwas anderes, ob eine Königin plötzlich ihre Vorliebe für das »Brun de Puce« entdeckte und darin von einem an heutigen Maßstäben gemessen kleinen Kreis nachgeahmt wurde, oder ob ein Gremium von hochbezahlten Herren mit Brillen auf der Nase die Farbskalen und Schnitte für die gesamte Textilindustrie festlegt. Die Mode ist ein Massenphänomen geworden, und das hat zur Folge, daß Leute, die sich – mit welchem Recht, sei dahingestellt – nicht zur Masse rechnen, an ihrer Entwicklung nicht oder nur mit großem Abstand teilnehmen. Die Angestellten der großen Banken – alles in mir wehrt sich, sie, wie heute üblich, Banker zu nennen – und die Teilhaber der kleinen Banken, die Industriellen und Rechtsanwälte und jeder, der irgendwie zum *smart set* des Landes zu rechnen ist, ignoriert alles, was an Modeneuheiten für Männer ersonnen wird. In diesen Kreisen modisch »aktuell«, wie es dann heißt, aufzutreten wäre keine Empfehlung, es zeigt einfach, daß man nicht dazugehört. Der dunkelblaue und der dunkelgraue, der nadelgestreifte, der Flanell- oder allenfalls noch der Glencheck-Anzug, damit ist das Repertoire erschöpft, natürlich bei leicht geänderten Schnitten über die Jahrzehnte hinweg, die einfach nur etwas weniger elegant als die der Schneider von 1930 sind, aber keine essentiellen Neuheiten enthalten. In England ist dem Mann auf dem schmalen Feld des Westenausschnitts eine gewisse Lizenz zugestanden. Das Stück Hemd, das da zu sehen ist, darf breit rot-weiß gestreift sein (bezeichnenderweise spricht man da von *butcher's stripes*), und die Krawatte darf einen durchaus grellen Akzent in das Dunkel setzen. In allen anderen europäischen Ländern ist das völlig unmöglich, im Süden ist man so unauffällig, wie es der xenophobe Engländer den unsoliden Mittelmeeranrainern gar nicht zutrauen dürfte. Wenn Showmaster und anderes fahrendes Volk sich in ihren multikoloren Freizeitspielhöschen und -hemdchen zeigen, gehört das zum Beruf und hat den Charakter von Theaterkostümen.

Das Verhältnis der Frauen zur Mode ist zwar ein anderes – was die Mode jeden Jahres Neues bringt, wird ernsthaft geprüft und manches davon auch übernommen –, aber auch hier ist zu beobachten, daß die Frauen in Aristokratie und Wirtschaft eine erstaunliche Unabhängigkeit von der propagierten Jahresmode durchhalten. Was über die Laufstege der berühmten Modehäuser wandert und von den Modejournalisten diskutiert wird, wird in der Gesellschaft so gut wie überhaupt nicht getragen, vielleicht von einigen großen Festen abgesehen. Deutsche Frauen versichern gern, daß sie ihren »eigenen Stil« pflegten, und der ist ein der Grundsilhouette des Zeitstils ziemlich ähnlicher. Vielleicht stimmt es, daß die Erneuerungskraft der Modemacher weiblicher Mode aufgezehrt ist. Die letzten großen Modewellen, die aufgeblasenen Sportschuhe, die Jogginganzüge und Plastikhosen mit langen Reißverschlüssen an den Seiten waren jedenfalls nur noch Unterschichtphänomene. Am schönsten finde ich, wenn in einem Raum die verschiedensten Stile zusammenkommen: wenn junge Mädchen die neuesten Wahnwitzeinfälle verzweifelter Modemacher tragen und alte Leute den Stil konserviert haben, der herrschte, als sie vierzig waren, und sehr elegante Frauen Kleider tragen, die man sonst nirgendwo sieht, und die Männer dazu den tiefdunklen Hintergrund bilden, vor dessen Uniformität sich die Frauen gut abheben.

Ein Kleidungsstück allerdings hat die Sphäre der bloßen Mode verlassen und ist wahrscheinlich schon zur Unangreifbarkeit des Zeitstiles erhoben: die Blue jeans. Eine Hose, die von China bis Feuerland, von Männern und Frauen, Milliardären und Bettlern, Alten und Jungen getragen wird, und das seit nun über fünfzig Jahren, mag einem mißfallen – ich finde sie scheußlich –, aber das ist, wie wenn der Hund den Mond anjault. Die Blue jeans sind das Abzeichen des amerikanischen Jahrhunderts. Macht ist schön, und jede Weltmacht hat zu ihrer Zeit die Kleidung bestimmt – es war ein ziemlich düsteres Zeichen für die Sowjetunion, daß selbst ihre Sympathisanten bei Demonstrationen gegen Amerika in Jeans auf die Straße gingen. Die Jeans werden erst verschwinden, wenn Amerikas Stern sinkt und ihnen damit der Charakter des bezwingend Richtigen, Quintessentiellen verlorengeht. Wer Jeans trägt, macht keine Mode mit, und tatsächlich fügen sich die Jeans in die verschiedensten ästhetischen Konzepte mühelos ein. Es gibt die proletarische, die aristokratische, die handwerkerhafte, die weltanschauliche, die vulgäre, die spießige, die mondäne, die individualistische und die kollektivistische, die verbrecherische und die polizistenhafte Art, Jeans zu tragen – sie werden ohne weiteres Bestandteil von modischen und antimodischen Konzepten und bleiben immer die Sieger.

Ein neueres Phänomen sind luxuriöse Markenartikel – eigentlich ein Widerspruch in sich, denn das Luxuriöse muß doch eigentlich das Einzigartige, auf Maß Gemachte, nach Entwurf eigens Gearbeitete sein, und das alles kann und will eine Marke nicht leisten. Der Luxus-Markenartikel ist Abzeichen einer Zeit, die massenhaft Luxusartikel benötigt, die teuer, aber nicht ganz so teuer wie echter Luxus sein sollen. Für den Umgang mit solchen Markenartikeln habe ich bei dem französischen Autor Renaud Camus in seinem Werk *Du sens* Überlegungen gefunden, die in ihrer Subtilität nicht zu übertreffen sind, das Problem erschöpfend darstellen und dem Leser überlassen, welche Schlüsse er daraus zu ziehen gedenkt. Er behandelt die Frage, ob ein Mensch von Geschmack Markenartikel benutzen dürfe, anhand der Koffer und Taschen des einst ehrwürdigen Hauses Louis Vuitton:

»1) Die Masse der Menschen besitzt kein Gepäck von Vuitton, weil es zu teuer ist, oder weil man es häßlich findet oder jedenfalls nicht davon träumt, es besonders schön zu finden, oder weil man gar nicht weiß, daß es solches Gepäck überhaupt gibt. 2) Eine ansehnliche Gruppe (aber man ließe sich auf gefährlichen Boden locken, wenn man sie pauschal als kleinbürgerlich bezeichnete) besitzt Vuitton-Koffer, weil sie davon überzeugt ist, daß sie ein Unterscheidungsmerkmal sind, daß sie das Gepäck sind, das man haben muß, daß sie ein Äquivalent zu den Must de Cartier darstellen et cetera. 3) Eine viel begrenztere Gruppe besitzt mit Absicht keine Vuitton-Koffer, weil sie sie häßlich und idiotisch findet und die Gruppe 2 für zu groß und vulgär hält und den Gedanken des *must* überhaupt für schwachsinnig et cetera. 4) Nun könnte man sich noch eine winzige Gruppe vorstellen, oder besser einzelne isolierte Individuen, die in dem Bewußtsein, wie groß Gruppe 3 ist und wie leicht es ist, sich über Gruppe 2 zu mokieren, indem man Vuitton-Koffer verspottet, trotz deren großer Verbreitung und indem sie das Martyrium auf sich nehmen, von den Dandys verkannt zu werden, zu den Vuitton-Koffern zurückkehren, sei es, um sie wie ein Zitat oder ein Pasticcio zu behandeln, sei es, noch heroischer, weil sie die affektierten Subtilitäten im Umgang mit diesen Koffern im Ganzen zurückweisen und in Kauf nehmen, von den Mitgliedern der Gruppe 3 als Mitglieder der Gruppe 2 angesehen zu werden.«

Im Grunde läuft dieser Gedankengang darauf hinaus, daß der, der weiß, was er tut, ohnehin alles tun darf. Meinen Grund, warum ich keinen Louis-Vuitton-Koffer habe, hat der hochgescheite Herr Camus übrigens nicht aufgeführt. Ich finde diese Koffer so schön, daß ich mich überhaupt nicht daran stören würde, wer sie außer mir benutzt, aber ich sehe mit Bedauern auf das LV-Monogramm, das gleichfalls sehr schön ist und sich über die gesamte Fläche dieser Koffer in höchst dekorativer Weise ausbreitet – und ich habe unter meinen persönlichen Sachen ungern solche mit dem Monogramm von anderen Leuten.

Die Untergebenen

»Eine Frau, die ihre Köchin verläßt,
wird ihre gesellschaftliche Stellung nie wieder
ganz zurückgewinnen.« Saki

Hat in einem zeitgemäßen Buch über die Manieren noch eine Betrachtung über den Umgang mit dem Personal etwas zu suchen? Gibt es eigentlich noch irgend jemanden, der Leute beschäftigt, die man im alten Sinne als Hauspersonal bezeichnen könnte? Man erlaube mir hier einen Blick zurück in meine Jugend, in der hinsichtlich des Hauspersonals die Verhältnisse aussahen wie im europäischen achtzehnten Jahrhundert. »Der einzige Luxus, der mich interessiert, ist der barbarische: viele Diener«, schreibt Nicolás Gómez Dávila, der in seinem Kolumbien in der ersten Hälfte des letzten Jahrhunderts gewiß auch noch recht gut bedient gewesen ist. »Viele Diener« hätte er bei uns finden können. Es waren so viele, daß wir selber nicht genau wußten, wer eigentlich alles dazugehörte. Auf jeden Fall bei jedem Diener seine vielköpfige Familie. Ein großer fürstlicher Haushalt mit vielen Gästen braucht viele Hände, um in Gang gehalten zu werden, aber so viele, wie uns zu Gebote standen, auch wieder nicht. Man glaube nicht, daß diese Diener alle arbeiteten. Ihre Aufgabe bestand darin, dazusein. Durch ihre zahlreiche Gegenwart trugen sie zum Glanz der Residenz bei.

Vor allem waren sie versorgt. Selbstverständlich war es unmöglich, einen von ihnen zu entlassen, dazu reichte die vielfältige Macht meines Vaters denn doch nicht aus. Wenn einem Diener schwerste Vorwürfe gemacht wurden, wenn er etwa einer beständigen Dieberei im großen Stil überführt war – mit kleinem Mausen gab sich niemand ab, so etwas erreichte unsere Ohren überhaupt nicht –, dann kam es wohl gelegentlich zu der Drohung, ihn nun aber wirklich und endgültig aus dem Haus zu werfen; aber dann erschien die weinende und flehende Schar seiner Verwandten und unmündigen Kinder, und das Strafgericht brach in sich zusammen.

Viele der Diener stammten aus Familien, die immer schon unserer Familie gedient hatten. Wenn ein alter Diener, dessen Aufgabe längst in nichts anderem mehr bestand, als meinem Vater zweimal am Tag mit der Kleiderbürste über die ohnehin perfekt gebürstete Anzugschulter zu fahren, einen jungen Großneffen vorstellte, ergab sich daraus gleichsam ein Anspruch auf Anstellung. Der Kammerdiener meines Vaters war schon als Kind zu uns gekommen. Die Diener kannten uns besser als wir selbst. Sie sahen bei jedem meiner vielen Geschwister, welche Erbanlagen sich in ihnen ausgeprägt hatten; Großonkel und Cousinen, die wir nur noch aus den Gesprächen der Eltern kannten, standen ihnen lebhaft vor Augen. Unsere Diener gehorchten, wenn man ihnen etwas befahl, oder besser, sie gehorchten, wenn man ihnen etwas Vernünftiges und Notwendiges befahl. In Europa habe ich eine Oper von Pergolesi kennengelernt, *La serva padrona*. Dieser Titel drückt das Verhältnis zwischen unseren Dienern und uns selbst gut aus. Es gab etwas, dem sie sich fügten, dem aber auch wir uns fügen mußten: die Tradition, das, was man schon immer so und nicht anders gemacht hatte. Wer dagegen verstieß, und sei es auch mein Vater selbst gewesen, hörte deutlichen Widerspruch. Und dieser Widerspruch war ernst zu nehmen. Der große Haushalt von mehreren Dutzend Personen mußte in einem Äquilibrium gehalten werden. Der Consensus omnium durfte nicht verletzt werden. Für Fremde sah es so aus, als ob dieser große Kosmos nur um uns, meine Eltern und meine Geschwister kreiste, aber in Wirklichkeit kreisten wir mit, wir waren Teil des Systems, und ich fühlte das schon als kleiner Junge sehr deutlich. In Deutschland und England habe ich, als ich in den siebziger und achtziger Jahren studierte, noch eine ganze Reihe Leute kennengelernt, die, wenn auch in deutlich kleinerem Rahmen, ähnliche Erfahrungen gemacht hatten: In manchen Häusern lebte noch die alte Kinderfrau, die als Sechzehnjährige in den Haushalt eingetreten war und ihr ganzes Leben damit zugebracht hatte, ein Fixpunkt der Familie zu sein, für die Kinder wichtiger als die Mutter, eine wirkliche Vestalin, die das Herdfeuer niemals hatte ausgehen lassen und alle Wechsel des Glücks mit der Familie getragen hatte. Solche alten Dienerinnen und Diener sind manchmal bessere Zeugen der alten Zeit als die Herren, die den Geist und den Stil der Moderne schneller und gedankenloser annahmen als die Menschen, auf deren Treue sie sich ein Leben lang stützten.

Man klagt in konservativem Milieu gern darüber, »daß heute keiner mehr dienen wolle«, und man hat recht mit diesem Befund. Man muß ihn nur ergänzen: Es will vor allem heute niemand mehr Herr sein. Die Lebensgemeinschaft, die unverbrüchliche gegenseitige Loyalität, die einstmals das Verhältnis von Herrn und Diener – im guten, aber keineswegs seltenen Fall – bestimmte, wäre den meisten wohlhabenden und eleganten Leuten, die heute über fehlendes Personal klagen, ein Greuel. Ein guter Chef de cuisine will auf die Minute genau wissen, wann gegessen wird, und reagiert sehr gefährlich, wenn man das vergißt. Ein gemeinsames Leben nach der Uhr mit Leuten, die man bezahlt und vor denen man beständig das Gesicht wahren muß und es leider doch nicht tut, das ist das Gegenteil eines selbstbestimmten und individualistischen Lebens, wie wir Großstädter es für allein erstrebenswert halten. Man kann sagen, daß die einzigen Orte, an denen in Europa noch in vormoderner Weise ein patrizischer großer Haushalt mit dem Patriarchen an der Spitze erlebt werden kann, gewisse Benediktinerklöster sind, und tatsächlich hat sich der heilige Benedikt, der selbst aus einer römischen Patrizierfamilie stammte, bei Abfassung seiner Regel an der Realität einer solchen Familie orientiert. Zur Kindererziehung gehörte früher in allen europäischen Ländern immer auch, die Rechte des Hauspersonals genau beachten zu lernen.

Wer wohlerzogen war, wußte zum Beispiel, daß es streng verboten war, das Hauspersonal beim Essen zu stören. In gewissen alten Familien hat sich bis heute, bei völlig gewandelter sozialer Realität, als Relikt ein besonders behutsamer, betont rücksichtsvoller Ton im Umgang mit dem Personal erhalten, als müßten diese Leute für das Ungemach, sich in dienender Stellung zu befinden, durch geradezu erfinderische Zartheit im Umgang mit ihnen entschädigt werden. Wenn die Köchin grollte – und es gehörte zu einer Köchin, die diesen Namen verdiente, daß sie grollte –, ging die Familie auf Zehenspitzen.

Es soll hier im übrigen keinesfalls der Eindruck nostalgischer Erinnerungsschwelgerei entstehen. Der Zustand, in dem wir uns befinden, ist aber, wie jeder historische Zustand, ein Übergangszustand, und das heißt, daß in ihm Vorstellungen aus der Vergangenheit, der Gegenwart und der Zukunft gleichzeitig anwesend sind. Wenn wir in einem Privathaus einen Mann in weißer Jacke sehen, der die Tür öffnet, denken wir unversehens in alten Kategorien der Dienerschaft, obwohl es die doch in keiner Weise mehr gibt. Man hört dann übrigens häufig, in diesem Haus gebe es »einen Butler«, was die Verwirrung gut wiedergibt. Ein Butler ist ein Haushofmeister oder Majordomus, der zahlreichem Hauspersonal vorsteht und selbst niemals Livree trägt und der zu keiner der Arbeiten, die einem modernen Faktotum selbstverständlich obliegen, herangezogen werden dürfte.

Der moderne Diener ist, im besten Fall, in Mozarts Figaro präfiguriert worden. Figaro war eigentlich gar kein Diener, sondern als Friseur ein kleiner Unternehmer, der, wie es für jede Existenz der Gegenwart typisch ist, häufig den Beruf wechselte. Als er beim Grafen Almaviva in Dienst trat, hatte er keineswegs eine Lebensstellung vor Augen, sondern er hoffte, bald wieder selbständig zu sein. Er verkaufte Dienstleistung als Ware. Komische Figur im *Figaro* ist, wie wir wissen, der Graf, der sich noch immer als Feudalherr fühlt und seinen Angestellten auf Zeit als »Vasallen« empfindet.

Und ebensowenig sind unsere Putzfrauen, Köchinnen und Hilfskräfte aller Art Vasallen, sondern kommen zu uns wie Elektriker, Installateure und Fensterputzer, die eine genau vorgegebene Arbeit nach Stunden abrechnen und im übrigen ihr Privatleben haben, in dem sie keinen Gedanken mehr an uns verschwenden. Weihnachtsgeschenke rechnen sie unter der Kategorie des dreizehnten Monatsgehalts ab. Es gibt in Europa immer noch Häuser, in Deutschland wenige, in den romanischen Ländern und England mehr, in denen das Hauspersonal nicht nur einfach für reibungslose Abläufe sorgen, sondern auch zur Pracht des Hauswesens beitragen soll, aber man schaue nur nicht zu genau, wer in den schönen Livreen steckt: abgebrochene Studenten, Migranten auf dem Weg nach Amerika, Teilzeitkräfte und Arbeitslose auf Jobsuche. Auch in sehr fortschrittlichen amerikanischen Milieus findet man es herrlich, wenn der *thanksgiving turkey* von einer beleibten schwarzen Mummy serviert wird. Jeder der Anwesenden ist gegen die Wiedereinführung der Sklaverei, aber das vom Winde verwehte Bild ist doch allzu schön. Ich bin der letzte, der sich gegen den Zauber eines schönen Bildes versperren könnte, ich bin dem Zauber schöner Bilder vielmehr haltlos verfallen. Ich möchte nur feststellen, daß uns auch in den wenigen verbliebenen großen Häusern nicht mehr »Dienerschaft« im eigentlichen Sinne des Wortes begegnet, sondern allenfalls Darsteller von »Dienerschaft«, die nach Ablegen ihrer Kostüme sich in nichts von jedem anderen modernen Menschen unterscheiden.

In diesem Zusammenhang sei noch erwähnt, daß es eine gute und uralte, bis in die Antike hinein reichende Übung war, die Dienerschaft bei Tisch in Handschuhen aufwarten zu lassen. Behandschuhte Diener findet man in Italien und Spanien und in England auch heute, sonst gelegentlich an den Höfen, aber ich rate in allen Fällen, in denen behandschuhte Diener nicht als völlig selbstverständliche Familientradition erscheinen, davon ab, das Personal des Traiteurs mit Handschuhen auszustatten.

Aus alter und sogar ältester Zeit ist übriggeblieben, daß man die Hilfskräfte im Haushalt, die regelmäßig stundenweise kommen, sofort zu bezahlen hat. Daß man die Magd nicht eine Nacht auf den Lohn warten lassen darf, steht bereits ausdrücklich in den Zehn Geboten, und es lohnt sich vielleicht angesichts vieler eleganter Hausfrauen, die immer gerade kein Bargeld im Haus haben, wenn die Putzfrau bezahlt werden soll, daran zu erinnern, daß Bosnierinnen, Philippininnen und Ukrainerinnen über das Geld, das sie verdient haben, gern auch sofort verfügen wollen. Auch das Trinkgeld ist nicht aus der Mode gekommen. Bei Abendessen stellen manche Leute einen Teller mit einem Fünfeuroschein ins Entree, um den Ort zu kennzeichnen, wo die Gäste weitere Scheine hinterlassen können. Das empfiehlt sich aber nur bei Gelegenheiten, wo wirklich eine persönliche Berührung zwischen Gästen und Bedienung zustande kommt oder eine besondere Hilfe in Anspruch genommen worden ist. Wer in einem Haus übernachtet, in dem den Gästen das Zimmer aufgeräumt wird, gibt der Person, die das tut, ebenfalls ein Trinkgeld, das sich nach der Zahl der Nächte errechnet.

Manche Leute, die in ein Haus mit Personal kommen, fühlen sich wie in einem Hotel, wo man dem Personal, das man schließlich bezahlt, auch Anweisungen geben darf. Im Privathaus geben Anweisungen ausschließlich die Hausleute, solange der Gast nicht ausdrücklich zu seinen Wünschen befragt worden ist. Ausnahme ist das berühmte Glas Wasser, das immer und in jeder Situation von jedermann erbeten werden kann.

Wie redet der Gast fremdes Personal an? Genauso wie seine Gastgeber, aber auf jeden Fall mit »Sie«, auch wenn die Gastgeber das aus irgendeinem Grund nicht tun. Benutzen die Gastgeber den Vornamen, ist es sicher angemessen, die direkte Anrede zu vermeiden, anstatt ohne weiteres auch den Vornamen zu benutzen. Im Hotel gibt es in Deutschland die in fremden Ohren sehr sonderbare Sitte des »Herrn Ober« und des »Frollein«. Es ist nun mal so Sitte, könnte man mit Johann

Strauß sagen und keinen Punkt daraus machen, aber ich fühle mich bei diesen Anreden unwohl und versuche mit einem »Bitte« oder »Hören Sie bitte«, natürlich in gedämpftem Ton, auszukommen, wie man übrigens auch in Italien und Frankreich davon absieht, nach dem »Cameriere!« oder »Garçon!« zu rufen.

Zur Frage der Anrede zwischen Hausherrn und Hausfrau und Personal wird an anderer Stelle gesprochen werden, deshalb nur ein heute nicht so selten anzutreffender Spezialfall: Moderne Frauen mit einem *soupçon* gegen das Zeremonielle oder lieben Erinnerungen an eine Jugend nahe der Linken duzen sich gelegentlich mit ihren Haushaltshilfen. Häufig entsteht diese Situation auch aufgrund der Sprachbarrieren, wenn die betreffenden Frauen beinahe ohne ein Wort Deutsch mutig ihre Karriere beginnen. »Du Imelda – ich Ingeborg« oder »Du Lubovica – ich Helga« ist dann als Basis der Beziehungen zunächst unvermeidlich. Mit Personal aus »rückständigen Ländern« ergeben sich aus diesem Duzen auch keinerlei Mißverständnisse, denn solche Leute sind unsentimental und kennen die sozialen Realitäten allzu genau, um sich durch ein »Du« über das Vorhandensein des sozialen Abstandes hinwegtäuschen zu lassen. Anders sieht es natürlich dort aus, wo das Deutsche beherrscht wird. Hier verwischt das »Du« die sozialen Grenzen, die dahinter jedoch in aller Härte bestehen bleiben. Es kommt dann doch stets der Augenblick, wo die durch das »Du« vorgegaukelte Intimität und Gleichheit wieder diskreditiert wird und die geduzte liebe »Freundin« gebeten wird, in der Küche zu essen, weil man das Kindermädchen im Eßzimmer nicht dabeihaben will. Ich spreche hier, wohlgemerkt, nicht gegen das In-der-Küche-essen-Lassen, sondern gegen das Vorher-so-tun-als-sei-man-befreundet.

Dieser Punkt berührt das Verhältnis zwischen Vorgesetztem und Untergebenem allgemein. Die meisten Fragen in diesem Verhältnis regelt heute das Arbeitsrecht oder der Betriebsrat, was manchmal bedauert wird, denn das väterliche Verhältnis zwischen Chef und Angestellten sei so schön gewesen. Wo es wirklich bestand, hatte es gewiß große Vorzüge. Aber man erinnere sich auch, warum das Arbeitsrecht entstanden ist. »Wo die guten Sitten aufhören, müssen die Gesetze anfangen«, lehrt der große Machiavelli. Der familiären Bindung mit allem, was sie an Schutz und Verantwortung enthielt, hat der Kapitalismus selbst ein recht rabiates Ende bereitet. Moderne Betriebsprüfer würden einen Unternehmer, der sich väterlich und von mir aus auch paternalistisch um seine Angestellten kümmern wollte, für einen das Betriebsvermögen ruinierenden Narren erklären, dem möglichst schnell ein fähiger junger Mann als Aufpasser an die Seite zu stellen sei. Und dennoch ist noch nicht der gesamte Raum zwischen Vorgesetztem und Untergebenem verrechtlicht. Es ist der Ton, der die Musik macht.

Wer sich in modernen Betrieben auskennt, der wundert sich wahrscheinlich, daß ich hier fortgesetzt von Untergebenen schreibe, denn die gibt es doch gar nicht mehr, vielmehr es gibt sie selbstverständlich, aber dieser schändliche Umstand darf keinesfalls mehr benannt werden. Es gibt nur noch »Mitarbeiter«, die zwar sehr genau wissen, daß sie weder die Kompetenzen noch die Informationen erhalten, um gleichberechtigt »mitzuarbeiten«, die aber inzwischen selbst auch nur noch geschönt und verhübscht angesprochen werden wollen. Ist es eine Schande, ein Untergebener zu sein? Ist es eine Schande, gegen ein Gehalt Anweisungen auszuführen und Aufträge zu erledigen?

Die Antworten auf diese schlichten Fragen scheinen dem modernen Publikum schwerzufallen. Mir fallen sie nicht schwer. Ich habe mehrere Jahre in einer großen Firma gearbeitet; ich diente – ja, ich diente einem Vorgesetzten alten Schlages. Mein Chef war ein Jupiter. Außerdem war er sehr klug und machte seine Arbeit vorzüglich. Vom ersten Tag an habe ich von ihm gelernt. Er war ein fairer, offener Mann und ließ am Prinzip von Befehl und Gehorsam nicht den leisesten Zweifel. Dafür übernahm er aber auch die Verantwortung, wenn etwas schiefging. Das ist selten; die meisten Vorgesetzten halten bei Betriebsunfällen sofort nach »Schuldigen« Ausschau. Untergebener dieses Mannes zu sein war eine Freude. Ich weiß, daß es nicht immer eine Freude ist, Untergebener zu sein. Aber liegt gerade in solchen tristen Fällen nicht noch einmal eine besondere Schmach darin, wenn das Abhängigkeitsverhältnis, in dem man sich nun einmal befindet, nicht wenigstens auch ausgesprochen und benannt werden darf und wenn statt dessen der Jargon scheußlicher »Menschenbehandlungstheorien« amerikanischer Ratgeber die Realität zukleistert? Wenn aristokratische Erziehung irgendeinen Vorteil hat, dann ist es gewiß ihre positive Einstellung zum Dienst. Darin glänzten die deutschen Aristokraten sogar noch mehr als die anderer Länder. Vom Standpunkt der Manieren halte ich den Gebrauch des Wortes »Mitarbeiter« für »Untergebener« deshalb für fragwürdig. Und hier kehre ich zu meinem Hauptpunkt, dem Verhältnis zwischen Vorgesetzten und Untergebenen, zurück. Es wird erträglich nur durch Klarheit der Situation, die der Vorgesetzte den Untergebenen schuldet. Seine vielbeschworene Verantwortung den »Mitarbeitern« gegenüber besteht vor allem darin, daß er ihnen sagt, woran sie sind. Der Vorgesetzte schuldet ihnen, daß er ihre Kompetenzen und ihre Verantwortung klar beschreibt und daß er in Konfliktfällen klar bei seiner Anordnung bleibt. In vielen großen Firmen scheinen sich die Vorgesetzten geradezu eine Pflicht daraus zu machen, ihre Untergebenen gegeneinanderzuhetzen und sie bezüglich ihrer Pflichten bewußt im unklaren zu lassen. In vielen Abteilungen ist die Stimmung durch Unsicherheit und die Ungewißheit, was genau von wem erwartet wird, verpestet. Es gehört zu den Nachteilen der Demokratie, daß sie die Herrschaft nicht abschaffen kann und will, aber zur Ausübung der Herrschaft nicht erziehen kann und will. Da müssen die Manieren einspringen, das einfache Gesetz, daß man einem Abhängigen niemals verweigern darf, zu wissen, woran er ist.

Zu preußischen Zeiten gab sich der Chef, vor allem in der Beamtenschaft, das Air eines Monarchen, und er empfand sich ja auch als Vertreter seines Königs. Ich habe mir erzählen lassen, daß selbst in mittleren Behörden der Vorgesetzte den Untergebenen gleichsam in Audienz empfing. Er saß hinter dem Schreibtisch, und der Untergebene stand vor ihm, aber nicht auf dem Teppich, wenn er niederen Ranges war. Das Zimmer verließ er rückwärts und suchte mit den Händen nach der Türklinke, um aus dem Sanktuarium der Macht wieder herauszukommen. Wie man weiß, hatte diese hohe Identifikation mit dem König, so komische Folgen sie *in concreto* auch zeitigte, durchaus erfreuliche Aspekte für die Gewissenhaftigkeit und das Verantwortungsgefühl des Vorgesetzten. Man glaube auch ja nicht, daß der lässige Stil den Untergebenen besser vor Demütigung und schlechter, achtungsloser Behandlung schützt. Wem heute das Wort abgeschnitten wird, wer vor dem Chef steht, der die Beine auf den Schreibtisch gelegt hat und ein langes privates Telefonat führt, wer sich vagen Drohungen und Beschuldigungen ausgesetzt sieht (»Ich finde, Sie müssen sich einmal genau überlegen, ob Sie zu uns passen«), der darf sich darüber noch nicht einmal beschweren, weil alles doch in solch einer wunderbar gelösten und zwanglosen Atmosphäre stattfindet.

Am zwanglosesten soll es dann bei der Betriebsfeier zugehen. Gewiß, über die treuliche Einhaltung des jährlichen Betriebsfestes wacht der Betriebsrat, es handelt sich hier um einen »sozialen Besitzstand«, aber das ändert nichts daran, daß viele, die sich in ihren Interessen vom Betriebsrat und den Gewerkschaften nur teilweise vertreten fühlen, unter dem Zwang der gemeinsamen Fröhlichkeit bei einem solchen Betriebsfest leiden. Zu den wesentlichen Pflichten eines Vorgesetzten gehört, von seinen Angestellten nicht eine Vermischung der geschäftlichen mit der privaten Sphäre zu fordern. Da ist sie wieder, die alte feudale Regel: »Man darf das Personal nicht beim Essen stören.« Das Essen steht hier für den Freiraum, der bei Eingehen des Arbeitsvertrages nicht mitverkauft worden ist. Es sollte zum grundsätzlichen Anstand gehören, eine Atmosphäre zu schaffen, in der sich niemand zum Besuch des Betriebsfestes verpflichtet fühlt, weil er sonst Nachteile zu befürchten hätte. Zur sozialen Hygiene gehört es, festliche Zusammenkünfte von jedem Druck freizuhalten; es sind nicht die schlechtesten Angestellten, die es ihrem Chef lohnen werden, wenn sie nicht zum Betriebsfest gehen müssen.

Die heilsamen Kräfte der Distanz können sich auch in einem anderen Punkt auswirken: Sie verhindern das Entstehen von Byzantinismus, der manchen Chef mit Weihrauchwolken umgibt. Bei der besonders unerfreulichen Erscheinung des Byzantinismus geschieht der Kultur von Byzanz natürlich schweres Unrecht. Das Herrscherlob und das Zeremoniell der Herrscherverehrung waren so formuliert, daß niemand, der es ausführte, sich zu unterwürfiger Schmeichelei erniedrigen mußte. Die Jubel- und Akolytengarden, mit denen sich viele Wirtschaftsführer heute umgeben, müssen sich da erfinderischer anstellen: es soll ja schließlich klingen, als sei man von den Vorzügen des Chefs wirklich hingerissen. Zeremonielle gießen in Form, was sonst immer erst eigens erfunden werden muß. Nirgendwo ist man dafür so dankbar wie auf dem Gebiet der Huldigung des Mächtigen.

Umgang mit Feinden

»Wenn der Feind zum Richter wird, wird der Richter zum Feind.«
Carl Schmitt

Umgang mit Feinden – da sehe ich in Deutschland manchen die Augenbrauen zusammenziehen. Feinde, so etwas gibt es doch gar nicht. Feinddenken, das verrät doch eine ganz bedenkliche bellicose Mentalität. Ich bewundere jeden zutiefst, der behauptet, keine Feinde zu haben, aber ich glaube dem spanischen General und Diktator Narváez doch noch mehr, der auf dem Totenbett sagte, als sein Beichtvater ihn aufforderte, allen seinen Feinden zu vergeben: »Hochwürdiger Vater, ich habe keine Feinde. Ich habe sie alle umbringen lassen.« Wer nicht die Möglichkeiten und die Haltung des Generals Narváez hat, muß jedoch mit seinen Feinden leben. Im Umgang mit ihnen kann er selbstverständlich dem Rat des bewußten Beichtvaters folgen, der übrigens auch nicht abstreitet, daß es reale Feindschaft gibt; seine Lösung ist vielmehr auf die reale Feindschaft zugeschnitten. Nicht immer ist es uns jedoch möglich, zu vergeben, und oft beendet das Vergeben keineswegs die Feindschaft.

Um in Spanien zu bleiben, das Land, in dem über den Umgang mit dem Feind viel nachgedacht worden ist, möchte ich an ein Gemälde von Velázquez erinnern, eines meiner Lieblingsbilder im Prado. *Las Lanzas* wird es wegen des Lanzenwaldes im Hintergrund genannt, aber die Hauptaufmerksamkeit gilt zwei Herren in der Mitte, die sich beide auf mehr als höfliche, auf besonders innige Art, möchte ich sagen, voreinander verneigen, während der eine dem anderen etwas auf einem Kissen Liegendes anbietet. *Die Übergabe von Breda* heißt das Bild; die dargestellte Szene spielt in einem besonders heftigen, schon ideologisch vergifteten und damit auch bereits irgendwie modernen Krieg, in dem die holländische Festung Breda von den Spaniern erobert worden war. Das Häßliche an den Religionskriegen oder den Kriegen mit einer religiösen Beimischung war und ist ja, daß es nicht nur darum geht, dem Gegner einen Vorteil zu entreißen, sondern daß man glaubt, dazu auf höchstmögliche, gleichsam ontologische Weise berechtigt zu sein. Bei dieser Art von Feindschaft – und das haben wir besonders im zwanzigsten Jahrhundert kennenlernen dürfen – wird dem Feind im Grunde das Menschsein abgesprochen. So auch häufig genug in dem Krieg zwischen Holländern und Spaniern, und nun diese Höflichkeit bei diesem für den Unterlegenen schmerzlichsten Akt, der Übergabe der Schlüssel zum Stadttor, der zugleich für den Sieger die Versuchung, zu triumphieren, geradezu unwiderstehlich macht. Man bedenke, es ist ein spanisches Bild, das den geschlagenen Holländer in dieser Haltung vollendeter Courtoisie zeigt, den Besiegten als Edelmann »sans peur et sans reproche«. »Aber ich bitte Sie, womit habe ich das verdient!« scheint der Sieger auszurufen, der die Festung wochenlang berannt und dabei seine besten Leute verloren hat. So etwas gebe es nicht unter Feinden? Das seien beschönigende Märchen, ruft man mir zu? Dann glaube ich eben an Märchen, aber an diesem Glauben, daß die Menschen auch in schlimmster Feindschaft nicht dazu verurteilt sind, wölfisch übereinander herzufallen, gedenke ich festzuhalten. Ich hoffe mit ganzem Herzen, daß es sich wirklich zugetragen hat: Als im Hundertjährigen Krieg in der erbittertsten letzten Phase ein englisches und ein französisches Heer aufeinandertrafen, habe der französische Hauptmann seinen Hut zum Kompliment gezogen und gesagt: »Messieurs les anglais, schießen Sie zuerst!« Begreift man nicht, wie wichtig für die Humanität solche Siege der Manieren über die Feindschaft sind, und hätten sie nur in der Phantasie stattgefunden?

Keinesfalls in der Phantasie hat eine Geschichte sich ereignet, die ich selber zwar nicht mehr miterlebt habe, deren

Protagonisten ich aber genau kannte, meinen Großvater. Nach Kaiser Menelik, dem Sieger über die Italiener bei Adua, bestieg Kaiser Josua – auf amharisch Iyasu – den äthiopischen Thron. Was ihn bei seinen Granden und vor allem in der eigenen Dynastie so unbeliebt machte, muß hier nicht ausgebreitet werden, jedenfalls bildete sich eine Fronde, zu der auch mein Großvater gehörte. Der Kaiser wurde abgesetzt. Ras Tafari (der spätere Kaiser Haile Selassie I.) wurde zum Regenten ausgerufen. Der Abgesetzte wurde als Lij (Prinz) Iyasu den Händen seines siegreichen Feindes und Vetters, meines Großvaters, übergeben. Lij Iyasu wurde in goldene Ketten gelegt. Seine persönliche Bedienung übernahm mein Großvater. Wenn er das Zimmer des Gefangenen betrat, warf er sich vor ihm dreimal auf den Boden, als sei dieser immer noch Kaiser. Dieser Zustand dauerte bis 1932, als Lij Iyasu die Flucht aus der Residenzstadt meines Großvaters gelang.

Den besiegten Feind nicht zu demütigen ist ein Gebot einer höheren Form von guten Manieren, die sich befleißigen, etwas Gemeinsames zwischen den Menschen auch dort noch zu entdecken, wo gemeinsame Interessen, Überzeugungen, wo sogar Sympathie und Mitleid fehlen. Diese Haltung fällt mit der politischen Klugheit zusammen, die weiß, daß es keinen Feind gibt, mit dem man nicht in die Lage geraten kann, sich wieder mit ihm verbünden oder doch wenigstens mit ihm auskommen zu müssen. Wer seinen Feind »Staub fressen läßt«, um eine ebenso altertümliche wie bildkräftige Redensart zu verwenden, zerbricht etwas in ihm, was eine letzte Verbindlichkeit hätte begründen können. So werden tollwütige Monstren erschaffen, wie die Erfahrungen des letzten Jahrhunderts mehrfach bewiesen haben. Was in der Politik gilt, hat Entsprechungen in der privaten Sphäre, auch wenn hier die Konflikte selten genug bis aufs Messer ausgetragen werden. Dafür schwelt dann ein in dumpfe Abneigung allmählich übergehender Haß und vergiftet das Leben. Man kann auch vom Standpunkt einer ganz moralfrei gesehenen seelischen Hygiene zu einem Ergebnis gelangen, das der religiösen Forderung nach Vergebung sehr ähnlich ist. Aber um den Bereich der Manieren von dem der Moral und der Religion, mit dem er vielfältig in Verbindung steht, ohne sich freilich mit ihm zu decken, noch genauer abzugrenzen, möchte ich behaupten, zu den Manieren gehöre vielleicht weniger das Vergeben als das Vergessen.

Der Mensch mit Manieren ist vergeßlich in bezug auf das, was ihm angetan wurde. Er kann sich eine feindselige Motion gegen seine Person einfach nicht so gut merken wie eine freundliche. Die Manieren neigen eher dazu, den Prozeß der Wahrheitsfindung nicht bis zum bitteren Ende zu führen. Die Klärung der Schuldfrage beschäftigt sie nicht besonders. Sie möchten sich und den Kreis der ihnen Verpflichteten mit der Fiktion beruhigen, gewiß seien alle Beteiligte eines Konfliktes, vor allem man selber auch, irgendwie schuld gewesen – das kann von der Wahrheit abweichen, aber soweit die Manieren berührt sind, soll es auf diese Wahrheit ja auch gar nicht ankommen. Daß alles Nachtragende, und sei es wegen der Schwere des Deliktes noch so verständlich, auf Außenstehende einen zutiefst abstoßenden Eindruck macht, verstehen in der Schönen Welt häufig auch die Allernachtragendsten. »Ich weiß selber nicht, warum wir uns überhaupt nicht mehr sehen«, kann man da zum Beispiel hören, »gewiß, da ist vor undenklichen Zeiten einmal eine dumme Sache gewesen, aber das ist längst erledigt und vergessen – manchmal habe ich geradezu Angst, daß sie da immer noch irgend etwas peinlich findet.«

Daß Feinde, die sich in Gesellschaft zufällig begegnen, keinen Eklat verursachen, sondern sich unauffällig aus dem Weg zu gehen wissen, gilt in den Milieus, in denen es viele Einladungen gibt, als selbstverständlich. Diese Disziplin sollte von Gastgebern aber nicht mutwillig auf die Probe gestellt werden. Wer unbedingt ein Paar einladen möchte, das sich soeben unter unschönen Umständen getrennt hat – »Ich bin nun einmal mit *beiden* befreundet, ich möchte ungern auf einen von den beiden verzichten«, heißt es dann unschuldig –, muß die beiden vorwarnen und darf keinesfalls gekränkt sein, wenn daraufhin einer oder auch beide absagen. Wenn Paare auseinandergehen, zeigt sich ohnehin sehr schnell, daß dies »Ich bin eben mit *beiden* befreundet« niemals so richtig gestimmt hat. So bitter das für einen Teil auch sein mag, es liegt auf die Dauer ein kostbarer Gewinn darin. Der Verlust eines halbherzigen Freundes ist unbedingt als große Entlastung zu bewerten. Als es bei der Schlacht an den Thermopylen für die Spartaner ernst wurde, schickten sie die Hilfstruppen der Periöken, die nun einmal keine richtigen Spartaner waren, nach Hause. Solch ein Entlassen der Periöken kennt auch das Privatleben, und wenn es ohne Bitterkeit und Ressentiment geschieht, ist es für alle Beteiligten eine Befreiung.

Nun möchte ich auf einen Aspekt der Feindschaft zu sprechen kommen, der für Europäer nur theoretisches Interesse haben kann, weil es dergleichen in Europa nicht gibt und aufgrund der höheren europäischen Entwicklung ja auch nie und nimmer geben kann, der für Afrika im allgemeinen und für mein Vaterland Äthiopien im besonderen von höchster und bedrückendster Realität ist: die Feindschaft unter den Rassen und Völkerschaften und Stämmen – eine Abneigung, die gleichsam vererbt wird und einem anderen Volk *in toto* gilt, ohne daß der einzelne Angehörige dieses Volkes daran etwas ändern kann. Gründe für diese bis zu Haß und Verachtung gehenden Erbfeindschaften gibt es viele, und alle Beteiligten vermögen das Sündenregister des anderen aufzuzählen, aber ich bin davon überzeugt, daß es dieser Gründe gar nicht bedarf: es ist die andere Art, zu sein, zu sprechen und zu denken, die ein nicht zu besiegendes Mißtrauen auslöst. Als Afrikaner betrachte ich diese Konstellation mit gespaltener Empfindung: Einerseits bewundere ich die Tradition jedes einzelnen Stammes und Volkes und wünsche, daß sie lebe und sich entfalte, denn mit dem Verlust einer einzigen von ihnen wäre Afrika nicht mehr Afrika – und auf der anderen Seite verfluche ich die zerstörerische Sprengkraft dieser Traditionen, die den Frieden und eine gedeihliche Entwicklung der afrikanischen Völker unmöglich machen. Dies ist aber nur der politisch-historische Hintergrund für das Problem der Manieren bei der

Begegnung zweier Personen, die aus solchen erbfeindlichen Lagern stammen. Erstaunlicherweise gelingen solche Begegnungen am besten, wenn die beiden Völkern angehören, die ihre Feindschaft in einer Weise ausgetobt haben, daß niemand dem anderen etwas schuldig geblieben ist. Dann kann es im glücklichsten Fall sogar zum Austausch von Achtungserklärungen und gemeinsamen Erinnerungen kommen. Wenn man die beiden dann beobachtet, fragt man sich, wieso es zwischen zwei Völkern, deren Angehörige sich so gut verstehen, überhaupt je zu Auseinandersetzungen kommen konnte, und vergißt dabei, daß sich die beiden so gut verstehen, *weil* es diese lange Geschichte von Krieg und Kampf zwischen ihren Völkern gibt.

Ganz anders sieht das zwischen den Angehörigen von Völkern aus, von denen das eine Volk gegenüber dem anderen beständig den kürzeren gezogen hat – um Wörter wie Unterdrückung, Demütigung und Ausrottung hier bewußt zu vermeiden. Nach meiner Erfahrung können Manieren in einem solchen Fall nur leisten, daß sich die beiden auf die glatteste und unauffälligste Weise aus dem Wege gehen – ein ungezwungener Umgang kann zwar gespielt, aber als Wirklichkeit nicht willentlich herbeigeführt werden. Wo das Bereden keine in der Vergangenheit geschlagene Wunde schließen kann, hilft nur das Beschweigen. Die Manieren kennen das Schweigen nicht nur als Ausdruck der Hilflosigkeit, sondern auch als sehr beredten Akt in einer Lage, die sonst kein Handeln zuläßt. Schweigen darf von jedem verlangt werden, mehr allerdings nicht: das Über-den-eigenen-Schatten-Springen ist eine moralische Disziplin, die die Maßstäbe der Manieren hinter sich läßt. Aber was rede ich weiter über afrikanische Spezialprobleme, die in Europa kein Pendant haben!

Zum Schluß noch eine weitere Schwierigkeit: Unsere Feinde gehören zu unserem Besitz, unserem Charakter, unserem Schicksal; wir wollen sie nicht verlieren. Was aber, wenn sich einer von ihnen das Unerhörteste leistet und sich zu einer Entschuldigung entschließt? Dann sind wir schachmatt, denn eine Entschuldigung muß angenommen werden, im Okzident wie im Orient, nebenbei. Und wenn die Entschuldigung nicht ernst gemeint war? Dann dürfen wir zu unserer alten Empörung zurückkehren, vorausgesetzt, unser Vergeben ist ernst gemeint gewesen.

Der Adel in der Republik

Wenn in diesen Betrachtungen die Manieren als ein großes Gebäude erscheinen, das sich aus moralischer und ästhetischer Haltung, aus Charakterformung, aus ästhetischen und sprachlichen Idealen, einer bestimmten Weltsicht, einer Vielzahl von eigentümlichen Bräuchen und dem, was im üblichen Wortgebrauch »Manieren« genannt wird, zusammensetzt, dann muß schließlich auch einmal die Frage gestattet sein, wo denn eigentlich in unserer Gegenwart diese Manieren anzutreffen sind. Wenn ein Brauch mehr als historische und sozio-ethnologische Interessen befriedigen soll, muß er auch irgendwo leben und angetroffen werden können. Auf vielen Seiten dieses Buches ist davon die Rede, wie es in bestimmter Hinsicht beim Adel gehalten wird, und es mag sich mancher Leser gefragt haben, was ihm in seiner persönlichen Haltung zu den Manieren damit eigentlich geholfen ist. Gewiß, der Adel hat, vor allem in Deutschland, wo sich erst sehr spät ein starkes Bürgertum entwickelt hat, das Gebäude der Manieren errichtet.

Es hilft nicht, daran zu rütteln: Die europäische Auffassung über das, was schön und angemessen ist im Umgang der Menschen miteinander, hat der Adel formuliert. Die europäische Vorstellung von der Gleichheit, wie sie sich in den verschiedenen Revolutionen allmählich durchsetzte, hatte im Praktisch-Sinnlichen den Adel als Vorbild. Es ging weniger darum, den Adel abzuschaffen, als darum, »Herr« und »Dame« zu werden wie der Adel, Waffen zu tragen wie der Adel, adelige Privilegien weniger abzuschaffen, als sie zu erobern. Gerade in der Vorstellung von der Gleichheit, die doch gegen den Adel gerichtet war, lebt ein adeliges Ideal fort – nämlich auf gleicher Stufe wie der König zu stehen.

Zu den historischen Funktionen des Adels gehört es, die Kontinuität der Kultur über die für Europa so bezeichnenden scharfen kulturellen und politischen Brüche hinweg zu garantieren. Die für den Bestand des Adels entscheidenden, über die Jahrhunderte hinweg nicht abreißenden Geschlechterketten haben ein gleichsam stellvertretend für das ganze Volk geführtes genealogisches Register geschaffen, in dem die Geschichte als die eigene Vorgeschichte erfahrbar wird. Wie lange es den Adel als erkennbare gesellschaftliche Formation noch geben wird, wie lange es dem Adel gelingen wird, trotz des Verlustes der Macht als Gruppe nicht zu zerfallen, muß uns im Augenblick noch nicht kümmern. Immerhin gibt es ihn noch, und so übt er auch weiterhin die Funktion aus, die Gegenwart mit ihren Wurzeln in der Vergangenheit zu verbinden. Und so kann es nicht verwundern, daß die Manieren in ihrer Ganzheit auch heute noch am vollständigsten beim Adel verwirklicht werden. Das beginnt bei der Kindererziehung. In aristokratischen Familien unterzieht man sich auch heute beinahe überall noch der dornenreichen Aufgabe, den jungen Wilden Formen beizubringen, und das gegen eine in dieser Hinsicht höchst unkooperative Umwelt. Daß Kinder vor Erwachsenen aufstehen, daß sie die Hand küssen, daß sie, ohne immer gleich dafür belohnt zu werden, bei Tisch helfen und die Gäste bedienen, daß sie den Mund halten können, wenn das Gespräch der Erwachsenen sich von ihnen wegbewegt, wird man in aristokratischen Familien häufig erleben können; auch das Anspruchsgehabe ist dort selten, und auch die großen Marken der Textilindustrie finden hier geringeren Absatz.

In dem immer schon formunwilligen und formmißtrauischen Deutschland bilden die Aristokraten diejenige Gruppe, deren Manieren sich von den gehobenen Milieus des westlichen und südlichen Auslandes am wenigsten unterscheiden. Das deutsche Bürgertum hat, so spät es entstanden ist, die

Verbindung zur Tradition auch um so schneller wieder verloren. Ich staune oft darüber, wieviel Unsicherheit, Verwirrung und vollständige Formlosigkeit man bei Leuten finden kann, die aus alten bürgerlichen Familien stammen, über Generationen hinweg begütert und gebildet waren und doch dem Sog der ästhetischen Primitivisierung nicht haben widerstehen können. Wenn man Wein kauft, bevorzugt man Regionen und Produzenten, die eine jahrhundertealte Erfahrung mit dem Weinmachen repräsentieren – warum sollte man bei der Betrachtung der Manieren anders vorgehen? Daß manches von dem, was der Adel tut, keineswegs vorbildlich und maßstäblich ist, bedarf keiner weiteren Erläuterung.

Was beim europäischen, vor allem beim katholischen Adel auffällt, ist ein beträchtlicher Wechsel des Stiles seit dem Sturz der Monarchie. Ich habe hier vor allem Familien im Auge, deren Vorfahren unübersehbar große Barock-Paläste erbauten und im Winter Ananas aßen, auf Zucker Schlitten fuhren und juwelenstarrende Ornate trugen. Als ich zum ersten Mal nach Venedig kam, lebte dort noch eine ältere Contessa, die in den fünfziger Jahren als letzte nach alter Art mit ihrer Familiengondel ausfuhr, von zwei Gondolieri in blütenweißer Livree begleitet. Wenn die Gondel vor einem Geschäft hielt, in dem die Contessa etwas ansehen wollte, betrat einer der Gondolieri vor ihr das Lokal und rief mit schallender Stimme: »Attenzione alla Contessa C.!« Man kann sich keinen krasseren Gegensatz des Auftretens zu dem heute bei Aristokraten üblichen denken. Man hat jetzt das Inkognito adaptiert. Je frömmer und wohlhabender man ist, desto unauffälliger, ja unsichtbarer macht man sich. Alles Starre, Gravitätische, Offizielle ist verpönt. Dagegen ist sogar der Eindruck des leicht Verhuschten noch erstrebenswerter. Je gewichtiger die Familie, desto weniger bemerkenswerten Schmuck tragen die Frauen. Der prachtvolle große Familienschmuck wird ohnehin nur im allerengsten Kreis getragen, wo er nicht als Kostbarkeit, sondern als genau herzuleitendes Erbstück von dieser Tante und jenem Urgroßvater angesehen wird. Anders als nach den Maßstäben moderner Juweliere hat hier das Rotgold das höchste Ansehen; die Steine sind nach ihrem Effekt ausgesucht und nicht nach ihrer Freiheit von Einschlüssen. Eine Zeitlang waren Erben enttäuscht, wenn sie ein funkelndes Kollier verkaufen wollten und die Steine nicht das brachten, wonach sie aussahen; heute sind die alten Fassungen oft kostbarer als die Steine.

Im Empfangen von Gästen, im Bewirten eines großen Kreises ist der deutsche Adel von in Deutschland unübertroffener Leichtigkeit, aber auch Bescheidenheit. Die Zeiten, in denen man einen herausfordernden Aufwand in der Küche trieb, scheinen wie ausgelöscht. Dafür kann man in einem aristokratischen Haus heute häufig noch Dinge essen, die in Deutschland einst jeder aß, die nach allen möglichen international inspirierten Eßmoden und kulinarischen »Fortschritten« aber aus beinahe allen Haushalten verschwunden sind: Suppen, Braten, Aufläufe, Ragouts, Kompotte, Grießbrei, Reispudding, Salzkartoffeln, Karotten und Erbsen, Dickmilch mit Zucker und Zimt. Obwohl diese Mahlzeiten oft sehr gut sind, spielt das Genießen eine untergeordnete Rolle. Der deutsche Adel, vor allem der katholische, verwirklicht jetzt die asketische Variante des katholischen Stils. Als der Prince of Wales zum Herzog von Bayern nach Nymphenburg kam, gab es eine Rinderbouillon, einen Tafelspitz und einen Marillenknödel. Moderater kann es auch beim Papst nicht zugehen, und auch dort sind die Speisezimmer vergoldet und die Portraits zwei Meter hoch.

Es mag Zweifler geben, die dieser »neuen Bescheidenheit« nicht ganz trauen und mehr die bequemen Aspekte dahinter erkennen wollen. André Gide, ein Asket und Puritaner, wie nur ein protestantischer französischer Gutsbesitzer Asket und Puritaner sein kann, schrieb zu diesem Gegenstand: »Aber wenn die Einfachheit der Größe verehrungswürdig ist, so ist sie auch selten wie die Größe. Jene andere Einfachheit, die aus Bequemlichkeit und innerer Armut kommt, hat den Adligen immer verächtlich gegolten.« Ich bin mir sicher, daß er dieses Wort auch heute, siebzig oder achtzig Jahre später, noch geschrieben hätte.

Ein adliger moderner Salon ist gelb gestrichen – unmittelbar auf den Putz –; die Hausfrau erklärt dazu: »Ich wollte es einfach sonnig und hell haben!«, als sei dies hundertfache Gelb ihre ganz persönliche Wahl gewesen. Darin stehen zwei kostbare Rokoko-Kommoden, große chintzbezogene Sofas, an der Wand die Urgroßmutter auf einer Ölskizze von Lenbach, dazu noch ein barocker Perücken-Ahne und auf Tischen und Tischchen achtzig bis einhundertzwanzig gerahmte Photographien. Auf das neuzeitliche Medium der Photographie hat der Adel sich gestürzt, als sei hier nun der seit Jahrhunderten erwartete Schlußstein aristokratischer Ästhetik ans Licht gelangt.

Wo ist der alte Adelshochmut geblieben? Aristokraten schieben Rollstühle in Lourdes und waschen hilflose Invaliden. Wenn sie sich politisch betätigen, dann offenbaren sie ein besonders hohes Pflichtgefühl und Eifer für die Demokratie. Ihr Ehrgeiz ist es, bei jeder Berührung mit der Öffentlichkeit als perfekt angepaßt zu erscheinen. Dennoch sind Mesalliancen in der Minderzahl geblieben; sie werden keineswegs geschätzt. Und dann habe ich etwas Kurioses festgestellt: deutsche Aristokraten schätzen es nicht besonders, wenn jemand außerhalb ihrer Sphäre ihren Stil kennt und beherrscht; das macht sie regelrecht ein wenig unsicher. Nur wenige deutsche Aristokraten fühlen sich als Repräsentanten der Nation wie die französischen oder englischen oder spanischen Standesgenossen. Die Historiker sagen, daß die deutsche Nation sich ohne sie und gegen sie vereinigt habe; die Partikularismen des deutschen Adels hätten das alte Reich zugrunde gerichtet und das neue zu verhindern versucht. Man fühlte sich unversehens in Deutschland isoliert, aus der deutschen Gesellschaft hinausgeschwemmt, als hätte es die Standespyramide, an deren Spitze man sich so lange aufhielt, nie gegeben. Für die Manieren war diese Entwicklung verhängnisvoll, weil sich den Deutschen die von der Geschichte überall mit der Entwicklung der Formen betraute Schicht als Vorbild entzog. Das ist um so bedauerlicher, als der Adel auch heute noch Institutionen und Haltungen pflegt, die der Gesellschaft im ganzen zugute kommen könnten: einen ausgeprägten Familiensinn mit einer Verantwortung für alle Generationen, auch die unverheirateten alten Tanten; eine Verachtung von unverhülltem Ehrgeiz und Ellenbogenstil; eine immer noch bewahrte Form gegenüber den atemlosen Gesten der Leistungs- und Aufstiegsgesellschaft; eine Verpflichtung zu praktischer Wohltätigkeit; Haltung im Unglück und die Fähigkeit, große Verluste mit Fassung zu tragen.

Manieren im Kommunismus

Der Kommunismus hatte im Westen und Osten höchst unterschiedliche Erscheinungsbilder. Wer im Westen Kommunist oder ganz allgemein »links« war, fühlte sich als Mitglied einer Bewegung, die vor allem Zwänge abwarf. »Emanzipation« stand auf der roten Fahne des Westens. »Mancipium« nannten die antiken Römer ihre Sklaven, die Emanzipation war also die Befreiung aus Sklavenbanden: Befreiung der Frau aus der Unterdrückung der Männer, Befreiung der Unterschicht von der Herrschaft der Bourgeoisie, Befreiung der Sexualität von der Herrschaft religiöser und bürgerlicher Moral. Manieren gab es dort auch, aber gleichsam als Umkehrung der bürgerlichen Manieren. Wo der Bürger sich putzte und schniegelte, verlangte man danach, wild und unrasiert herumzulaufen. Wo der Bürger beschönigte, sich verbeugte, schmeichelte und liebenswürdig war, wollte man die Wahrheit, oder was man dafür hielt, der Welt ins Gesicht schreien, den Kopf vor überhaupt nichts beugen, grob und direkt aussprechen, was man empfand und dachte. Es gab einen ziemlich umfangreichen revolutionären Comment zu beachten: grotesk war es, eine Krawatte zu tragen, unverschämt, vor einer Frau aufzustehen, krankhaft, beim Liebemachen die Zimmertür zu schließen. Ich habe diesen Comment als Student in Tübingen und Frankfurt noch gut kennenlernen dürfen, obwohl er in seiner Hochform gar nicht so lange anhielt. Ich kann nicht sagen, daß ich unter den Anhängern dieser Manieren irgendwie zu leiden gehabt hätte, denn ich bin schwarz, oder doch sehr dunkel, und es bestand ein grundsätzlich sehr günstiges Vorurteil über alle Leute aus der »Dritten Welt«. Und auch wenn sich dann herausstellte, daß ich auf der falschen Seite der Barrikade stand, gab es in diesen Kreisen viel zuviel Angst vor unwillkürlich die Seele beschleichenden rassistischen Regungen, als daß man mir je rüde gekommen wäre.

Die meisten Linken schauten, wenn sie an sozialistische Länder dachten, in schön warme oder unzugängliche, weit entfernte Länder wie Kuba und China und interessierten sich wenig für den Sozialismus deutscher oder russischer Prägung. Den chinesischen Kommunismus kannte ich von den Erzählungen meines Vaters her, der den Kaiser bei dessen Staatsbesuch in China 1970 begleitet hat und Mao persönlich begegnet ist. Er sagte mir, wenn ich als typisch westlich und liberal angehauchter Halbwüchsiger über das ausufernde kaiserliche Zeremoniell klagte: »Warte, bis du nach China kommst, dort wirst du erfahren, was Zeremoniell ist.« Die chinesischen Kommunisten hatten tatsächlich ein Staatsritual von einer Feierlichkeit und Präzision aufgebaut, das wahrscheinlich alles übertrifft, was Europa in dieser Hinsicht je gekannt hat. Ich durfte noch eine Ahnung davon erfahren, als ich lange nach Maos Tod als Geschäftsmann nach Peking kam und mich dort mit allen Ehren, die auch meinen Vater dort erwartet hatten, empfangen sah, obwohl es doch Kommunisten waren, die den äthiopischen Kaiser gestürzt hatten.

Als ich eingangs sagte, daß ich für dieses Buch keines der vielen berühmten Bücher über die Manieren gelesen habe, war das nicht ganz korrekt: eines habe ich gelesen, lange bevor ich daran dachte, ein eigenes Buch zu schreiben, weil ich die Vorstellung eines kommunistischen Benimm-Buches so kurios fand: *Keine Angst vor guten Sitten* – Karl Kleinschmidt heißt der Autor, ein evangelischer Pfarrer, der der SED sehr nahe stand –, und meine Ausgabe mußte wohl aus den frühen sechziger Jahren stammen. Um es vorwegzunehmen: Nichts hätte weiter von jeder Art von »Proletkult« entfernt sein können als dieses Buch. Kleinschmidt war, von seinem leidenschaftlichen

Kommunismus abgesehen, ein kluger Mann und besaß offenbar einen höchst soliden bürgerlichen Hintergrund. Wenn ich mir vor Augen halte, was für eine Art sozialistischer Realität er als wünschenswertes Ziel vor Augen gehabt haben muß, denke ich an die schönsten Kinderbücher meiner Jugend, die *König Babar*-Bücher von Jean de Brunhoff, die ein aufschlußreiches Zeugnis des französischen Kolonialismus sind. In einem dieser Bände wird König Babars Elefantenstaat dargestellt, wie er nach den Reformen seiner französischen Erzieherin, der alten Dame, auf afrikanischem Boden entstanden ist. König Babars Staat gleicht einer »Phalange« des protosozialistischen Theoretikers Saint-Simon (ein Enkel des Herzogs). Tagsüber arbeiten die Elefanten als Ärzte, Bildhauer, Straßenfeger, Bäckermeister und Generäle, aber abends vereinen sie sich in Frack und Abendkleid im Haus des Volkes und sehen Aufführungen französisch-klassischer Tragödien. So belehrt auch Kleinschmidt erfahren und zutreffend über den Gebrauch von Frack und Zylinder, über das richtige Verhalten bei Austern- und Krebsessen und bemerkt: »Da solche Einladungen offiziellen Charakters heutzutage häufiger an uns ergehen als früher, weil wir heute im Gegensatz zu früher zu denen gehören, die bei solchen Einladungen in Frage kommen, ist es wichtig geworden, sich mit ihrer Form zu befassen.« Er schreibt also vom korrekten Klassenstandpunkt aus von der Klasse der Elefanten, die sich dem Menschsein angenähert haben. Sein Buch ist notwendig geworden, »weil die sozialistische Gesellschaft neue Beziehungen zwischen den Menschen entwickelt hat und diese sich in den guten Sitten widerspiegeln müssen.«

Aber obwohl Kleinschmidt sich zu dem für einen Pfarrer erstaunlichen Satz bekennt: »Man muß sich auf den Standpunkt der Arbeiterklasse stellen, um beurteilen zu können, was gut und was böse ist«, hat er zuviel Vernunft und zuviel gute Erziehung genossen, um sich im Hinblick auf die guten Sitten allein auf den Instinkt der Arbeiterklasse zu verlassen. Dennoch setzt er deutliche Zeichen für einen neuen sozialistischen Stil. Das Aufstehen vor den Damen in der Straßenbahn beispielsweise – Damen gibt es nicht mehr, die Frauen aber sind den Männern gleichgestellt, wieso sollte deshalb ein Mann für eine Frau seinen Platz räumen? Aufgestanden wird für Schwangere, Schwache und Alte. Ganz schlimm findet er, wenn man aufsteht, weil einem die stehende Frau gefällt: »Der Sitzplatz ist als Krankenwagen zu betrachten, nicht als Blumenstrauß.« Überhaupt gilt strenge Scheidung der Verhältnisse. Wenn man mit Freunden im Restaurant gegessen hat, ist es taktlos, sich bei der Abrechnung den anderen mit der Bezahlung aufzudrängen oder gar heimlich zu bezahlen, ohne die anderen zu fragen; das könne als Bestechung aufgefaßt werden oder als Versuch, andere von sich abhängig zu machen.

Ganz fatal ist das Trinkgeldgeben: »Womit haben Kellner und Friseure es verdient, mit solchen Bettelpfennigen beleidigt zu werden?« Da sagten manche: Geld regiert die Welt, aber in der DDR regiere eben nicht mehr das Geld, sondern die Arbeit. Und diese Arbeit werde vom Kollektiv angemessen bezahlt, weshalb sich Zusatzgeschenke erübrigten. Wer den Kellner loben oder tadeln wolle, habe um das Gäste- und Beschwerdebuch des Restaurants zu bitten. Wer einer bedeutenden Persönlichkeit vorgestellt worden sei, der dürfe dies keinesfalls dazu ausnutzen, ihr irgendwelche Bitten in privater Angelegenheit vorzutragen. »Sonderrechte aus einer privaten Bekanntschaft zu ziehen ist eine Übervorteilung der Mitbürger und verträgt sich schlecht mit dem moralischen Antlitz sozialistischer Menschen.«

Es ist auffällig, welch großes Gewicht Kleinschmidt auf die Einhaltung alter Regeln beim Vorstellen legt, durchaus mit Bezug auf die aktuelle politische Realität. So kommt es für ihn nicht in Frage, daß jemand sich einer hochgestellten Persönlichkeit selbst vorstellt, weil eine solche Persönlichkeit sich über die Personen, die ihr vorgestellt werden, vorher unterrichten möchte – und das ist nicht über eine wilhelminische Exzellenz gesagt, sondern über den Parteisekretär! Hier wird die Verbindung zum kommunistischen China spürbar mit seinen bombenfest installierten Rang- und Würdenklassen.

»In einer glücklichen Gesellschaftsordnung ist es selbstverständlich, Gäste zu haben«, heißt es zu Beginn des Kapitels über die Einladungen. Man solle sich aber von niemandem einladen lassen, mit dem man sich nicht verstehe, nur um niemanden zu kränken. Da sei es viel freundlicher, zu sagen: »Sehen Sie, Herr Scheerbarth, unsere Ansichten über die Welt ... sind so grundverschieden, daß wir auf keinen gemeinsamen Nenner kommen. Warum sollen wir uns da gegenseitig lästig werden?« Ist das nun sozialistische Ehrlichkeit, oder ist dem Autor da sein Beruf als Pfarrer in die Quere gekommen, der vor der moralzerrüttenden Gewohnheit der Notlüge warnt? Ich wüßte zu gern, wie viele von Kleinschmidts sozialistischen Lesern sich diese Ermahnung zu Herzen genommen haben.

Im ganzen ist *Keine Angst vor guten Sitten* ein keineswegs unsympathisches Buch, das in seiner gestandenen Bürgerlichkeit auch heute noch hilfreich sein könnte, denn nur der Staat, dem Kleinschmidt dienen wollte, ist untergegangen, während der Brunnen, aus dem er hinsichtlich seiner ästhetischen Maßstäbe schöpfte, noch nicht ganz versiegt ist. Und wenn er dazu rät, Einladungen an Freunde »inhaltlich bedeutungslos« erscheinen zu lassen, indem man sie zu »einem Löffel Suppe« bitte und sie dann mit einem großen Festmahl überrasche, erkenne ich gerührt das bürgerliche Deutschland, das ich bei meinem Eintreffen in Tübingen in den sechziger Jahren noch habe kennenlernen dürfen.

MAN ZIEHT SICH AN

»Mein Vater, mein Bruder und ich betrachteten Nachlässigkeit in bezug auf Äußerlichkeiten als etwas Normales. Wir waren nachlässig im Tragen bürgerlicher Kleidung. Die Ästheten waren bürgerlich im Tragen nachlässiger Kleidung.« G. K. Chesterton, *Autobiographie*

Um das große Sujet der Kleidung irgendwie in den Griff zu bekommen, will ich versuchen, es in vier Kategorien zu fassen, die natürlich ergänzt und untergliedert werden können und nur als Anregung zu begreifen sind.

Die erste Kategorie sollen Trachten, Uniformen, Habite, alle nicht individuell ausgesuchten Kleidungsstücke sein. Sie spielen im Zeitalter des Globalindividualismus – um die ästhetische Massenkultur in einen ihr vielleicht gefälligeren Ausdruck zu kleiden – eine nicht mehr so starke Rolle. Landestrachten werden vor allem in Ländern getragen, in denen es mit dem Globalindividualismus noch nicht so richtig geklappt hat. Die schönste Landestracht von allen – man gestatte mir hier einmal den Ausdruck stolzer Bescheidenheit – ist zweifellos der Festanzug eines Äthiopiers. Er besteht aus einer hochgeschlossenen taillierten weißen Jacke mit vielen Knöpfen und einem Stehbund, engen weißen Jodhpur-Hosen und einer weit fallenden weißen Toga. Das Beste aus griechischer und indischer Kultur ist hier vereint, und dieser Zusammenhang ist freilich unüberbietbar. Getragen wird dieser Anzug zu großen Festen, in die Hand gehört dazu ein Fliegenwedel aus einem Roßschweif. Traditionsbewußte Männer tragen auch noch ein schwarzes Cape, die *Kabba,* mit buntem Samtkragen. Mehr oder weniger stark europäisierte Landestrachten sind vor allem bei den Führungsschichten Afrikas und in Teilen Asiens nicht selten, wo man seine politische Legitimität noch aus dem antikolonialistischen Kampf ableitet. Für den indischen Politiker ist die Nehru-Uniform, der weiße Baumwoll-Pyjama mit der langen Kurta und der ärmellosen geschlossenen, dunkelbraunen oder kamelhaarfarbenen Weste geradezu eine Verpflichtung, jedenfalls wenn er eine Wahlrede hält. Bei den Frauen hält sich, bei starkem Druck westlicher Mode, der in einem durch sein Kastenwesen geprägten Land auffallend klassenlose Sari, der von der Arbeiterin bis zur Immobilienmilliardärin auf gleiche Weise geschlungen wird. In Japan sind die kostbaren alten Trachten Bestandteil des Privat- und Familienlebens, sie finden im wesentlichen hinter verschlossenen Türen Verwendung und tragen durchaus auch eine politische Botschaft.

Den nachhaltigsten Versuch, einen nicht- und antiwestlichen Anzug, der zugleich einen deutlichen Abstand zur alten Tradition halten sollte, durchzusetzen, hat ohne Zweifel Mao Tse-tung mit seinem berühmten Mao-Anzug unternommen, der in Asien aber durch die Kulturrevolution so in Mißkredit geraten ist, daß er selbst in den kommunistischen Führungskadern jetzt verpönt zu sein scheint. In Europa sind die Trachten überwiegend in die Volkstanzgruppen entschwunden. Bretonische Hauben, sardische umwickelte Hirtenwaden, Schwälmer Unterröcke, spanische Mantillas sind vereinzelt bei alten Leuten noch zu sehen, aber nur in Nischen und Winkeln. In Schweden propagiert der Hof eine aus verschiedensten Lokalelementen zusammengesetzte gesamtschwedische Tracht, in der die Königin auch gelegentlich auftritt. In Österreich und Bayern spielt das Trachtenwesen eine für Europa beinahe einzigartige Rolle mit dem wahrscheinlich breitesten gesellschaftlichen Konsensus (Ausführungen dazu in dem Kapitel »Die Hochzeit«), während sonst eine europäische Trachtenanhäufung beinahe immer eine politische Tönung hat – Separatisten, Katholiken oder Reaktionäre stecken hinter diesen Schürzen und Wämsern.

Seitdem die Kriege von friedliebenden Zivilisten geführt werden und die Offiziere nur noch die Rolle von ausführenden Ingenieuren darin haben, hat die militärische Uniform sehr an Ansehen verloren. Ja, es gibt noch den rührend idealistischen Leutnant oder Hauptmann der Bundeswehr, der seine Braut in Uniform – in was für einer! selbst die Zugschaffner sehen besser aus – zum Altar führt, oder den alten General, der in Uniform der Hochzeit seiner Tochter beiwohnt, aber wenn man so etwas in größerem Stil sehen will, muß man schon ins europäische Ausland gehen. Auch hier hat das Uniformtragen außer Dienst sonst aber weitgehend aufgehört. Ich verstehe das eigentlich nicht, denn eine schöne Uniform – und die meisten europäischen Uniformen sind sehr schön – ist der praktischste Gegenstand der Welt, man ist beinahe immer richtig angezogen. Sogar Rußland hat die aus der Zarenzeit stammende, unter Stalin weitergeführte Durchuniformierung der Gesellschaft – es gab sogar eine Studentenuniform – aufgegeben. Diplomatenuniformen sind gleichfalls selten geworden; sie ersetzten den Frack und waren ein letztes Stück höfisches neunzehntes Jahrhundert mit ihrer Goldstickerei und ihrem Degen und Federhut. Will man vierzig solcher Uniformen zusammen sehen, müßte man sich vor der Académie Française aufstellen, wenn ein neuer »Unsterblicher« aufgenommen wird. Die schönste europäische Uniform ist die Uniform der Ritter des »Souveränen Militär-Ordens von Malta«, wie sich dies Subjekt des Völkerrechts offiziell nennt, längst vornehmlich eine humanitäre Hilfsorganisation, die in einer verworrenen Welt den Vorteil eines eigenen diplomatischen Status gut gebrauchen kann. Die Ritter tragen einen am Hals geschlossenen roten Waffenrock mit schwarzem Cordon, Zweispitz mit Straußenfedern und einen Degen; zugänglich ist diese Uniform für die Abkömmlinge der berühmten »sechzehn adligen Ahnen« – wenn man es nur auf fünfzehn bringt, wird neuerdings auch ein Auge zugedrückt. Die katholische Kirche wiederum besaß für ihre Würdenträger ein außerordentlich vorteilhaftes Kleidungsstück, die bodenlange schwarze Soutane, einen taillierten und mit einem breiten, schärpenartigen Band gegürteten Talar, der auf der ganzen Welt als Merkmal des katholischen Priesters bekannt war und es sogar heute noch ist, obwohl nun hauptsächlich in Filmen die Priester Soutane tragen. Trifft man sonst einen Priester in Soutane, gehört er beinahe immer zu der im gegenwärtigen Richtungskampf unterlegenen Fraktion. Alle diese Kleidungsstücke haben eines gemeinsam: Sie dürfen nur von denen getragen werden, die dazu berechtigt oder verpflichtet sind. Sie zu tragen, bloß weil man sie schön findet, verstößt gegen den Geist von Tracht und Uniform und ist eine Vereinnahmung von entweder lächerlichem oder anmaßendem Charakter.

Zum Schluß noch ein Wort zu den vor allem in England üblichen Schul-, Universitäts-, Sportclub- und Regimentskrawatten. In England wird es als mittelschweres soziales Verbrechen angesehen, solche Krawatten zu tragen, wenn man nicht dazu berechtigt ist. Nun sind manche dieser Krawatten sehr hübsch, haben leuchtende Farben und sind aus dicker Seide, aber man sollte doch versuchen, sie nur zu tragen, wenn es denn sein muß, wenn kein Engländer in der Nähe ist – aber wo ist heutzutage kein Engländer in der Nähe?

Meine zweite Kategorie sind die Politiker, die Geschäftsleute, die Industriellen und Anwälte und deren Angestellte, die man daran erkennt, daß sie eleganter als ihre Chefs sind. Die Mode des dunklen Straßenanzugs, die sie vereint, mit schwarzen Schuhen und meist hellblauen oder gestreiften Hemden, teilt sich auf dem Kontinent seit längerem in zwei Schulen: die englische und die italienische. Da die Engländer die europäische Männermode erfunden haben, ist ihre Interpretation der Sache natürlich die authentischere. Englische Schnitte reichen manchmal bis in die zwanziger Jahre zurück. Es gibt zwei Typen von eleganten englischen Anzügen – der eine wirkt, als sei er zu eng, der andere, als sei er zu weit. Wenn man den Gusto dafür hat, sind beide hinreißend schön und ohnehin das einzig Wahre, mit ihren vielen Details aus der Vorkriegszeit, Westen mit Revers, besonders hoch sitzenden

Hosen, rotem Seidenfutter und schräg eingesetzten Rocktaschen; aber sie haben für viele Kontinentaleuropäer den Nachteil, auf unbestimmte Weise nicht jugendlich und elastisch und energiegeladen auszusehen, sondern eher etwas Pompöses, Elitär-Abweisendes zu haben – von dem nicht unbeträchtlichen Preis abgesehen –, das mit dem eigenen Bild von einer dynamischen Persönlichkeit nicht zu vereinbaren ist. Für solche Leute sind die italienischen Anzüge da, aus extrem leichten, manchmal hemdendünnen Stoffen – die dann oft nicht mehr richtig fallen können und den Körper zu umflattern scheinen. Auch die Roßhaarversteifungen, die dem traditionellen Anzug die Form geben, fallen hier weg, die Erscheinung wird im ganzen etwas unauffälliger. Bemerkenswert ist die unterschiedliche Art, die Anzüge zu tragen: Der englische Anzug hat auszusehen, als habe sein Besitzer in ihm geschlafen, ausgebeult, ohne Bügelfalten; der italienische muß geradezu noch den Dampf des Bügeleisens atmen.

In dem genannten Personenkreis ist die Abendgarderobe häufig. Seltsamerweise ist der Frack, der ursprünglich geradezu das Abzeichen der Bourgeoisie war, heute beinahe ausschließlich aristokratischen Familienfesten vorbehalten. Selbst die Dirigenten beginnen sich von ihm zu lösen: Karajan und Boulez propagierten statt dessen eigentümlich geschnittene Jacken und weiße seidene Rollkragenpullover, die niemand außer ihnen wirklich schön fand. Der Frack ist außer der Uniform aber das einzige Kleidungsstück, das das Tragen von Orden erlaubt. Bekommt ein Mann mit Schlips einen Orden umgehängt, sieht er immer aus, als sei er ein prämierter Rüde auf einer Hundeausstellung. Auf der gestärkten weißen Hemdbrust leuchtet das bunte Ordensband hingegen besonders schön. Um der Frack- und Ordensnot abzuhelfen, haben die Regierungen Miniaturorden geschaffen, die zum Smoking erlaubt sein sollen. Nun schließen Smoking und Orden einander im Grunde aus. Der Smoking ist ein Anzug, der Festlichkeit mit Privatheit verbinden wollte. Als er als Rauchjacke von Lord Dupplin in der zweiten Hälfte des neunzehnten Jahrhunderts entwickelt wurde, die man gern im Club zurückließ, bedeutete es, wenn man ihn anzog, daß der offizielle Teil des Abends nun zu Ende sei. Der Smoking darf nur Lampenlicht sehen. Ich las neulich, daß der berühmte Musikkritiker Stuckenschmidt, der offenbar auch in Anzugsfragen skrupulös war, in Bayreuth niemals im Smoking in die Oper gegangen ist, weil die Wagnerschen Riesenwerke meist schon um vier Uhr nachmittags bei strahlendem Sonnenschein beginnen – wie gut verstehe ich diesen Mann; nie fühle ich mich so unwohl, wie wenn das Programm einen zwingt, den Smoking noch bei Tageslicht zu tragen; schon bei Kellnern und Musikmachern ist der Smoking tagsüber fehl am Platz.

Frack und Smoking sind die letzte Gelegenheit für einen Mann, Schmuck zu tragen. Seitdem der Reichtum ein Massenphänomen geworden ist, darf er nicht mehr gezeigt werden. Aber kleine Rubine oder Saphire oder graue oder schwarze Perlen als Hemdknöpfe und Manschettenknöpfe dürfen bei Frack und Smoking noch sein. Lebte August der Starke heute, er könnte von seiner sultanhaften Juwelenpracht nichts tragen. Seltsamerweise ist auch die Krawattennadel in Acht und Bann getan, nur beim Plastron, das ohne sie auseinanderfallen würde, darf sie noch Dienst tun, also zur Chasse à courre oder zu Cut und Gehrock. (Haben Sie schon einmal einen Mann im Gehrock gesehen, außer Churchill natürlich?) Zu diesen Anzügen werden eigentlich schwarze Lackschuhe getragen, eigentlich sogar Lackpumps, die weit ausgeschnitten sind und vorn eine Seidenschleife haben. Wer so etwas noch nie gesehen hat, hält sie für Frauenschuhe. Ist man Gastgeber, kann man solche Pumps auch in schwarzem Samt mit Goldstickerei tragen. Aber in Deutschland wird das in den meisten Fällen Verwunderung auslösen, und Erklärungen – »Das macht man in England so!« – sind so peinlich, daß es einem die kostbaren Pumps auszieht. England hält noch eine weitere Finesse für den Hausherrn parat: Wenn seine Gäste Smoking tragen, darf er im Ornat einer husarenmäßig reich verschnürten Samtjacke in Dunkelrot oder Dunkelgrün dasitzen. So schön es aussieht, richtig selbstverständlich ist dies samtene Dinner-Jackett in Deutschland noch nicht geworden. Auch zum Cutaway, der an den Vormittag gebunden ist und jedenfalls niemals Lampenlicht sehen sollte, lassen sich die Engländer unaufhörlich Variationen einfallen: Sie tragen statt der grauen Weste bunte Phantasiewesten, sie ziehen statt den gestreiften Hosen Glencheck-Hosen an und statt des weißen Hemdes bunt gestreifte mit weißem Kragen. Den Deutschen sei geraten, all solche Späße den unter Dreißigjährigen zu überlassen, ebenso wie die roten Socken zum Smoking. Der graue Zylinder gehört zum Cut wie der schwarze zum Frack. Aber dies ist alles leere Theorie: Man wird viele sehr glanzvolle Hochzeiten finden, bei denen noch nicht einmal der Bräutigam mehr einen Zylinder trägt – dieser seit seiner Erfindung verspottete Hut (»Angströhre« hieß er in der Kaiserzeit) gehört jetzt wohl endgültig dem stilbewußten Schornsteinfeger allein.

Jenseits der beruflichen und feierlichen Sphäre beginnt für den »Homme d'affaire« die Freizeit, der dann ganz andere Kleider entsprechen: Cordhosen, Jeans, Khakihosen, Flanellhosen und braune und grüne Tweedjacken. In England, wo all diese schönen Sachen herstammen, haben die Farben Braun und Grün sich ausschließlich auf dem Land aufzuhalten. Das unzentrierte Deutschland, in dem der Stadt-Land-Gegensatz nie derart kultiviert worden ist, erlaubt diese »ländliche« Kleidung außerhalb der Büros auch in der Stadt. Den Kombinationsmöglichkeiten ist bei diesem Privatheit signalisierenden Stil kein Ende gesetzt, hier werden nun plötzlich auch Farben gesehen, obwohl die Modewellen der roten und gelben Pullover immer mit Vorsicht zu genießen waren; mancher alte Fatz denkt heute beschämt daran, daß auch er vor zwanzig Jahren einmal einen gelben Kaschmirpullover besessen hat. Die Gruppe der Geschäftsleute macht bei den Schuhen überhaupt keine Moden mit, bei ihnen geht es immer um dieselben schwarzen und braunen Budapester und Kappenschuhe. Der strenge Grundsatz »after six no brown« ist in Deutschland treu gelernt worden, in England hält sich kein Mensch daran.

Richtig unerbittlich mit den *scarpe di cerimonia* ist nur der Süden, wo man indessen bei Nordmenschen, die in Holzhäusern in der ewigen Kälte wohnen, über jeden Fehler barmherzig hinwegsieht.

Von dieser, am ehesten internationalen Gewohnheiten folgenden Gruppe hebt sich nun als dritte Kategorie die der Freiberuflichen, der Ärzte, Künstler, Werbeleute, Journalisten ab. In Frankreich hat man für dieses Milieu, sofern es eine gewisse wirtschaftliche Unabhängigkeit erreicht hat, die Bezeichnung »Bobo«, »bohèmiens-bourgeois« eingeführt. Wenn man diese Leute von der zweiten Kategorie unterscheiden möchte, könnte man, in satirischer Überspitzung, sagen, daß sie den Anzug anziehen, wenn ihn die andern ausziehen. Gemeint ist damit auf jeden Fall, daß sie ihre Arbeit nicht in einem Anzug leisten. Der Anzug ist, wenn überhaupt, besonderen Gelegenheiten vorbehalten. Man hat meist den Kleidungsstil der Studentenzeit beibehalten und ihn, gelegentlich jedenfalls, ins Teure gesteigert. Was in diesen Kreisen nicht oder nur höchst ausnahmsweise erscheint, ist, wie bereits erwähnt, die Krawatte. Die Krawatte ist seit 1968 in diesem Milieu geächtet. Das kann man genauso sicher datieren wie das folgenreiche Ereignis in *It Happened One Night* – jenem Film mit Clark Gable und Claudette Colbert, in dessen Verlauf sich herausstellte, daß Clark Gable kein Unterhemd anhatte, woraufhin die jungen Männer in der ganzen Welt auch kein Unterhemd mehr trugen. Wer in diesem Milieu zur Krawatte zurückkehrt, hat dafür Gründe, etwa daß er Außenminister wird; im Landeskabinett bleibt der Hals noch frei. Ansonsten werden T-Shirts, teure Pullover, leichte italienische Jacken, Lederjacken aller Art getragen. Es gibt auch eine gewisse Neigung, jeweils propagierte Moden mitzumachen, Sportschuhe zu tragen, gerade propagierte Farben und neue Schnitte aufzugreifen. Der Stil ändert sich je nach Tageszeit und Anlaß kaum; umziehen heißt hier ein frisches Hemd anziehen.

Eine Besonderheit haben die Künstler aller Sparten entwickelt: das Künstlerschwarz. Seit die katholischen Priester das Schwarz abgelegt haben, haben die Künstler es übernommen, in dem richtigen Instinkt, daß ihnen in der säkularisierten Gesellschaft das vakante Priesteramt zugefallen ist – und man vergesse angesichts provozierender und aggressiver Künstler nicht, daß es einst nicht nur die salbungsvolle Spielart der Priester gab; es gab auch die »aufrüttelnden« und »unbequemen« Fastenprediger, die der »Gesellschaft unerbittlich den Spiegel vorhielten«. Dies Künstlerschwarz wird gern auch in Form eines am Hals zugeknöpften schwarzen Hemdes getragen – das Am-Hals-Zuknöpfen ohne Krawatte gilt in bourgeoisem Milieu als Ausweis gesellschaftlicher Ahnungslosigkeit. Ich glaube aber nicht, daß hier eine bewußte Herausforderung der Künstler vorliegt, weil sie meist die Kleiderregeln der Bourgeoisie gar nicht kennen. In Deutschland gibt es kaum eine Vermischung der gesellschaftlichen Sphären – es herrscht zwar Klassenlosigkeit, aber es scheint sich statt der Klassen eine Art tribalistisches Bewußtsein gebildet zu haben, das den Mitgliedern des einen Stammes rät, tunlichst ihre Zebus nicht in den Jagdgründen des anderen Stammes weiden zu lassen.

Wenn ich in der folgenden vierten Kategorie den weitaus größten Teil des Volkes auslasse, tue ich dies in dem Bewußtsein, daß diese Majorität sich wiederum in zwei Teile aufspaltet, die in abgeschwächter und etwas standardisierterer Form einer der beiden vorangegangenen Kategorien folgen. Etwas vollkommen anderes aber ist die ästhetische Erscheinung einer Gruppe, die ich mit schlechtem Gewissen »Proletariat« nenne, weil sie mit den soziologischen Maßstäben, die klassischerweise das Proletariat bestimmt haben, eigentlich nicht zu erfassen ist. Sie ist keine Gruppe von ausgeprägtem politischem Bewußtsein, sie ist nicht reich, aber auch nicht verelendet, sie ist keine Quelle des Aufruhrs. Sie ist keine »Unterklasse«, weil zur Unterklasse irgendeine Art von Bezogenheit auf die Oberklasse gehört, irgendein Dienst- oder Ausnutzungs- oder Erpressungsverhältnis, durchaus auch wechselseitig, ein Aufblicken und ein Hinabblicken. Bei der großen Gruppe, die ich hilfloserweise immer noch Proletariat nenne, gibt es das alles nicht. Sie hat sich eben nur, ohne die mindeste Aggression oder ein aus Standesbewußtsein stammendes Abgrenzungsbedürfnis von der bürgerlichen Welt verabschiedet, die bei der oberen Mittelschicht beginnt – die obere Mittelschicht ist die oberste Schicht, über ihr gibt es nichts – und beim Kleinbürgertum endet. Die ästhetischen Brücken zwischen Bourgeoisie und Proletariat sind abgebrochen. In der Lebensform des Proletariats, die sich in der Kleidung sehr gut ausdrückt, ist keinerlei Ableitung oder Beziehung zu bürgerlichen Empfindungen und Bewertungen mehr enthalten. Hier schließt sich der deutsche »Tribalismus« an den europäischen an. Die Demokratie hat eine gesellschaftliche Situation geschaffen, in der es innerhalb desselben Volkes wirklich zwei Departements gibt, die nicht miteinander in Verbindung stehen, eine für die Feudalgesellschaft unvorstellbare Situation, eine rein bürgerliche Errungenschaft. Der Proletarier steht meist zu keiner Religion mehr in Verbindung, seine Kinder feiern Riten, die an synkretistische spätantike Sklavenreligionen zwischen Cargo-Kult und Satanismus gemahnen. Sie lassen sich eine Glatze scheren oder verkleben das Haar zu stachligen Landschaften, sie lassen sich jeden erdenklichen Körperteil durchbohren und mit Nadeln spicken, sie tragen übertrieben aufgebauschtes oder übertrieben enges Zeug, das mit seinen Nieten und Nägeln und Stacheldraht-Verzierungen an von Hieronymus Bosch entworfene Landsknechtstrachten erinnert, knallbunt, zerfetzt, zerschlitzt. Die Eltern leben im Jogginganzug, dem demokratischsten Kleidungsstück, denn es stülpt über jede Physis, über die prachtvolle und die kümmerliche, den formlosen Sack. Die Übermenschen, zu denen der Proletarier in brüderlicher Vertraulichkeit aufblickt, die Fußballer, Rockstars und Aktmodelle mit ihrer auf dem Operationstisch entstandenen Vollkommenheit, schüchtern ihn nicht ein, denn sie versichern wie durch ein Zauberwort gebannte Feen, ihm dienen zu wollen. Tausendundeine Nacht ist Wirklichkeit geworden:

Aladin, der Schuhflicker mit der Zauberlampe; die Lampe ist natürlich das Fernsehen.

Man glaube nicht, daß ich hier irgend etwas beklage, aber ich lege nahe, den eindrucksvollen Wechsel in der ästhetischen Erscheinung der untersten Schichten einmal genau zu bedenken. Ein Photo mit streikenden Arbeitern um 1900 zeigt eine Menge in schwarzen Anzügen mit schwarzen Melonen auf dem Kopf. Mit diesem Typ Proletarier gedachten Bebel und Lenin und Mussolini Staat zu machen. Welches Staatsbild entspricht dem Unisex-Jogginganzug? Wenn man zu einem wohlwollenden Proletarier, der mit nacktem Oberkörper durch eine spanische Stadt läuft, sagen würde, daß er hier so nicht herumlaufen könne, dies sei eine Stadt und kein Strandbad, er solle sich kleiden, wie er es zu Hause in der Stadt tun würde, wäre die erstaunte Antwort: »Aber das tue ich doch gerade!« Recht hätte der Mann.

Vielleicht hat man inzwischen mit Verwunderung festgestellt, daß ich bisher nicht von den Frauen gesprochen habe. Die Frauen selbst werden schon wissen, warum. Das ganze System der weiblichen Mode hat sich verflüchtigt. Eine Freundin besuchte eine kleiderbesessene Pariserin, deren Schrankzimmer Hunderte von kostbaren Toiletten enthielt. Nachdem sie das alles gezeigt hatte, sagte sie: »Et enfin, je mets toujours mes jeans.« Tableau! Das heißt natürlich nicht, daß es nicht immer noch Abendkleider und Straßenkostüme und Sommerkleider und Cocktailkleider und »Kleine Schwarze« und so fort geben würde, und es heißt auch nicht, daß die alten Damen, die sich genau an diese Kategorien halten würden, schon alle gestorben sind, zum Glück nicht. Es heißt auch nicht, daß die europäischen Königinnen nicht zum ersten Mal in der Geschichte der Monarchie einen Stil entwickelt hätten, den nur Königinnen tragen – grüner Hut, grüner Seidenschal, grünes Kleid, grüner Mantel, grüne Schuhe, grüne Handschuhe, grüne Handtasche, grüner Gürtel –, aber das alles besitzt nicht die mindeste Verbindlichkeit mehr. Provokationen und Brüche mit Konventionen gibt es nicht mehr. Eine Freundin erzählte mir, wie sie zu ihrem ersten Liebhaber kam. Sie saß Anfang der siebziger Jahre in einem besonders kurzen Minirock in einem spanischen Eisenbahnabteil, und der Mann ihr gegenüber zog seine Jacke aus und legte sie über ihre Knie – eine heute völlig undenkbar gewordene Szene, auch in Spanien.

Welcher Kategorie ein von einem modernen Modeschöpfer entworfenes Kleid angehört, kann man nur von Fall zu Fall sagen. Es gibt sehr elegante Frauen, die mit winzigen Kleiderbündeln, die in tausend Falten zusammengepreßt sind, über die Kontinente reisen und darin für die morgendliche Geschäftsbesprechung und das nächtliche Smokingdinner gleichermaßen richtig angezogen sind. Natürlich würde eine Frau ein großes Fest nicht in Blue jeans besuchen, aber was ist mit einem Abendkleid aus Jeansstoff, dazu eine Platin-Fahrradkette als Kollier und eine zerknautschte Cola-Dose mit Smaragdverschluß als Handtasche? Sie soll nicht in Hosen zu einem Ball gehen, aber wie wäre es mit einem Smoking, wie es die Dietrich oder die Deneuve getan haben?

Ich kenne eine schöne Frau, die Abendkleider aus den fünfziger Jahren anzieht, um ihre Hühner zu füttern; eine andere trägt ausschließlich mühsam auf Versteigerungen zusammengetragene Kostüme der dreißiger Jahre. Wieder eine andere ist vollständig zu Männerkleidung konvertiert, sie würde nie etwas anziehen, was nicht auch ein Mann tragen könnte. Dazu die Beobachtung, daß es auch auf dem Gebiet der Uniform immer mehr die Tendenz gibt, Frauen in Männerkleidung zu stecken – im Zeichen des Feminismus nebenbei. Kellnerinnen mit Weste und Smokingschleife, Polizistinnen und Schaffnerinnen sogar mit Krawatten, Meßdienerinnen in dem rein männlichen kirchlichen Talar finden auf weiblicher Seite erstaunlicherweise nicht den mindesten Widerstand. Es gibt Frauen, die sich von jeder Mode losgesagt haben und nur noch schwarze Pullover tragen, Frauen in exotischen Gewändern aus Japan und Indien, Landadelige, die ihr Leben in Twinset und Flanellrock zubringen, und dazwischen immer noch »angezogene« Frauen in der der Tageszeit entsprechenden Kleidung, die aber den vielen anderen dadurch in keiner Weise überlegen sind.

Solch vollständige Freiheit pflegt nur kurz zu dauern, und sie wird meist von einer eher grauen, gleichförmigen Epoche abgelöst, die sich ja nebenbei bereits abzeichnet: Ich erinnere nur an den bereits in anderem Zusammenhang erwähnten Jogginganzug. Hoffentlich versagen meine prophetischen Gaben, während ich mir alle großen Damen und kleinen Mädchen zu jeder Gelegenheit in exquisiten grau-grünen Jogginganzügen aus edelstem Pashmina vorstelle.

Die Sprache

»In keiner Sprache kann man sich so schwer verständigen wie in der Sprache.«
Karl Kraus

Als ich nach Deutschland kam, schwamm das ganze Land im Melodienrausch von *My Fair Lady;* viele Theater spielten das Stück, und die Musik kannte jeder. Dabei hätte man eigentlich sicher sein müssen, daß gerade dieses Stück, das auf Bernard Shaws *Pygmalion* bezogen war, in Deutschland nie und nimmer eine Chance hätte, verstanden zu werden. Man erinnere sich der wesentlichen These des Stücks: Der Linguistikprofessor Higgins behauptet, daß es ihm gelingen werde, allein durch Sprachtraining, und zwar vor allem durch Akzenttraining und Übermittlung des entsprechenden Vokabulars, aus einem Mädchen des Proletariats ein Mitglied der englischen Oberschicht zu machen. Shaw hat das Stück in satirischer Absicht geschrieben, seine These strapaziert die Realität, aber sie ist nicht gänzlich unrealistisch.

Die Sprache ist in der englischen Klassengesellschaft bis heute ein Mittel, Klassenidentitäten zu schaffen und gegeneinander sorgfältig abzugrenzen, obwohl in der Sprache in England wie überall die Dinge in stetem Fluß sind und das, was zu Shaws Zeit zweifelsfrei »upper-class«-Sprache war, es heute nicht mehr unbedingt ist. Sprachformen und Akzente werden in England von früher Jugend an sehr bewußt gepflegt. Man kann einem alten Mann anhören, in welche der berühmten Schulen er als Knabe gegangen ist. Die alten Universitäten kultivieren ihren spezifischen Tonfall, das Militär desgleichen. Für die Aufsteiger wurde lange Zeit das BBC-Englisch typisch, ein gleichsam chemisch gereinigtes Englisch von nadelspitzer Präzision; das ist nun bei den Intellektuellen wieder stark aus der Mode gekommen und gilt geradezu als Inbegriff des Spießigen, während Politiker, Schriftsteller und andere Größen des öffentlichen Lebens etwas pflegen, was beinahe jahrhundertelang verpönt war: die regionalen Dialekte oder zumindest Anklänge davon. Aber immer noch bringen englische Oberschichtmünder unnachahmliche Vokaltrübungen, Silbendehnungen, ein leichtes Stottern, ein beinahe unhörbares Flüstern hervor, und das Ganze mit der Attitüde, als stehe der Sprecher kurz davor, während seines Diskurses ein kurzes Schläfchen zu halten. Natürlich gibt es auf Professor Higgins' Spuren auch Leute, die versuchen, das nachzuahmen, und die, wenn sie Schauspieler sind, damit auch Erfolg haben mögen, aber man glaube nicht, daß die Bemerkung, jemand spreche »wie Noël Coward« oder »wie David Niven« ein Kompliment enthalte – die Rede ist dann von einem in seinen Bemühungen zwar weit gelangten Snob, dessen Scheitern ihn dafür aber um so tiefer fallen läßt.

Die Schriftstellerin Nancy Mitford hat eine ziemlich holzschnittartige Kategorisierung populär gemacht: den »U-Speaker« und den »Non-U-Speaker«, den Sprecher der Oberklassensprache und denjenigen, der diese Sprache nicht beherrscht (als Wichtigstes sollte man sich zunächst einprägen, daß diese simplen, aber hilfreichen »U«- und »Non-U«-Kategorien selbst nun vollständig »Non-U« sind, was auf die Unterschiede, die sie bezeichnet haben, allerdings nicht zutrifft). Eliza Dolittle aus *Pygmalion* mußte also, nachdem sie ihren Cockney-Akzent wegtrainiert hatte, lernen, daß sie zum Fahrrad »bike« zu sagen hatte anstatt wie vorher in der Gosse »cycle«, daß ihr Gemüse »vegetables« hieß und nicht »greens«, daß sie nicht in einem »home« wohnte, sondern in einem »house«, daß sie, wenn sie seekrank wurde, »sick« war und nicht »ill«, daß ihr launischer Mentor Higgins »rich« war und nicht »wealthy«, daß seine Brille »spectacles« hieß und nicht »glasses«, daß Süßspeisen »puddings« waren und nicht »sweets« und daß man, wenn man zuviel davon aß, eines Tages »false teeth« bekommen würde und keine »dentures«.

Wenn wir beiseite lassen, wie unerhört schwer es ist, einen Akzent abzulegen – Engländer, die irgendeine fremde Sprache zu sprechen versuchen, sind der beste Beweis –, müssen wir feststellen, daß die arme Eliza Dolittle es so einfach in Deutschland nicht gehabt hätte. Die deutschen Verhältnisse sind ungleich schwerer auf einen Begriff zu bringen und schon gar nicht auf »U« und »Non-U« (ich höre meine englischen Freunde scharf protestieren: Auch in England sei das nicht möglich!, und schiebe die gesamte Verantwortung auf Miss Mitford). Von berufener Seite habe ich mir sagen lassen, daß die deutsche Hochsprache ein Geschöpf der Universitäten, der Juristen, Pfarrer und Philologen sei, an dem die Oberschicht, die regierende Aristokratie, sehr lange überhaupt kein Interesse zeigte. Der Preußenheros Friedrich II. sprach nur ein deutsches Volapük, wenn die hybride Bildung gestattet ist (sein Französisch scheint aber, wenn wir Monsieur de Voltaire, seinem giftigen Freund, glauben wollen, auch nicht ganz hasenrein gewesen zu sein), und Friedrich Wilhelm III., Preußens bürgerliches Königsidol, sprach nur in Infinitiven: »Anständiger Kerl sein!« hieß es, wenn er jemandem etwas Gutes nachsagen wollte. Die deutschen Regionen sprachen ihre Dialekte, in allen Schattierungen, vom ausgeprägten Platt bis zu einem Hochdeutsch, das vom örtlichen Akzent stark gezeichnet war. Um auch einmal einen Vergleich mit Frankreich zu versuchen: Dort schreibt Marcel Proust über seine treue bäuerliche Dienerin Françoise, sie habe das reinste Französisch gesprochen, das er je gehört habe. In Deutschland hätte dieser Satz, wenn ich das richtig verstanden habe, nie geschrieben werden können. Hier hätte es bei einer Frau aus vergleichbaren Umständen heißen müssen: Sie sprach das kraftvollste Bairisch, das originellste Kölsch, das kernigste Ostpreußisch, aber niemals das reinste Hochdeutsch. Nach allem, was ich auf meine beständigen Erkundigungen höre, ist Deutsch eine Sprache, die von nur sehr wenigen Menschen gesprochen wird. Auf meine Frage, welche Sprache denn auf deutschen Schulen und von den Lehrern der Goethe-Institute gelehrt werde –

höhnisches Gelächter. Aber die Zeitungen? Vorsicht, wurde gerufen, Vorsicht! Und die Literatur, die in kurzen Abständen immerhin zwei Nobelpreisträger hervorgebracht habe? Ich möge mich in puncto richtiges Deutsch bitte nicht an die zeitgenössische Literatur halten, bekam ich da streng zu hören. Und was ist mit Thomas Mann? Ein vorzügliches Deutsch, ein unübertrefflich geschliffenes Deutsch, hieß es da, aber zu speziell, um allgemein verbindlich zu sein, zu sehr Gruppen- und Klassensprache, norddeutsch-protestantisch-akademischer Mittelstand, und in diesem Sinne wurde alles, was ich anbrachte, regional und sozial eingeschränkt und war niemals das wirklich reine, das wirklich makellose Hochdeutsch.

Wie spricht also die deutsche Entsprechung zu dem, was bei Nancy Mitford »upper class« heißt und was man im Deutschen als viel weniger scharf umgrenztes, viel weniger präzis zu definierendes Gebilde eben nicht einfach »Oberklasse« nennen kann? Ich helfe mir, wie man schon öfter gesehen hat, mit solchen feuilletonistischen Wendungen wie »schöne Welt« oder »elegante Leute« oder, wenn die Bemerkung einen Stich ins Boshafte bekommen soll, »bessere Leute« aus, um dies Gemisch aus Aristokraten, Bankiers, Rechtsanwälten, Kaufleuten und nur sehr vereinzelten, sehr untypischen Politikern und beinahe gar keinen Künstlern zu erfassen, das mit dem Begriff »Manieren« noch die Vorstellung von irgend etwas Notwendigem, selbstverständlich Wünschenswertem verbindet. Das Land, mit dem ich die deutschen Verhältnisse noch am ehesten vergleichen möchte, ist Italien, das wie Deutschland auch erst spät zum zentral organisierten Nationalstaat gefunden hat. Dort sind die Dialekte in allen Schichten der Gesellschaft noch in Gebrauch, jedenfalls bestimmte, wie das Venezianische, das Toskanische oder das Neapolitanische; das heißt, auch die Gebildeten, die Intellektuellen, die wohlhabenden Leute et cetera sprechen diese Dialekte oder beherrschen sie doch wenigstens und gebrauchen sie in der Familie oder wenn sie auf dem Lande sind. Und so auch in Deutschland, könnte man sagen, aber eben nicht überall – und in welcher Art der jeweilige Dialekt gesprochen wird, das spielt auch eine Rolle. In Süddeutschland, das heißt in Bayern und Schwaben, ist ein leichter Anklang des Dialekts nicht nur gesellschaftsfähig, sondern eigentlich sogar erwünscht. Gerade die Bayern, auch wenn sie ihr Leben in einer Großstadtkanzlei oder im Flugzeug zubringen, spielen gern die Bauern. Mit der Abschaffung des Bauernstandes durch die moderne Industriegesellschaft ist den Bauern vor allem in den früher einmal vorwiegend agrarischen Gebieten ein numinoser Reiz zugewachsen. Wer sich am Wochenende auf seinem Landgut, seinem kleinen Schloß, seiner Jagdhütte in zünftiges Loden gehüllt herumtreiben möchte, braucht zur Ergänzung dieser bukolischen Allüren den nicht mehr vorhandenen Bauern, und weil der, wie gesagt, eben nicht mehr da ist, muß man den Bauern selber spielen, indem man lauter Dinge tut, die ein richtiger Bauer niemals getan hätte – spazierengehen zum Beispiel. Und das Dialektsprechen gehört natürlich auch dazu.

In den Ländern Österreichs und in der Schweiz ist der deutsche Akzent und Dialektanklang geradezu *de rigueur.* Die meisten Wiener können ein chemisch reines Hochdeutsch mit leicht Berliner-»preußischem« Anklang auf geradezu unheimliche Weise gut nachmachen; und das klingt aus ihren Mündern derart gemein, borniert und peinlich, daß man die sensibleren »Piefkes«, wie die »Reichsdeutschen« in Österreich durchaus noch immer genannt werden, erbleichen sieht. Wien pflegt mit seinem »Schönbrunner Deutsch« etwas den englischen Upper-class-Akzenten gut Vergleichbares. Da schwingt sich ein gewisses Nasalieren, eine eigentümlich schamlose Dehnung, eine schläfrige Sprachmelodie, der Gestus, zugleich überaus erstaunt und desinteressiert zu sein, für einen Nicht-Wiener vielleicht gar nicht einmal unmöglich nachzumachen. Aber dem nützt es nichts, denn er darf sich nicht unterstehen, ernsthaft so zu sprechen und gar das »Schönbrunner Deutsch«, ohne durch Herkunft dazu berechtigt zu sein, annehmen zu wollen, es wäre die soziale Lächerlichkeit nicht zu überbieten.

Der Wiener jedoch, der nun etwa aus dem schon legendär proletarischen Ottakring stammt (was so proletarisch gar nicht mehr ist und sehr schöne Straßenzüge und Kaffeehäuser hat), oder aus der Brigittenau oder Hernals, um andere altehrwürdig proletarische Adressen zu nennen, kann das »Schönbrunner Deutsch« niemals erlernen, weil ihn das »dicke L«, Hauptabzeichen der phonetischen Vulgarität, daran hindert; das »dicke L« ist unablegbar, dem Vernehmen nach, und also ein wirkliches Kastenmerkmal.

Sächsisch hat in Deutschland eine schlechte Presse – warum, darüber kann ich nur rätseln: weil Sachsen der erste deutsche Industriestaat war vielleicht, weil deren Bewohner als die »tüchtigsten« galten – die »Tüchtigen« sind sogar im alten Deutschland, dem legendären Land der »Tüchtigen«, unbeliebt gewesen –, überallhin reisend, überall ihre Nasen hineinsteckend? Weil sie später so perfekte Kommunisten waren? Vulgäres Sächsisch aus Chemnitz klingt tatsächlich recht zerknautscht und verformt, aber das residenzstädtische feine Dresdner Sächsisch hat etwas sehr Gebildetes. Natürlich sprach das auch der Monarch, und auch Richard Wagner legte es nicht ab. Dieser leichte Dresdner Anklang kann, wenn sehr leicht, jedenfalls nicht schaden.

Preußische Beamte, preußische Offiziere und Aristokraten, aber auch Professoren, Richter und elegante Bürgerdamen kultivierten ein deutliches leichtes Berlinisch. Das grobe Berlinisch ist ganz und gar nicht gesellschaftsfähig, aber der Berliner Anklang wurde gern betont – es war auch ein Verhalten damit verbunden, das als regelrechte Haltung verstanden werden wollte, skeptisch, keck, unbeeindruckbar. Aber ich habe auch viele Berliner und Leute märkischer Herkunft erlebt, die jeden Dialekt oder Akzent abgelegt hatten und nur eine leichte Tonlosigkeit, ein betont leidenschaftsloses Sprechen an seine Stelle gesetzt hatten.

In Hamburg darf die Hamburger Herkunft durch leichtes Näseln spürbar werden, wobei es zum Althamburger Großbürgertum wie auch etwa zum Mecklenburger Adel gehörte, das richtige breite Platt ebenso zu beherrschen, um mit den Leuten am Hafen sprechen zu können oder mit den Mecklenburger Bauern. Auch in leichtem Anklang ist ein Ruhrgebietsakzent, auch das angrenzende Westfälische keine Empfehlung. Dem Pfälzischen von Mannheim und Ludwigshafen konnte auch ein Bundeskanzler keinen verführerischen Reiz mitgeben. Außerhalb von Köln wird auch der Kölner Dialekt nicht gern gehört, aber in Köln muß wenigstens ein Anklang davon dasein, wenn man in dieser Stadt auf Dauer Erfolg haben will. Köln ist die deutsche Stadt mit der, ich möchte sagen, heftigsten Identität, unter den italienischen Städten vielleicht am ehesten mit Neapel zu vergleichen. Auch als eleganter Mann muß man in Köln Gusto für Kölner Vulgarität entwickeln, sonst suche man sich einen anderen Wirkungskreis. Aber exportierbar wie etwa der Geist von Wien und München mit seinen eindeutigen gesellschaftlichen Signalen ist der Kölner nicht. Das Frankfurterische gilt auch nicht mehr als salonfähig – erstaunlich bei einer Stadt mit großer Bürgertradition –, aber bis vor nicht langer Zeit war dies anders: Bis zum Zweiten Weltkrieg sprach man auch in der Finanzgesellschaft und im Patriziat Frankfurterisch, natürlich auch hier in gemäßigtem, zum Akzent verdünntem Ton.

Von den untergegangenen Dialekten Pommerns und Schlesiens und Ostpreußens kann ich nicht handeln, aber ich will zum Schluß doch einen Akzent erwähnen, der gleichfalls zum Untergang bestimmt ist, den ich aber durch eine Reihe von Freunden noch lebendig erleben durfte und sofort hinreißend fand: den Akzent der deutschen Balten. Die deutschen Balten hatten sich zwischen Rußland und Deutschland eine eigentümliche Souveränität bewahrt, die in Unbekümmertheit, Weltläufigkeit und großer Freiheit zum Ausdruck kam, und ihr Akzent klang in meinen Ohren so erfrischend provozierend und knorrig, daß ich der Versuchung nicht widerstehen konnte, ihn zu lernen, eine fruchtlose Kunst, denn Menschen in meinem Alter können mit all dem, was dieser Akzent evoziert, überhaupt nichts mehr anfangen. So habe ich denn als einziger Äthiopier, wie ich, ohne es nachprüfen zu können, behaupte, einen deutschen Akzent gelernt, dessen letzte lebende *native speakers,* wenn sie jung sind, das fünfundsechzigste Jahr überschritten haben. Grandseigneuraler, das kann ich versichern, ist in Deutschland sicher niemals deutsch gesprochen worden.

Diese wenigen und unvollständigen Beobachtungen zum Gebrauch des Dialektes in der Gesellschaft müssen genügen. Wichtig ist, daß Deutschland trotz geläufig hochdeutsch sprechender Fernsehansager und Rundfunksprecher mit ihren wohlklingenden künstlichen Bühnenstimmen derart regional geprägt ist, daß gerade ein Ausländer darüber staunt, wie wenig es bei einer gewissen Kenntnis gelingt, »den deutschen Tonfall an sich« zu erfassen. Eine größere Monotonie, eine weniger ausgeprägte Sprachmelodie als in anderen Sprachen sind vielleicht das wesentliche Merkmal, das die gebildeten Sprecher vereint. In dieser Hinsicht hat sich die Künstlichkeit des Hochdeutschen durchgesetzt.

Um vor lauter Differenzierung nicht allzu frustrierend zu wirken, will ich aber nun doch noch auf Sprachmerkmale zu sprechen kommen, die nach meiner Beobachtung für die Gewohnheiten der erwähnten Schönen Welt bezeichnend sind. An anderer Stelle habe ich schon festgestellt, daß die Gesellschaft grundsätzlich dazu neigt, das Formelhafte zu ächten, wie es sich im gesellschaftlichen Gebrauch der vorangegangenen Jahrhunderte entwickelt hatte. Für einen Äthiopier, oder insbesondere auch für einen Orientalen, ist die ästhetische Aversion gegen die gesellschaftliche Formel etwas sehr Rätselhaftes, denn das äthiopische und arabische oder persische oder indische Leben besteht aus einer Fülle von Formeln – ganz abgesehen davon, daß den Europäern die restlose Vermeidung der Formel natürlich überhaupt nicht gelingt, sie verwenden nur ein bißchen weniger abgegriffen erscheinende. Wenn unser *Dabtara,* eine Art religiöser Barde, zu einem Familienfest oder einem großen religiösen Fest einen Gesang dichtete, der bei der Tafel vorgetragen wurde, bestand dies Werk zu mindestens vier Fünfteln aus Formeln, und das war gerade das Schöne daran. Mit einem von ihm höchstselbst ausgedachten Bilderschatz hätte er seine Aufgabe, die eine rituelle war, viel weniger gut ausgeführt. Die Europäer kennen solche Lyrik auch und rechnen sie zu ihrem kostbarsten Besitz; ich denke da an die Hymnen Homers und Pindars, wobei ich unseren Haus- und Hofpoeten, der inzwischen hoffentlich auf dem Parnaß ewige Wonnen genießt, nicht mit Homer und Pindar vergleichen will. Aber auch im Alltäglichen sind Begrüßungen und ein großer Teil der Unterhaltung – bevor man »zur Sache« kommt – formelhaft und auf Formeln beruhend. Man vollzieht auch im täglichen Leben eine Fülle von Gemeinsamkeit und Verbindlichkeit stiftenden Ritualen miteinander, und das ist im Westen eigentlich nicht anders, nur daß es die Sicherheit der institutionellen Formel nicht mehr gibt und deshalb niemand so genau weiß, wann man sich noch im formellen Bereich bewegt und wann man ihn verlassen hat.

Hier kommt nun eine kleine Sammlung, keineswegs eine vollständige, von Formeln, die für denjenigen, der einen besonders weltläufigen Eindruck machen möchte, von katastrophaler Wirkung sind. Es beginnt bei der Vorstellung. »Das ist Herr Müller.« Die Antwort, die nicht kommen darf: »Sehr erfreut.« Man versteht nun schon, worauf dies hinausläuft: »Treten Sie näher!« – »Greifen Sie zu!« – »Halten Sie Platz!« – »Ich bin so frei!« – »Ich habe nichts gesagt.« – »Gute Besserung!« Den verbotenen »Guten Appetit« haben wir ja schon gehabt. Dafür fällt mir aber jetzt noch ein schönes Aber-Beispiel ein: »Ich esse mit gutem Appetit« – diese Feststellung können einem die Richter über den guten Geschmack nicht verbieten. Fehlt noch etwas? »Gesundheit!« – »Wohl bekomm's!« – »Gesegnete Mahlzeit!« Eigentlich schade, daß dieser Rest eines Tischgebetes nun auch noch unter den Tisch fallen muß; hingegen ist das bloße »Mahlzeit!«, in Büros und Ämtern um die Mittagszeit selbst dann geschmettert, wenn man gar nicht vor seinem Essen sitzt, ganz offenkundig für jedermann als scheußlich erkennbar.

Nancy Mitford hat für die ihr teuren »U-Speakers« einen guten Rat bereit, wenn ihnen jemand auf einen Dank mit »Welcome!« antwortet oder beim Abschied »Nice to meet you!« sagt, oder wenn jemand vor dem Trinken in den Ruf »Cheers!« ausbricht. Dem würdevollen »U-Speaker« bleibe in solchen Situationen nichts als Schweigen, und man sieht die entsprechende Lady oder den entsprechenden Gentleman eingehüllt in eine Wolke aus dünnem Hohn und eisiger Indigniertheit vor sich. Ich fürchte, das Upper-class-Ideal von Miss Mitford hat für meinen Geschmack zu viel Defensives an sich. Dies beleidigte Schweigen verrät ein Mit-dem-Rücken-zur-Wand-Stehen, und ich denke mir immer noch, ein seiner ästhetischen Mittel sicherer Mensch müßte aus dieser Sicherheit vor allem Lebensfreude beziehen und nicht den Anlaß zu vielfältiger Gekränktheit. Ich verstehe gut, daß man den Ruf »Mahlzeit« ungern echoartig erwidern möchte, aber das muß, vor allem wenn er einem von einem freundlichen, gutartigen Menschen entboten worden ist, doch nicht heißen, daß man ihn mit verbiestertem Schweigen quittiert. Man kann irgend etwas anderes sagen, um eine gutgemeinte Geste – wir wissen es ja, gut gemeint ist das Gegenteil von gut – nicht auflaufen zu lassen; es sei denn, wir verfielen in den grotesken Ehrgeiz, die Kollegen im Büro zu Mitfordschen Standards genügenden »U-Speakers« zu erziehen.

Nun beginnen wir also mit dem Versuch, gesellschaftlich signifikante Ausdrücke aufzuzählen, die sich dann in den gepflegten Redestrom hineinzuschmiegen haben. »Nett« und »anständig« sind wichtig. »Nette Leute« sind stets Mitglieder der eigenen (hohen) Gesellschaftsklasse. Da es in Deutschland eisern verboten ist, von dem Vorhandensein irgendwelcher Klassen zu sprechen, bedarf es der Hilfskonstruktion. »Sag mal, kennst du Leute, die Potzblitzki heißen?« – »Ja, natürlich, die Potzblitzkis, sehr nette Leute …« Wenn vermittelt werden soll, daß die Potzblitzkis ein prachtvolles Fest gegeben haben, bei dem »der Champagner in Strömen floß«, um einmal ältere Klischees nicht völlig verkommen zu lassen, ist davon die Rede, es sei an jenem Abend »sehr anständig« zugegangen, man kann lobend sogar von einem »kolossal anständigen Abend« sprechen. Auch handgemachte Anzüge und Hemden aus teuren Ateliers sind »anständig«, ein luxuriöses Haus, in dem die Wahrzeichen des gesellschaftlich Akzeptierten aufgepflanzt sind, gilt gleichfalls als »anständig«. Unter diesem »anständig« schlummert, das hört jeder, etwas Militärisch-Preußisches. Mit »kolossal« war hier aber auch schon eine Brücke nach Österreich geschlagen, wo dies »kolossal« und »fabelhaft« mit mindestens verdreifachtem A zu sprechen dem »Anständigen« in etwa gleichkommt. Als ich nach Deutschland kam, schwelgte die norddeutsche Gesellschaft in einem so oft wie möglich der Rede einzuflechtenden »so gewiß«. »Die Potzblitzkis kamen so gewiß zum Tee« – wie soll man einen solchen Satz übersetzen? Was damit ausgedrückt werden soll, ist, daß die Potzblitzkis affektierte »feine Leute« seien – also letztlich »völlig unmögliche Piesen«, »Knoten« und was es sonst noch an Äquivalenten für die vielgescholtenen Spießer gibt –, die sich nach provinziellen gesellschaftlichen Sitten richten und die Aufforderung, einmal vorbeizuschauen, mit einer formellen Tee-Einladung alten Stils verwechseln. Weil »so gewiß« so schön und eine derart köstliche Erhabenheit damit verbunden war, wurde es bald aber auch in Zusammenhängen benutzt, die gar nicht paßten: »Seit Papi tot ist, fühlt Mami sich so gewiß allein«, hieß es nun. Ich meine festgestellt zu haben, daß man »so gewiß« seltener hört, es scheint den nachwachsenden Schon-nicht-mehr-richtig-Preußen zu kompliziert geworden zu sein. »Gemütlich« heißt ein Fest, ein Essen, eine Jagd, bei der man ganz und gar unter sich geblieben ist, wo also ein perfektes gesellschaftliches Äquilibrium bestand. Das Gegenteil davon ist »mühsam«. »Mühsam« sind Leute anderer Klassen, aber auch eine Chemotherapie, ein böser Vorgesetzter und die Krankheit der Köchin während der Hochzeit der Tochter. Eine Frau hat, jedenfalls solange man sie schonen will, keine Liebhaber, sondern »Verehrer«, eine eigentlich recht freundliche Sprachregelung, die die Verehrung

»in allen Ehren« und das manifeste Liebesverhältnis gleicherweise in wohltuendes Halbdunkel taucht. Die unbefangene Ungenauigkeit im Umgang mit dem »Verehrer« kommt wahrscheinlich aus alten Zeiten, als unter spanischer Herrschaft in Italien der »Cicisbeo«, der »Verehrer«, fester, teilweise sogar im Ehevertrag erwähnter Bestandteil jeden Haushaltes war. Solange man einer Frau nachsagt, sie habe immer »viele Verehrer« gehabt, will man ihr keine lockeren Sitten anhängen, sie allerdings auch nicht ausschließen.

Wenn ein Mensch »von Distinktion« das Haus verläßt, geht er »aus«. Wenn deutsche »U-Speaker« nicht zu Hause sind, sind sie »ausgegangen«, nicht etwa »weggegangen«, wie es die niederen Kasten tun würden. Wenn dies Haus ein Schloß sein sollte, so wird es keinesfalls so genannt; Schlösser gehören zu den nicht durch grobe Benennung zu offenbarenden Objekten und heißen »Häuser«. In einem »Häuschen« hinwiederum wohnt man auf keinen Fall, schon eher in einer Hütte oder Baracke, sonst allenfalls in einem »kleinen Haus«. Hier soll das irgendwie Zuckrige, Behübschende in »Häuschen«, natürlich auch das an Wochenendglück Gemahnende, vermieden werden. Obwohl die mit der Tradition verbundenen Milieus meist noch eine nähere Verbindung zum Französischen haben, ist der »Chauffeur« verpönt und heißt unbedingt »Fahrer«. In Preußen verfolgte man überhaupt eine gewisse Begünstigung der Eindeutschung, obwohl man dabei nicht so weit ging, wie törichte Sprachreinigungsvereine (leider auch der Kaiser selbst) das forderten; die »Rinderlendenschnitte mit Eieröltunke« für »Chateaubriand mit Sauce béarnaise« setzte sich nur während des Ersten Weltkrieges durch, und da gab es solche guten Sachen ohnehin sehr bald nicht mehr. Geblieben sind aber, gerade auch bei polyglotten Leuten, das »Büfett« und das »Bukett«, betont deutsch ausgesprochen, als habe man vor, seine Französischkenntnisse ausdrücklich nicht durch Einflechtung von Fremdwörtern beweisen zu wollen.

In Österreich ist das ganz anders: Das Französische ist in zahlreichen, teilweise mit deutschen Endungen versehenen

Wörtern präsent – »agacant (deutsch ausgesprochen), brouilliert, fachiert, nervos«, (man beachte auch die Aussprache von »Balkón« und »Pensión«), und in Preußen wie in Österreich unterscheiden sich die Menschen, die »Káffee« trinken und ans »Télefon« gehen, von den »Kafféе«-Trinkern, die von Kellnern ans »Telefón« gebeten werden. »Schick« und »flott« sind keine Komplimente, sondern nur als ironische Kennzeichnung des unbeholfenen und mißglückten Versuches gebraucht, sich schöner anzuziehen, als einem zukommt. Ganz schlimm ist der »Sacco«, auch das »Jackett« ist nicht viel besser, denn beide Begriffe kommen aus der »Herrenoberbekleidung« und sind deren Verkäufern vorbehalten – der Gegenstand heißt Jacke, Anzugjacke oder Tweedjacke.

Die Schöne Welt ist in einer bestimmten Beziehung sehr gut dran – sie hat sich nämlich dem Ideal der Freundschaft verschworen, auch in England, Frankreich und Italien. Wen immer man kennt – vorausgesetzt, er gehört zu den »netten Leuten« –, ist ein »Freund«. Notgedrungen, muß man allerdings hinzufügen, denn das Wort »Bekannter« ist nicht elegant. Wenn Freundschaft eine gar zu gewagte Behauptung wäre, selbst angesichts der Mühelosigkeit, solch ein Freund zu werden, spricht man von »Freunden von Freunden«, das kommt dann meistens irgendwie hin. Als lokales Gegenstück, sonst in Deutschland, vermute ich, nicht so üblich, habe ich in Hessen bei bodenständigen Leuten die Sitte kennengelernt, gerade bei allerintimsten Beziehungen immer nur vom »Bekannten« zu sprechen; wenn also ein Mädchen erzählte, der Mann, der seit sieben Jahren mit ihrer Schwester verlobt sei, werde auch erwartet, hieß es: »Der Ingrid ihrn Bekannde kommt aach.« Eigentlich der diskretere Umgang mit dem heiklen und seltenen Gut der Freundschaft. Solche »Bekannten« werden übrigens zu einer »Feier« eingeladen, die »Freunde« zu einem »Abendessen«, keinesfalls aber zum »Abendbrot«, das nichts besonders Verschwenderisches verheißt. Dahingegen ist das österreichische »Nachtmahl« schon etwas anderes, was man auch daran erkennt, daß das Wort auch in Verbform gesetzt werden kann. Wenn es etwa heißt: »Wir waren bei den Potzblitzkis nachtmahlen«, kann das durchaus auch ein Diner im Smoking gewesen sein.

»Schnäpschen« gelten in mondänen Kreisen als unwürdig, als puritanische Koketterie, man trinkt dort Schnaps. Die einst so würdige »Gattin« darf sich dort auch nicht mehr blicken lassen, schon gar nicht in der Form »meine Gattin«, die mich durch ihren bescheidenen Stolz besonders berührt. Das Wohnzimmer von Weltleuten heißt der »Salon«, obwohl es da eigentlich Unterschiede gibt. Nicht jedes Wohnzimmer ist ein Salon, und wo es viel Platz gibt, wird dieser Unterschied oft auch gemacht. Wohnzimmer ist dann bezeichnenderweise der Raum, in dem der Fernseher steht. Das »Herrenzimmer« ist inzwischen jedoch vollständig in Dackel Waldis Oberförstersphäre entschwunden.

Diese Reihe ließe sich gewiß noch um viele Ausdrücke ergänzen, aber deutlich ist vielleicht schon jetzt geworden, daß es sich um ein eindrucksvolles eigenes Vokabular, eine gesellschaftliche »Geheimsprache«, einen verborgenen Code eigentlich nicht handelt. Ich bin davon überzeugt, daß es sich bei diesem Fehlen einer typischen Oberschichtssprache um etwas typisch Deutsches handelt: Weil hier im Gegensatz zu allen anderen europäischen Ländern die Klassenschranken für die allerlängste Zeit unüberwindbar waren, weil allein das Blut darüber entschied, wer in welche Schublade gehörte, mußten Abgrenzungsmechanismen gegen bedrohliche Aufsteiger nicht ersonnen werden. Die gesellschaftlichen Spezialausdrücke sind deshalb auch alle neueren Charakters und stammen beinahe sämtlich aus dem zwanzigsten Jahrhundert.

Der Umstand, daß die Reichen und Mächtigen nicht an der akademisch-literarischen Ausformung und Entwicklung des Hochdeutschen beteiligt waren, hat die Gesellschaft aber auch gegen Sprachmißbrauch, häßliche Sprache, geschmackloses Sprechen, Klischees aller Art vergleichsweise unempfindlich gemacht. Das vulgäre Geschäftsmannsenglisch wird gern überall nachgeplappert, alle Welt läßt sich bedenkenlos

»durchchecken«, denkt ans »Outsourcen« und fühlt sich »out of this world«. Immerhin erweist sich die deutsche Gesellschaft als von einem gesunden Zynismus geprägt, um Politikersentimentalitäten wie »Wut und Trauer« oder »Solidarität der Demokraten« oder »große Herausforderung« oder »ein Stück weit Nähe zeigen« kalt und ironisch gegenüberstehen zu können. Die für das deutsche – und europäische – politische Klima typische Doppelzüngigkeit von öffentlichen politischen Bekundungen und privater gesellschaftlicher Meinungsäußerung wird in der Gesellschaft, so kommt es mir vor, besonders bewußt genossen.

Die Begrüssung

»Ich lege mich Ihnen zu Füßen,
weil diese doch immer ein reinlicherer
Ort sind als Ihr Herz.« Jean Paul

Einen besonderen Reiz besitzen für mich die Bücher, die die Leute in ihre Gästezimmer stellen: alles ausrangierte Werke, die sie in ihrer Bibliothek nicht haben wollen, die aber unerwartete Funde ermöglichen. Vor einer Weile schlief ich in einem Zimmer, in dem der alte *Meyer* in sechsundzwanzig Bänden meinen Schlaf bewachen sollte. Zwischen »Begriff« und »Bégeule – sich zierendes Frauenzimmer« stieß ich auf das Stichwort »Begrüßungen«. Ich lese gern, was man in Europa über Afrika zu wissen meint, und war glücklich, gleich auch Äthiopien, hier natürlich noch Abessinien benannt, erwähnt zu finden. »Bei den meisten afrikanischen Völkern sind die Begrüßungsweisen durchaus sklavisch«, las ich in diesem Artikel aus dem Jahre 1896, der sich auf das Werk *Soziologie* von Herbert Spencer stützte. »Die Abessinier fallen auf das Knie und küssen die Erde.« Richtig, der Kaiser wurde so begrüßt, und ich selbst habe ihn viele Male so begrüßt, und es war stets unser äußerstes Vergnügen, wenn ein neuer Botschafter aus einem modernen westlichen Land oder auch ein Kommunist aus der Sowjetunion sein Beglaubigungsschreiben beim Kaiser überreichen mußte und vom Palastminister und seinem Staatssekretär in die Mitte genommen wurde, die der stets etwas widerspenstigen Exzellenz dabei halfen, den Kopf ganz hinunter bis fast auf den Boden zu bringen und danach wieder auf die Beine zu kommen. So »sklavisch« ist es in Europa natürlich niemals zugegangen. Ein Wiener Freund, der Sohn eines kaiserlichen Hofbeamten, erzählte mir, daß ein greiser

Kammerdiener einmal vor Kaiser Franz Joseph das Tablett mit dem Frühstück fallen ließ. »Bitt um Vergebung, lege mich zu Füßen Ew. Majestät!« sagte der bekümmerte alte Mann, es war die vorgeschriebene Anrede. »Bitte nicht auch das noch«, antwortete der Kaiser, »da liegt ja schon die Leberknödelsuppe.« Wann das war? Im Europa von 1896? Damals herrschte auch Papst Leo XIII., der letzte Papst, dem zur Begrüßung der Fuß geküßt wurde. In Spanien wiederum war es bis in die sechziger Jahre des zwanzigsten Jahrhunderts üblich, Briefe an höhergestellte Personen nicht nur mit der Schlußformel »q. b. s. m.« (»quien besa sus manos«), sondern auch mit »q. b. s. p.« (»quien besa sus pies«) zu endigen.

Weitere Lesefrüchte aus dem alten *Meyer:* »Die russischen Damen lassen sich nicht die Hand, sondern die Stirn küssen« – diese schöne Sitte habe ich bei meinen Moskau-Aufenthalten nicht mehr gesehen, sie scheint den Kommunismus nicht überlebt zu haben. »Der Russe wirft sich zu den Füßen seines Herrn nieder, umklammert die Knie und küßt sie. Der Pole wirft sich ebenfalls dem Herrn zu Füßen oder küßt die Schultern; der Böhme küßt die unteren Säume der Kleider. Die Bewohner von Schumadia in Serbien grüßen seltsamerweise beim Begegnen mit den Worten: ›Gibt es Eicheln?‹, weil sie als Hirten auf Eicheln großen Wert legen. Der gemeine Araber sagt: ›Salem aleikum‹, dann legt er die Hand auf die Brust, um anzudeuten, daß ihm der Gruß von Herzen gehe; der Begrüßte erwidert: ›Aleikum essalam!‹« – Das ist auch heute noch in Arabien und den ländlichen Gebieten der Türkei der Fall; in allen diesen Ländern teilen sich die Bewohner in einen größeren traditionellen Teil und einen kleineren verwestlichten, der solche Grußsitten dann ganz betont ablehnt.

»Die Perser begrüßen den Fremden, den sie zu einem Gastmahl einladen, folgendermaßen: Der Wirt geht seinem Gast eine Strecke entgegen und bewillkommnet ihn mit den ehrfurchtsvollsten Komplimenten, läuft dann schnell zurück bis an die Tür seines Hauses und erwartet hier den Ankommenden, um ihm noch einmal mit denselben Zeremonien seine

Hochachtung zu bezeigen. Begegnen sich in China zwei Personen zu Pferde, steigt der Niedere vom Pferd ab und läßt stehend den Höheren vorbei. In Japan muß der Geringere vor dem Vornehmen seine Sandalen ausziehen, die rechte Hand in den linken Ärmel stecken, die Arme langsam bis an die Knie herabgleiten lassen, mit abgemessenen Schritten vor dem andern vorübergehen und mit furchtsamen Gebärden rufen: ›Augh, augh! Füge mir kein Leid zu!‹ Auf der Insel Ceylon wirft man sich vor einem Vorgesetzten auf die Erde und spricht dessen Namen und Würde wohl fünfzigmal aus, während der Obere sehr ernsthaft vorüberschreitet und den Begrüßenden kaum eines Kopfnickens würdigt. Die Mandinka fassen bei der Begrüßung einer Frau deren Hand, bringen sie an ihre Nase und beriechen sie zweimal. Die Art, wie sich die Eingeborenen des südlichen Amerika begrüßen, ist kurz: ›Ama re ka? Du?‹ und die Antwort: ›A! Ja!‹« – Das erinnert mich in seiner Knappheit an die in Frankfurt zu hörenden Begrüßungsdialoge: »Ei, wie?« – »Immer so weiter!« – »Auf den Gesellschafts- und Freundschaftsinseln berühren die Grüßenden einander die Nasenspitzen. In Neuguinea bedeckt man sich das Haupt mit Baumblättern, was nicht bloß als Gruß, sondern auch als Zeichen des Friedens gilt.«

So weit der alte *Meyer,* den ich übrigens bei mehr als einem Artikel im Verdacht habe, sich seine Informationen ausgedacht zu haben. Aber das ist nicht das Wichtigste an seinem »Begrüßungs«-Artikel: Er zeigt, daß man gewiß nicht alle Sitten kennen kann, aber daß man sicher sein muß, daß es Sitten gibt, wo immer man sich gerade aufhält. Nach meiner Feststellung war es stets der Beziehung zu Fremden, mit denen man zu tun hatte, unerhört förderlich, wenn man sich nach ihren Sitten erkundigte. Jeder spricht gern über sich, und gern sieht man auch die eigenen Gebräuche als Gegenstand respektvollen Interesses. Die fremde, unverständliche, vielleicht sogar befremdende Sitte zu ehren dürfte jedem, der einen Sinn für Manieren hat, ein Bedürfnis sein, wenn es vielleicht auch hieße, dies Prinzip überzuerfüllen, wollte man den einstigen

Präsidenten Milošević während einer Gerichtssitzung in Den Haag mit einem aufgeräumten »Gibt es Eicheln?« begrüßen.

Als ich nach Deutschland kam, erzählte mir einer meiner Kommilitonen, seine Zimmerwirtin liege mit ihren Nachbarn in Streit; der Nachbar hatte ihr soeben geschrieben, angesichts ihres Verhaltens »verbitte er sich von ihr das Entbieten der Tageszeit«. Ich konnte leider nicht mitlachen, bis ich aufgeklärt wurde, der Mann wolle nicht mehr gegrüßt werden, nicht mit »Guten Morgen« und nicht mit »Guten Abend«. Dies »Entbieten der Tageszeit« war also die übliche Begrüßung in Deutschland, dazu kam noch »Guten Tag«, das aber stets eine winzige Spur förmlicher klang, vor allem, wenn bei der Verabschiedung an Stelle von »Auf Wiedersehen« gesagt: dann war sogar etwas Frostiges darin.

Tübingen liegt in Süddeutschland, ist aber protestantisch. Sowie man von dort ins katholische Schwaben kam, änderte sich der Gruß, dort und in Bayern und in Österreich hieß es »Grüß Gott«, häufig auch dann, wenn der Grüßende es mit Gott nicht gar so eng hielt. »Grüß Gott« gefiel mir sehr, obwohl mir bis heute nicht ganz klar ist, was das eigentlich heißen soll: ein Imperativ, der besagt, der andere solle Gott grüßen? Oder »Gott zum Gruße«, wie ich es auch, meist mit einer gewissen Ironie, gehört habe? Oder, was mir das Wahrscheinlichste zu sein scheint, das Ganze ist eine Verballhornung von einem längeren Satz; es hat da wohl in Süddeutschland und der Slowakei und Polen den Brauch gegeben, sich mit dem kurzen Gebet »Gelobt sei Jesus Christus – In Ewigkeit, Amen« zu begrüßen, möglicherweise ist »Grüß Gott« die Zusammenraffung davon. Daß Deutschland ein Land der Regionen ist, erfährt man, wenn man das soeben gelernte »Grüß Gott« in Hamburg oder Berlin arglos und deutlich von sich gibt. Das Befremden ist meist stark, oft ist das Gegenüber sogar peinlich berührt und fragt spitz: »Sie kommen wohl aus Bayern?«, eine Frage, die bei mir meist entfällt. Kein Zweifel, in diesem Befremden schwingt mehr als eine allgemeine Xenophobie mit. »Grüß Gott« in Berlin hat auch eine politische

Seite; da regt sich das reaktionäre abergläubische Süddeutschland gegen den politisch fortschrittlichen Norden. Und nun ist der rückschrittliche Landesteil dazu noch der reichere und wirtschaftlich gesündere, da kann eine leichte Gereiztheit nicht ausbleiben. Tatsächlich habe ich festgestellt, daß im ganzen Land »Grüß Gott« diesen ganz sanften, unschuldigen Provokationscharakter hat. Die »bewahrenden« Kräfte zeigen mit »Grüß Gott« gegenüber den Progressiven Flagge. Wer die wechselseitige, beinahe unmerkliche Verachtung nach dem Austausch von »Grüß Gott« und darauf geantwortetem »Guten Tach« gespürt hat, hat viel von Deutschland verstanden.

In Österreich mit seinen vielen barocken Residuen ist außerdem sehr populär und zugleich elegant das »Servus«, was auf lateinisch Sklave heißt und noch bis in die Zwischenkriegszeit häufig gebrauchten »Gehorsamster Diener!«, gesprochen »G'schamster Diener!« übriggeblieben ist. »Servus« sagt man auch, wenn man etwas Fürchterliches hört: »Na, Servus!« Das heißt dann etwa: »Für solchen Ärger würd ich mich bedanken.« Mit »Servus« begrüßt man sich und nimmt Abschied; die im Wienerlied ausgesprochene Aufforderung, »beim Abschied leise Servus« zu sagen, »nicht Lebwohl und nicht Adieu, solche Worte tun mir weh«, ist die Devise des Wiener promiskuitiven Zynismus geworden. Dem »Servus« entspricht übrigens wörtlich das inzwischen in Deutschland beinahe ebenso wie in Italien populäre »Ciao«, das in venezianischem Dialekt »schiavo«, Sklave, heißt, und das verhunzt französische »Tschüs«, die norddeutsche Version von »Adieu«, eine Weile vollständig zu verdrängen schien. Aber jetzt ist es wieder da, das »Tschüs«, Rundfunk- und Fernsehmoderatoren wollen nicht ohne es auskommen; und im Zeichen der neuen Lockerheit, die sich die einst angeblich so steifen Deutschen zugelegt haben, klingt einem nun überall, oft geradezu verblüffend, ein zärtliches »Tschüs« hinterher, in Geschäften, bei der Polizei, im Büro. Eine verborgene Unverschämtheit liegt in diesem »Tschüs«, eine ironische Souveränität, die eigentlich hart erobert werden müßte, nun aber Volksgut geworden zu sein scheint. Dem »Tschüs« beim Abschied entspricht das »Hallo« bei der Begrüßung. Die Redensart, jemand sei »mit großem Hallo«, übrigens immer auf der letzten Silbe betont, empfangen worden, ist viel älter und meint eine Art fröhlichen Tumult. Das moderne »Halló« ist keineswegs ein Zeichen des Übermutes, sondern einer etwas anzüglichen Kühle. Von Schüler- und Studentencliquen ist es längst in die ganze Breite der Gesellschaft gewandert. Der »Halló«-Grüßer ist die verkörperte lässige Unverbindlichkeit. Mit »Hallo« Begrüßte können ohne weiteres wieder unbeachtet stehengelassen werden. Man hat allmählich das Gefühl, das soziale Modell der menschlichen Begegnungen solle das Verhalten der Hunde bei Treffen im Park sein, wofern sie sich nicht ankläffen und übereinander herfallen. Dann nähern sich die Hunde einander, sehen sich an, schnüffeln ein bißchen aneinander, aber ohne gesteigertes Interesse, nur informationshalber, und wenden sich dann grußlos voneinander ab. Könnten sie sprechen, hätten sie zu Anfang ein gleichgültiges »Halló« gesagt. Viel optimistischer, aber besonders kindisch wirkt auf mich das jetzt gleichfalls weitverbreitete »Hi«, das natürlich aus Amerika kommt. Amerika hat einen beachtlichen schwedischen Bevölkerungsanteil, und in Schweden ist ja gleichfalls der Gruß »Hej« allgemein gebräuchlich, aber dort, trotz gleichen Klangs, keineswegs so vulgär wie »Hi«. Mit diesem schwedischen »Hej«, das dennoch recht primitiv wirkt, vor allem wenn ergraute Personen sich so begrüßen, hat es etwas Überraschendes auf sich. Ich war davon überzeugt, daß »Hej« die unkritische Übernahme eines Infantil-Amerikanismus sei, aber weit gefehlt. »Hej« gehört zu den seltsamen Früchten der Gelehrsamkeit des neunzehnten Jahrhunderts. Wie überall in Europa (und letztlich auch bei uns in Äthiopien, wo der große Sieger von Adua durch Annahme des Namens Menelik II. an die graue Vorzeit der Königin von Saba und ihrem Sohn Menelik anknüpfte) stöberte man auch in Schweden in der Vergangenheit, und Vergangenheit hieß hier die Epoche vor dem Einfluß der römischen Missionare, die den Völkern ihre Eigentümlichkeiten nahmen und sie »internationalisierten«. In Schweden bildeten sich »Wikinger-Gesellschaften«, deren Mitglieder, in Stehkragen und Fischbeinkorsett, die Erneuerung von Wikingerbräuchen anstrebten. Nun hieß es, die Wikinger hätten sich mit »Hej«, »Heil!« begrüßt, und daraufhin sagten die Mitglieder der Wikinger-Gesellschaften nun statt »god dag« »Hej« zueinander. Von ihnen übernahm es das ganze Volk, das von seinen Wikingerahnen natürlich gar nichts mehr wußte, und von diesem Volk die Amerikaner, bei denen der einstmalige Besuch des Wikingers Erik des Roten völlig folgenlos geblieben war.

In Italien findet sich sehr häufig noch der lateinische Gruß »Salve«, den zu hören oder auszusprechen mich immer zutiefst erfreut. »Salve« ist durchaus auch im Volk gebräuchlich, bei den Nicht-Humanisten, wollte ich sagen. Im übrigen sind die Italiener, bei durchaus vorhandenen imposanten Resten der alten Klassen, das am wenigsten snobistische Volk Europas. In Italien und Frankreich hört man oft auch statt der bekannten Grußformeln »Buon giorno« und »Bon jour« – ab dem Mittagessen heißt es »Buona sera« – einfach nur die Anrede der Personen, die begrüßt oder verlassen werden sollen: »Signora!« mit knapper Verbeugung, »Dottore!«, »Madame!« – das alles heißt auch »Guten Tag« und »Auf Wiedersehen«. Deutschland und England kannten diese Art der Begrüßung auch – »Meine Herren!«, »Gentlemen!« –, aber da klang das viel steifer, militärischer, man hört das Hackenzusammenschlagen dabei.

Begrüßt wird in Europa stehend, verabschiedet desgleichen, wenn sich auch im Kaffeehaus oder im Bierlokal am gedrängten Tisch mancher davonmachen muß, ohne daß die anderen Gelegenheit haben, aufzustehen. Frauen hingegen können sitzen bleiben, wenn nicht ein besonders verehrungswürdiger Greis oder eine viel ältere Frau sich nähert. Das Handgeben oder Händeschütteln ist in Deutschland üblich, im kleineren Kreis ohnehin, in größerer Runde, in der man vom Hausherrn oder Gastgeber vorgestellt wird, kann das Händeschütteln auch wegbleiben und durch kleine Verbeugungen in die Richtung der genannten Personen ersetzt werden. Vorstellungen ohne Händedruck sind in Europa in formellerem Rahmen oder in einem irgendwie geschäftlichen Kreis eigentlich das Normalere. Aus angelsächsischen Milieus hört man von den Feinden des Handgebens häufig hygienische Argumente. Solche Rationalisierungen für die axiomatischen Gesetze der Manieren sind typisch für unsere Zeit und ihre Leidenschaft, das Zusammenleben wissenschaftlich neu zu erfinden. Warum veranlassen diese Hygienefreunde eigentlich ihre Besucher nicht, beim Betreten des Hauses die Schuhe auszuziehen? Die dürften, was die Bakterienausbeute an ihren Sohlen angeht, bei weitem problematischer sein als eine gewaschene Hand. Und natürlich werden in Arabien und Indien die Schuhe in Privathäusern auch nicht deshalb abgelegt, weil es draußen so schmutzig wäre – dort, wo es wirklich schmutzig ist, pflegt man bekanntlich ziemlich unempfindlich dagegen zu sein. Tempel und Moscheen sind für gläubige Muslims und Hindus heiliger Boden. Und auch für uns äthiopische Orthodoxe sind unsere Kirchen *terra sancta*. Aus dem brennenden Dornbusch rief Gott Moses zu, seine Schuhe auszuziehen, denn er stehe auf heiligem Land. Die frühen Christen nahmen die Kommunion während ihrer Liturgie erst, nachdem sie die Schuhe ausgezogen hatten. Vom heiligen Ort der Gottesverehrung übertragen die Orientalen auch die besondere Achtung für den Ort, an dem ihr Herdfeuer brennt und an dem – vielfach auch heute noch –, vor den Augen der Öffentlichkeit geschützt, die Frauen der Familie leben.

So mag es denn in Ländern wie England und Frankreich eher Ausdruck einer Neigung zu sein, die Höflichkeitszeichen genau abzustufen und zu dosieren, die es in diesen Ländern möglich macht, sich auch ohne Handschlag zu begrüßen. Wenn man sich besser kennengelernt hat und eine gewisse Herzlichkeit zeigen will, gehört der Handschlag natürlich dazu – im ganzen Mittelmeerraum auch die Umarmung unter Freunden, die »Akkolade«, die mittlerweile auch in Deutschland weit über die Fußballplätze hinaus, auf denen sich besonders emphatisch umarmt wird, verbreitet ist. Die Umarmung unter Männern war ein besonders typisches Abzeichen des kommunistischen Protokolls, das den alten Herren, die die Warschauer-Pakt-Staaten regierten, sogar Küsse auf den Mund verordnete. Eine ironische Note bekamen diese Umarmungen, die häufig genug bis zur Feindschaft gehende Spannungen nach außen hin zu verdecken hatten, durch ihre Herkunft aus der Liturgie der orthodoxen und der lateinischen Kirche. Noch heute kann man bei feierlichen Gelegenheiten sehen, wie dort der Friedensgruß zwischen den Zelebranten einer kultischen Festlichkeit vollzogen wird: Der Höhere legt seine Hände auf die Schultern des Niedrigeren, der seine Hände unter die Ellenbogen des Höheren legt, und nun neigen beide ihre Köpfe dergestalt, daß ihre Wangen, ohne sich zu berühren, parallel voneinander sind. Geküßt wird dabei überhaupt nicht, Friedenskuß heißt es dennoch und bezeichnet die Versöhnung der Versammelten vor der Kommunion. Eingerahmt wird diese gemeinschaftliche Geste mit einer wechselseitigen Verneigung, bei der die Handinnenflächen vor der Brust zusammengelegt sind. Die nicht-verwestlichten Inder begrüßen sich auf diese Weise, in meinen Augen die schönste aller mir bekannten Grußformen. Man sagt dazu »Namaste«, was Sanskrit ist und bedeutet: »Ich beuge mich vor dem Göttlichen in dir.«

In diesem Zusammenhang eine erhellende Anekdote: Staatspräsident Mitterrand und Kanzler Kohl nahmen aus irgendeinem Anlaß an einer Messe teil. Nachher wurde von deutscher Seite bedauert, daß sich die beiden Politiker nicht dem Friedensgruß der Priester als Zeichen der Versöhnung der beiden Völker angeschlossen hätten. Auf keinen Fall sei das möglich gewesen, war die französische Antwort: der Friedensgruß der Liturgie sei eine rein religiöse Geste, und der französische Präsident habe als Repräsentant eines laizistischen Staates keine Möglichkeit, daran teilzunehmen.

Von Wien und München aus, wo sich die katholischen Aristokratinnen, die sowieso alle miteinander verwandt waren oder so taten, auf die Wange küßten, breitete sich dann der Wangenkuß unter Frauen bis nach Norddeutschland aus. In intellektuellen und großstädtischen Milieus ist er inzwischen ziemlich selbstverständlich geworden. Mancher hat gewiß gelegentlich Anlaß, zu fragen, ob es nicht ein Judaskuß sei, den er da soeben erhalten hat. Mit dem gesellschaftlichen Küssen ist es wie mit dem Duzen: von der in beschwingter Stimmung entstandenen übergroßen Herzlichkeit kommt man nicht wieder so leicht herunter. Das Küssen ist, trotz häufiger Übung, noch keineswegs so selbstverständlich, daß nicht doch im Einzelfall bedacht werden müßte, ob diese Geste hier angemessen und willkommen ist. Ein zaristischer General, der für nicht besonders tapfer galt, hatte im Krimkrieg kampflos einige feindliche Kanonen erbeutet und war dafür, unangemessen hoch, wie man fand, ausgezeichnet worden. Nun trat er einem seiner Gegner mit ausgebreiteten Armen entgegen. Der ging einen Schritt zurück und sagte: »Exzellenz halten mich wohl für eine unbewachte Kanone.« Klugerweise ergreife man also, was die gesellschaftlichen Küsse außerhalb des Freundeskreises angeht, nicht die Initiative, sondern überlasse diese dem Höhergestellten, Älteren und der Frau. Nicht alle Frauen mögen es, wenn ihnen im Schutz des Gruppenzwangs Küsse abgeschwindelt werden, die sie eigentlich nicht geben wollten. Der Handkuß ist ein derart komplexes Thema, daß ich ihm ein eigenes Kapitel gewidmet habe.

Die Verneigung scheint unpopulär zu werden. Haben zu viele noch den Trotz in den Knochen, der sie überfiel, wenn ihnen im Bubenalter befohlen wurde, »einen Diener« zu machen? Ich erinnere mich aber, daß das »Diener machen« keine so schlechte Erfahrung war. Ich empfand es als beruhigend, im Umgang mit den vielfach so rätselhaften Erwachsenen wenigstens in diesem einen Punkt zu wissen, was sie schätzten und was den Zusammentreffen mit ihnen eine Art Halt gab. Das Knicksen der Mädchen ist womöglich noch mehr aus der Mode. Diener und Knicks haben ihre sichere Heimstätte heute nur in aristokratischen Familien. Dort sieht man auch, daß sich junge Männer vor älteren Männern verneigen. Ich habe festgestellt, wenn ich jemanden gesehen habe, der sich bei der Begrüßung verneigte, daß es sich beinahe immer um einen besonders souveränen Mann handelte. Verneigung aus Unsicherheit und serviler Gesinnung gibt es heute wahrscheinlich überhaupt nicht mehr. Unsichere Männer haben viel zu viele Hemmungen, sich so ausdrucksvoll im Raum zu bewegen, wie es eine Verneigung mit sich bringt. Immerhin ein Gutes hat dies neue Verhältnis zur Verneigung: Man muß sie nur vor Personen machen, die man ihrer würdig hält; sie ist jetzt ein besonderes Zeichen des Respekts, das man niemandem schuldet, sondern freiwillig erweist.

Lohnt es sich, in einer Zeit, in der beinahe niemand mehr einen Hut trägt, zu bemerken, was mit einem Hut zu geschehen hat? Seit dem neunzehnten Jahrhundert wird der Hut in geschlossenen Räumen abgesetzt. Davor trugen die Könige sogar zum Essen ihren Hut, und die Hofgesellschaft war aufgeteilt in solche Granden, die in der Gegenwart des Königs ihren Hut aufbehalten durften, solche, die ihn zum Gruß abnehmen mußten, auf Aufforderung des Königs – »Bedeckt Euch, meine Granden!« – aber wieder aufsetzten, und solche, die ihn abnahmen und ihn erst wieder aufsetzen durften, wenn der König das Zimmer verlassen hatte. Ich referiere hier das alte spanische Protokoll, wie das *Don Carlos*-Zitat verrät, aber in Wien und Paris gab es ähnliche Regeln. In Äthiopien lebte in meiner Jugend ein deutscher Graf von der Recke, der dem Staat gute Dienste geleistet hatte und deshalb vom Kaiser mit dem Privileg, in dessen Gegenwart den Hut aufbehalten zu dürfen, ausgezeichnet wurde. Heute wird in Gegenwart einer Frau in einem Raum oder im Freien der Hut abgenommen, solange man mit ihr spricht, aber wirklich wohl fühlen sollten sich Männer mit Manieren auch nicht, wenn sie sich mit dem Hut auf dem Kopf mit einem anderen Mann unterhalten. Zum Gruß wird der Hut abgenommen und in die Luft gehoben und dann wieder aufgesetzt. In Kirchen und auf Friedhöfen nimmt man den Hut ab. Überhaupt ist der Hut vor allem dazu da, abgenommen zu werden, das scheint auch historisch seine Hauptbestimmung gewesen zu sein. Er ist ein Accessoire, das Gesten ermöglicht, die ohne ihn unterbleiben müssen. So ähnlich verhält es sich mit den Handschuhen. Will man jemandem die Hand reichen, zieht man den rechten Handschuh aus; Frauen dürfen ihn zwar anbehalten, müssen es aber nicht und können ihre Freundlichkeit also dosieren. Die wesentliche besteht ohnehin darin, ob sie überhaupt jemandem die Hand geben wollen. Eine ausgestreckte männliche Hand darf eine Frau übersehen. Ob es zum Handschlag kommt, entscheidet immer der Höhergestellte.

Die Begrüßung ist oft mit der Vorstellung verbunden. Zwei Extreme für die Vorstellung zu Beginn. An den Höfen, aber auch im republikanischen Frankreich gibt es bei großen Empfängen in Botschaften und Ministerien einen »Huissier«, einen Beamten im Frack mit einer Amtskette und einem Stab, dem die Eingeladenen sich nähern und ihre Namen sagen oder ihre Karten geben und der dann den Namen in den Saal ruft. So hat jeder seinen Auftritt, die Blicke wenden sich ihm zu, aber der Mühe späterer Einzelvorstellung enthebt dies Verfahren nur Personen, die sowieso jeder kennt. Immerhin ist es erstaunlich, wie lang sich diese pompöse Sitte gehalten hat. Das genaue Gegenteil dazu ist viel häufiger anzutreffen. Auf großen Tagungen, in Clubs mit vielen Mitgliedern und auf Konferenzen werden Namensschilder ausgegeben, die man sich ansteckt, mit der Folge, daß einem die Leute zuerst aufs Revers gucken (wie im Museum, wo sie zuerst die Legende lesen, bevor sie sich das Bild anschauen), daß sich ihr Gesicht dann erhellt und sie einem mit dem berühmten herzlichen Kongreßlächeln die Hand entgegenstrecken. Die Vorteile dieser Namensschilder liegen auf der Hand, so daß sie keinerlei Verteidigung bedürfen, aber das ändert nichts daran, daß sie scheußlich sind und daß es etwas Peinliches hat, mit einem Namensschild wie der Leiter eines Supermarktes einherschreiten zu müssen. Habe ich eine andere Lösung? Nein. Zusammentreffen vieler Leute, die sich nicht kennen, sind für unsere Zeit besonders typisch. Aber ich empfinde immer tiefe Sympathie mit denen, die zu störrisch oder zu vergeßlich waren, ihre Namensschilder anzustecken, gehe mit besonderer Neugier auf sie zu, präsentiere mich ihnen und bin meist sehr schnell in einem anregenden Gespräch versunken.

Für die Vorstellung galten einmal strenge Gesetze, die ich in Äthiopien auch noch in vollem Umfang kennengelernt habe. Vorstellung bedeutete, daß der Vorstellende für den, den er da vorstellte, in einer gewissen Weise bürgte. Die Vorstellung bei Hof ging ausschließlich durch solche Bürgen vor sich, und so verhält es sich an den europäischen Höfen bis heute, wenngleich dieser Prozeß dort natürlich längst bürokratisiert ist. Zu meinem Vergnügen habe ich in Venedig große Ölgemälde aus Venedigs bester Zeit gesehen, auf denen etwa eine thronende Madonna zu sehen war, vor ihr ein Heiliger, der mit ausdrucksvollen Gesten auf vier oder fünf Kniende zeigte, und darunter stand: »Der heilige Sebastian stellt die Mitglieder der Familie Grimani der Madonna vor.« Das war eine, was die Inszenierung anging, durchaus aus dem Leben gegriffene Szene, anders sah die Vorstellung einer Gesandtschaft beim Dogen auch nicht aus. In England gab es viele Witze, die Leute zum Gegenstand hatten, die sich in hautnaher Berührung befanden, aber kein Wort miteinander sprechen durften, »weil sie einander nicht vorgestellt waren«.

Man kann sagen, daß das gesamte Vorstellungswesen, wie es einmal codifiziert war, zusammengebrochen ist. Natürlich besteht die Sitte fort, daß der Gastgeber seine Gäste vorstellt oder miteinander bekannt macht (vorgestellt wird der Niedrigere dem Höheren, wobei die Frau immer höher ist – Ausnahmen sind Staatsoberhäupter, Kirchenfürsten oder sehr ehrwürdige alte Männer; bekannt gemacht werden Gleichrangige); er wird dabei nur selten noch das formelhafte »Darf ich vorstellen?« benutzen, sondern sagen: »Frau Tischbein, Sie kennen Herrn Stuhlbein?«, oder: »Frau Tischbein, ich möchte so gern, daß Sie Herrn Stuhlbein kennenlernen«, oder: »Eleonore, das ist mein alter Freund Stuhlbein.« Wenn der Hausherr die Vorstellung vergißt oder im Gedränge seiner Gäste nicht zur Stelle ist – beides heute so häufig, daß es geradezu das wahrscheinlichste ist –, muß man sich eben selbst vorstellen. Naturgemäß gibt es Bekanntschaften, die man gern ein wenig vorbereitet hätte. Wenn man vorgestellt wird, erhält die gestiftete Bekanntschaft vielleicht um eine Nuance mehr Nachdruck, weil der oder die andere durch den bloßen Umstand, daß man dem Vorstellenden bekannt ist, schon eine gewisse Information über einen selbst erhält, hoffentlich nicht in der Art: »O weh, das ist also ein Freund des gräßlichen Herrn Mamorski.« Auf großen Gesellschaften, deren Gastgeber sich nicht der Mühe unterziehen, die Gäste bekannt zu machen, passiert es dann aber eben doch, daß man neben einer fremden Frau auf einem Sofa sitzt und sich, wenn das Gespräch über ein paar nichtssagende Floskeln hinausgeht, eben selbst vorstellt; und die Frau, die das nicht tun müßte, weil Frauen sich nach alter Regel nicht vorstellen, sagt dann der Einfachheit halber – selbstverständlich ungefragt! – auch ihren Namen. Die allgemeine ästhetische Devise der »Zwanglosigkeit« ist längst in praktische Formlosigkeit umgeschlagen. Wer darauf wartet, vorgestellt zu werden, kann bei sehr eleganten, sehr mondänen Leuten einen ganzen Abend zubringen, ohne mit irgendwem ein einziges Wort gesprochen zu haben.

Das nächstliegende und einfachste wäre, so denkt man sich, wenn Fremde einander mit ihren vollständigen Namen und Titeln vorgestellt würden. Es ist ein unangenehmes Gefühl, jemanden nicht richtig anreden zu können; in jedem Fall sollte es den beiden, die sich da verständigen sollen, überlassen sein, in welchem Stil sie miteinander zu verkehren gedenken, und das geht nur, wenn beide wissen, wer der andere ist. Aber über diesen Punkt ist in der Schönen Welt keine Übereinstimmung mehr zu erzielen. Es gibt sehr weltläufige Milieus, auch in Italien und Spanien erstaunlicherweise, die den Amerikanismus adaptiert haben, überhaupt nur noch mit Vornamen bekannt zu machen. Hinter der entspannten demokratischen

Fassade verbirgt sich natürlich der allersteilste Snobismus. Wer nicht weiß, wer Georgie, Micki, Gugu und David sind, gehört eigentlich gar nicht in diese Kreise; die damit verbundenen Verwirrungen brauchen ihm deshalb auch nicht erspart zu werden. Natürlich kann man den Leuten, mit denen man sich so unterhalten hat, daß eine Fortsetzung des Gesprächs vorstellbar wäre, zum Schluß seine Karte geben und wird vielleicht auch eine im Austausch erhalten. Nun ist dieser Kartentausch auch nicht immer ganz frei von Peinlichkeit. Soll man etwa wie ein Handelsvertreter mit Kartenpaketchen ausgerüstet in Gesellschaft gehen?

Die schönsten Visitenkartenzeremonien haben übrigens die Kommunisten entwickelt. Wenn man in der alten DDR einen Geschäftsbesuch machte, der niemals improvisiert, sondern stets von langer Hand vorbereitet zu sein hatte, so daß allen Beteiligten schon vorher klar war, wer hier mit wem zusammentreffen würde, stand am Beginn der Begegnung im Chefbüro unter dem lächelnden Honecker-Portrait der Austausch der Visitenkarten wie von winzigen Akkreditiven, die der andere dann sorgfältig las und sorgfältig einsteckte. Die Chinesen haben aus dieser anfänglichen Überreichung eine eigene kleine Szene gemacht: Zunächst hält man die eigene Visitenkarte mit beiden Händen in Brusthöhe vor sich – wie eine Bewerberin bei der Wahl zur Miß Germany ihre Nummer – und schaut dem Gegenüber in die Augen. Nun verbeugt man sich gemessen und hält die eigene Karte dem anderen hin, während man Zug um Zug dessen Karte entgegennimmt. Nun studiert man die Karte genau und macht der Schönheit ihrer Typographie ein Kompliment; zugleich erklärt man, wie geehrt man sei, mit einer so hochstehenden Persönlichkeit sprechen zu dürfen. Und jetzt darf die Karte eingesteckt werden. Ein Mangel an wirtschaftlicher Härte und Effizienz ist mit der Neigung zu solchen Zeremonien übrigens nicht verbunden.

Über die Frage, wie man sich am Telefon vorzustellen habe, herrscht keine Einigkeit in Deutschland, obwohl die Lage meines Erachtens besonders eindeutig ist. Wer an einem fremden Haus anklopft und ihm wird aufgetan, hat sich zunächst vorzustellen, bevor er erklärt, wen er zu sprechen wünscht. Der Besuch könnte ungelegen sein, und überhaupt kann die Frage, ob man jemanden empfängt, erst entschieden werden, wenn man weiß, um wen es sich handelt. Beim Telefon ist die Situation dieselbe. Der Anruf ist ein Eindringen in eine fremde Sphäre und muß zunächst durch Vorstellung gerechtfertigt werden. Niemand ist verpflichtet, sich am Telefon mit seinem Namen zu melden. Statt dessen empfängt man auch von Leuten, denen dieser simple Gedankengang zugänglich sein müßte, Anrufe dieser Art: »Ja« oder »Hallo« sagt man, während man abnimmt, darauf der Anrufer: »Wer ist denn da?« Man antwortet: »Diese Frage müßten eigentlich Sie mir beantworten.« Der Anrufer: »Ist da nicht Müller?« – »Wen haben Sie denn angerufen?« fragt man. Perplexes Schweigen. Dann vorsichtiges Insistieren: »Ist da wirklich nicht Müller, ich verstehe nicht ...« – »Und wenn ich Ihnen das sage, werden Sie mir dann sagen, wer Sie sind?« Stotternd, verlegen: »Hier ist Meier.« – »Das ist aber nett, daß Sie anrufen, Herr Meier, hier spricht Müller.« Vor allem, seitdem der »Telefonterror« in Mode gekommen ist, scheint sich aber allmählich durchzusetzen, daß es der Anrufer ist, der sich zunächst erklären muß.

Vielbeschäftigte Menschen haben ein Sekretariat, das ihnen Arbeit abnimmt. Da liegt die Versuchung nahe, auch private Einladungen und Absagen von der Sekretärin erledigen zu lassen. Und viele geben dieser Versuchung nach, obwohl so etwas noch in den sechziger Jahren als grobe Ungezogenheit galt. Wer auf Manieren hielt, ließ sich zwar von der Sekretärin die Verbindung herstellen, sagte ihr aber vorher: »Ich zuerst am Apparat«, damit keinesfalls zunächst aus dem Hörer schallte: »Hier Baufirma Meißel & Co., Vorstandssekretariat Ebertshäuser, ich verbinde mit Herrn Generaldirektor Dr. Fruchtkuchen!« Es ist neuerdings soviel von Benimmkursen für Manager die Rede, aber ich weiß nicht, ob dieser Punkt ins

Unterrichtsprogramm aufgenommen worden ist. Das Mindeste, was eine kluge Sekretärin tun kann, um die Situation zu retten, ist, im Namen ihres Chefs um Entschuldigung dafür zu bitten, daß etwas Unvorhergesehenes ihn daran hindere, selbst am Telefon zu sein. Nach meiner Erfahrung ist es übrigens ein Anzeichen von wirklicher Macht, daß solche Dinge perfekt beherrscht werden, wie es allgemein an der Spitze der Pyramide das alles nicht gibt, was uns Staubgeborene in Atem hält: Eile, Zeitdruck, plötzliche Notfälle, Überforderung, Termine – sondern himmlische Ruhe, keine störenden Telefonate während des Gesprächs, ein leerer Schreibtisch, auf dem als einziges der Brief mit unserem Anliegen liegt, eine gelassene halbe Stunde, die auf den Empfangenen wie zwei Stunden wirkt.

Als ich nach Deutschland kam, hatte mein Vater mir eine lange Liste von Personen mitgegeben, bei denen ich meinen Antrittsbesuch zu machen hatte. Und so habe ich denn tatsächlich, vielleicht als letzter in Deutschland, Ende der sechziger Jahre diese Antrittsbesuche absolviert. Sie fanden sonntags um halb zwölf statt, sollten, wie mir mein Vater sagte, höchstens eine halbe Stunde dauern, und es waren dabei an Visitenkarten eine für den Hausherrn, eine für die Hausfrau und je eine für ihre Töchter, so vorhanden, zu hinterlassen. Bei den meisten Leuten wurde dieser Antrittsbesuch, kaum daß ich mich gemeldet hatte, sofort in eine Einladung zum Essen umgebogen, aber einige Leute in schon fortgeschrittenem Alter haben mich tatsächlich zu einem Glas Sherry am Sonntagmorgen empfangen. Inzwischen wäre es niemandem mehr anzuraten, sonntags um zwölf unangemeldet irgendwo zu klingeln. Das Dienstmädchen, das einst sagen konnte, die Herrschaften seien nicht zu Hause, und nur die Karten entgegennahm – damit war der Besuch »geleistet«, und wenn ein so gearteter »Gegenbesuch« erfolgte, war die gesellschaftliche Beziehung hergestellt –, gibt es nicht mehr, und die Herrschaften machen um diese Zeit *grasse matinée* und sind im Morgenrock. Ohne dem Untergang des Antrittsbesuchs nachzuweinen, kann man doch sagen, daß er ein sehr praktikables Instrument war, schnell und ohne großen Aufwand mit vielen Leuten in Verbindung zu treten, was sonst sehr viel länger dauern kann. »We don't stand on ceremony« – das ist ein Grundsatz, der das Leben außerordentlich erleichtert, der aber auch unversehens Komplikationen im Gefolge hat.

Anreden und Titel (I)

»Bist du ein Prinz, ein Graf oder ein Baron, oder wie heißen Sie?«
Österr. Anonymus

Daß die Könige in ihren feierlichen Äußerungen »Wir« statt »Ich« sagten, versteht jedes Kind, denn das Ich eines Königs mit seiner Krone sprengt den Käfig der Einzahl und flutet nach allen Seiten über sie hinweg. Im übrigen scheint mir, als sei in diesem majestätischen »Wir« ein gutes Stück Bescheidenheit enthalten gewesen. Hier trumpfte eben kein diktatorisches »Ich« auf. Der König war sich bewußt, daß er in der langen Kette seiner Vorfahren stand und als einzelnes Glied nur durch diese Vorfahren und womöglich auch Nachfahren legitimiert war. Diese »Pluralisierung« einer einzelnen Person beginnt nun historisch zu werden. Papst Johannes Paul II. sagt als erster Papst nur noch »Ich« und hat Königin Elisabeth II. mit ihrem »Wir« als letzte Monarchin zurückgelassen. In Frankreich kann man das »Wir« allerdings bei den republikanischen Amtsträgern wiederfinden, die vermitteln wollen, daß die gesamte Wucht des Staates hinter ihren Anordnungen steht. »Nous, le maire de Fontgombault – Wir, der Bürgermeister von Fontgombault (eines 200-Seelen-Dorfes) dekretieren in Ansehung mehrerer Unglücksfälle, daß es verboten ist, von der Brücke in den Fluß zu springen«, habe ich neben der Ankündigung einer Schweine-Auktion im amtlichen Schaukasten besagten Dorfes gelesen. Als Vertreter der vierten Gewalt haben schon seit längerem die Journalisten den Königen den Pluralis majestatis abgeschaut. »Ich« soll der Rezensent oder Leitartikler oder Reporter nicht schreiben, sonst könnte seine gedruckte Meinung so subjektiv erscheinen, wie sie es auch ist. Statt dessen setzt er »Wir«. Was das Ziel des Artikels ist – nämlich den Leser für sich einzunehmen –, wird mit dem »Wir« vorweggenommen. Das journalistische »Wir« gehört zu den sanften Unverschämtheiten der Presse und hat etwas mit dem Einseifen beim Friseur zu tun, das gleichfalls von zutraulichem Schwatzen begleitet wird. – »Seien wir doch mal ganz ehrlich – jeder hat nur eine Mutter!« raunt es dann neben »unserem« Ohr, während wir willenlos im Sessel liegen und dem Aufgehen im allgemeinen Wir schon gar nichts mehr entgegenzusetzen haben.

Gleichfalls vom Machtglanz der Könige zehrt das befehlende »Wir«, das freilich auch eine Verlegenheit offenbart. Befehle wird es immer geben auf der Welt, auch wenn in westlichen Gesellschaften derzeit das Wort »Befehl« sehr unpopulär ist – man bevorzugt die »Einladung«, die unter Umständen keinesfalls auszuschlagen ist. Wenn die Hausfrau ihrer Putzfrau Anweisungen erteilt, wird sie deshalb heute nicht einfach sagen: »Machen Sie dies und machen Sie das!«, sondern gar keinen Imperativ benutzen: »Heute wollen wir Fenster putzen, und dann wollen wir die Wintersachen in den Keller tragen.« Auch Lehrer machen von diesem befehlenden »Wir« Gebrauch: »Wir wollen jetzt mit den Gleichungen mit drei Unbekannten beginnen« – auch hier ist jedem klar, wer will und wer zu wollen hat, obwohl aus der Grammatik des Satzes die Antwort auf Lenins Frage »Wer wen?« nicht hervorgeht.

Völlig unangefochten ist die »Pluralisierung« der einzelnen Person aber in der Anrede geblieben. In den meisten europäischen Völkern herrscht seit langem die Auffassung, daß man dem Menschen höflich entgegenkommt, wenn man ihn verdoppelt. Bei den großen römischen Cäsaren war das allgemeine »Du« auch zwischen Herren und Sklaven noch selbstverständlich. Abstand und Respekt galten immens viel, wurden aber mit anderen Mitteln betont als mit der Anrede. Auf einmal muß dann dies Ungenügen am klassischen »Du« aufgekommen sein, das bis heute andauert. Aus dem »Du« wurde »Ihr«, und so ist es bei Engländern und Franzosen geblieben. Den Deutschen genügte das »Ihr« bis zum Barock; dann eröffneten sich neue Möglichkeiten, den Umgang mit den Mitmenschen noch etwas komplizierter zu machen, die man dankbar ergriff. Jetzt genügte der Plural dem Bedürfnis nach Ehrerbietung allein nicht mehr, jetzt wurde bereits die Direktheit der zweiten Person als zu plump empfunden. Der in den Plural versetzte Adressat wurde nun in der dritten Person angeredet. Aus »Wie Ihr befehlt« wurde »Wie der Herr Graf befehlen«, und die Grammatik hatte sich dieser Ausschmückung zu beugen. Vielleicht hat man das Gewaltsame eines Singular-Subjekts mit einem Plural-Prädikat aber dann doch als nicht so elegant empfunden, wie es angestrebt war, und ist schließlich zu dem Plural-Subjekt »Sie« übergegangen. Inzwischen ist es dem Manierismus des »Sie«-Sagens so ergangen wie allen Manierismen, wenn sie alt geworden sind: Sie werden als völlig normal empfunden. Ich behaupte, daß die Deutschen beim Siezen den Plural nicht mehr mithören. Das »Ihr« ist deswegen aber noch nicht völlig ausgestorben. In bäuerlichen Milieus – ich drücke mich bewußt so ungenau aus, denn Bauern gibt es kaum noch in Deutschland –, vor allem, wenn Dialekt gesprochen wird, wie in der Schweiz, kann man das »Ihr« noch hören. Oft hat es einen tastenden Charakter: Der Sprecher wagt nicht, »Du« zu sagen, will aber zugleich von dem ungemütlichen »Sie« wegkommen. Das »Ihr« strömt jetzt etwas Verkümmertes aus, es wird nicht aus vollem Herzen gesprochen, soweit ich das mitbekommen habe. Und es sei auch noch der sehr selten gewordenen Anrede in der dritten Person Singular, mit »Er« und »Sie«, gedacht. In Preußen war das im achtzehnten Jahrhundert vor allem eine Anrede für Untergebene, in Österreich haben sich auch die Mitglieder der Schönen Welt so angesprochen, und in Wien, wo man zu meinem nicht enden wollenden Vergnügen auch heute noch vielen Sprachaltertümern begegnen kann, bin ich tatsächlich noch älteren Ehepaaren begegnet, die sich mit »Er« und »Sie« anredeten. Das Siezen in der Familie ist in Deutschland allerdings schon über zweihundert Jahre aus der Mode. Mozart siezt seinen Vater noch, aber schon die nächste Generation war beim Du gelandet. Eva Rechel-Mertens, die große Proust-Übersetzerin, ließ deshalb den Herzog und die Herzogin von Guermantes, die sich im Französischen natürlich »vous« sagen, im Deutschen das »Du« gebrauchen, weil ein deutscher Herzog um 1900 seine Frau duzte. Das familiäre »vous« ist in Frankreich hingegen durchaus noch zu hören, wenngleich in schrumpfenden, sehr stilbewußten Reservaten. Man sprach in Frankreich vom Typ des Beamten, der nach seiner Beförderung anfängt, seine Frau zu siezen; das zeigt, welch einen Repräsentationswert diesem »vous« zugemessen wird. Man siezte schließlich auch Gott und die Jungfrau Maria – das Ave Maria heißt auf französisch »Je vous salue, Marie« –, und der progressivistische Versuch, beim Beten das Du einzuführen, hat zwischen den Gott-Siezern und den Gott-Duzern eine tiefe theologische Kluft entstehen lassen. Obwohl auch die Franzosen inzwischen viel häufiger duzen als früher, gilt immer noch, daß die Anrede hier keineswegs Rückschlüsse auf den Grad der Intimität zuläßt – auch sehr vertraute Freunde bleiben oft lebenslang beim »vous«. Die Engländer haben das Du inzwischen ausschließlich für Gott reserviert – »Thou« und »Thee« gelten nur dem Höchsten, während die gesamte geschaffene Welt sich mit »Ihr« – »You« – anredet. Für Differenzierungen ist in diesem überaus klassenbewußten Volk allerdings reichlich gesorgt, wie an anderer Stelle zu zeigen sein wird.

Das italienische »Sie« – »Lei« – ist eine Spezialität, die den barocken Charakter dieser Anrede besonders deutlich zum Ausdruck bringt. »Lei« ist das weibliche Pronomen und steht für »Vostra Signoria« – »Euer Herrlichkeit«, das englische »Your Lordship«, das nur den Peers zukommt, in Italien nun aber jedermann. In Einladungen druckt man statt »Lei« auch heute noch »V. S.«. Es ist ein überraschender Gedanke, daß in einer Demokratie die angestrebte Gleichheit darin bestehen soll, daß jeder Bürger »Euer Herrlichkeit« ist. Tatsächlich haben beinahe alle europäischen Völker, die demokratische Verfassungen haben, sich in ihren Anrede-Gebräuchen an den

Vorbildern der Aristokratie ausgerichtet. Es scheint, als habe man überall den Gleichheitsgedanken mit einer allgemeinen Verbreitung der Ehre, des Glanzes und der Distanz, mit der der Adel seine Mitglieder umgab, verbinden wollen. »Tod den Königen« hieß die Devise der Französischen Revolution, aber die geheime, von niemandem ausgesprochene Devise dahinter hieß: »Jeder soll König sein.« Das Ideal der europäischen Gleichheit war der Pair, der Edelmann, der den gleichen Rang wie der König beanspruchte, und so steht denn die urfeudale Figur des Pair hinter allen vitalen, nicht bloß defensiven Forderungen nach Gleichheit.

Das »Sie« ist nach gegenwärtig geltender Auffassung eine Anrede, auf die jeder Volljährige ein Recht beanspruchen kann. Das »Sie« kann gefordert werden, das »Du« muß erbeten oder ertragen werden, aber niemand kann einen anderen dazu zwingen, ihn zu duzen. Auf die Absurdität, das »Du« zu befehlen, setzte der berühmte Bankier und Bonmot-Fabrikant Fürstenberg, dem sein Chauffeur nach der Revolution von 1918 erklärte, er wolle von nun an nicht mehr als Otto, sondern als Herr Lehmann und mit »Sie« angesprochen werden. »Gut, Herr Lehmann«, antwortete Fürstenberg, »dann bestehe ich aber darauf, daß Sie in Zukunft zu mir Carl und ›Du‹ sagen, denn ein Unterschied muß sein.« Strafgefangene und Soldaten, Schüler und Anstaltsinsassen – eine schöne Gesellschaft! – können sämtlich auf dem »Sie« bestehen. Wenn verwirrte alte Leute in ihrem Asyl von den Pflegerinnen geduzt werden, schmerzt das jeden Wohlmeinenden besonders, auch wenn die Alten nicht mitbekommen sollten, was ihnen da widerfährt.

Das »Sie« ist ein gleichförmiges und Gleichheit schaffendes Element, aber das »Du« gibt es in vielen Schattierungen. Erzwungene und frei gewählte Gemeinschaften benutzen das »Du«. Das familiäre »Du« wurde schon erwähnt; es erstreckt sich, wenn der genealogische Sinn hoch entwickelt ist, wie meist in der Aristokratie, auf die fernste Verwandtschaft. Wo Familie waltet, bleibt das »Du« kleben. Auch verstoßene

Söhne duzen den Vater, und Brüder in Todfeindschaft bleiben beim »Du« – wollten sie zum »Sie« wechseln, wäre das noch schockierender, als wenn sie sich umbrächten. Dem »Du« der familiären Zwangsgemeinschaft kommt das Kameraden-»Du« nahe. Alle, die gezwungenermaßen, als Soldaten oder Häftlinge, in derselben Camera schlafen, sagen sich »Du«; es dürfte beinahe unmöglich sein, daraus auszubrechen. Aber einmal ist die Zeit in der gemeinsamen Camera zu Ende. Dann kann das »Du« vom jählings zwanzig Jahre später auftauchenden Klassenkameraden eigentlich nicht mehr eingefordert werden. Kein kluger Mensch beharrt auf einem aus unfreiwilligem Gruppenwesen herrührenden »Du«.

Neuerdings wollen große Firmen von dem Gruppen-»Du« profitieren, um ihre Abteilungen zu lakedämonischen Kampfgemeinschaften zusammenzuschmieden. Wer in solchen Zusammenhängen den Charakter besitzt, zu widersprechen, wird leicht zu einem Märtyrer der Zivilcourage. Die Firmenpsychologen seien aber daran erinnert, daß bei den großen Mönchsorden, bei denen es noch ordentlich zugeht, lebenslang beim »Sie« geblieben wird, auch wenn man sich vierzig Jahre lang täglich begegnet.

Sehr erfolgreich war allerdings der österreichische Feldmarschall Radetzky mit dem »Du«, das er allen Offizieren seiner Vielvölkerarmee auferlegte, übrigens bei Beibehaltung sämtlicher Titel. »Du, Exzellenz«, sagte der Leutnant zum General, »Du, Herr Leutnant«, antwortete der hohe Vorgesetzte. Daraus ist das österreichisch-ungarische Adels-»Du« entstanden, für das die Frage bezeichnend ist: »Bist du ein Fürst, ein Graf oder ein Baron, oder wie heißen Sie?« Die österreichischen Aristokraten haben sich mit diesem »Du«, das die Rangunterschiede eben nicht einebnete, sondern sie womöglich noch betonte, einen großen Gefallen getan; Lässigkeit, Absichtslosigkeit und sanfte Ironie haben die österreichischen Granden für die norddeutschen Junker zum Vorbild gemacht, einem unerreichten selbstverständlich, wie sich das für echte Vorbilder gehört. Einem Bürgerlichen, der als einzelner in einen solchen Kreis hineingerät, kann es durchaus passieren, daß er ohne weiteres gleich mitgeduzt wird. Das ist als Nettigkeit zu verstehen, um den nun einmal bestehenden Unterschied, der allen Anwesenden deutlich im Bewußtsein bleibt, nicht noch einmal peinlich zu betonen. Wer sich in dem Kreis nicht wohl fühlt, kann gern auf dies »Du« eingehen, das ohne feierliches Ritual gewährt wird, sollte aber nicht glauben, daß er nun Freunde fürs Leben gewonnen hat. Beim nächsten Mal in anderer Konstellation kann die Duzbrüderschaft – die eine solche eben nicht gewesen ist – schon wieder vergessen sein, und den Namen, da nicht im Gotha registriert, hat man sich ohnehin nicht merken können, aber das heißt nichts, man hat ein »notorisch schlechtes Namengedächtnis«!

Es gibt ferner das lebenslang haftenbleibende Corpsstudenten-»Du« (meist mit Nachnamen), das völlig beliebige, überhaupt nichts aussagende allgemeine Studenten-»Du«, das angeblich inzwischen wieder in Frage gestellt wird, das oft von großer Abneigung, ja, von Haß begleitete Theater-»Du« und das der Außenwelt gelegentlich verdächtige Parteipolitiker- oder Genossen-»Du«. Es ist für einen nicht zur Partei gehörenden Bürger manchmal sehr unangenehm, den regionalen Parteisekretär den Bundeskanzler, der aus dessen Partei stammt, duzen zu hören; das ist, als ob der Erfolgreiche daran erinnert sein soll, von welcher Galeere er stamme und welche Pflichten er gegenüber den alten Kameraden von derselben Ruderbank habe.

In den liturgischen Texten der katholischen Kirche werden die Gläubigen geduzt, aber nicht weil sie unmündige Schafe sind, sondern weil die Texte so alt sind, daß sie vor die Erfindung des »Sie« zurückreichen. Wollen wir auch vom »Du« des Club Mediterranée und ähnlicher Ferienlager sprechen, in denen im Zwei-Wochen-Takt unablässig neue Club-Familien gegründet werden? Es tut mir leid, dazu keine Auskunft geben zu können, ich bin an solchen Orten noch nicht gewesen.

Bleibt noch das Freundschafts-»Du«. In der Jugend ergibt es sich von selbst, später können allerlei Schwierigkeiten damit verbunden sein. Es liegt manchmal eine romantische Emphase im Anbieten des »Du«, in deren Nähe große Enttäuschungen lauern können. Das »Du«-Anbieten kann von ähnlichem Bangen begleitet sein wie eine Liebeserklärung – wird es wirklich genauso angenommen, wie es angetragen wird? In einer Umgebung, in der viele sich duzen, kann ein aufrechterhaltenes »Sie« betont abweisend und ausschließend wirken. Man glaubt dann, zum »Du« geradezu verpflichtet zu sein. Wenn das »Du« auf der Klimax der Freundschaft angeboten wird, kann es mit dem Abnehmen der Intimität verbunden sein. Das feierliche »Du«-Anbieten zwischen Erwachsenen bleibt in Deutschland eine heikle Angelegenheit. Muß es sein? Ist es wirklich notwendig? Gibt es der Freundschaft einen Kraftstoß, der sonst ausbliebe? Vielleicht sind es auch nur die Männer, die hier Probleme sehen. Frauen haben, wie man weiß, kaum Schwierigkeiten mit dem »Du«. Sie duzen sich, kaum daß sie sich kennen, wenn sie sich nicht verabscheuen. Einem Mann kann dies blitzartige Einverständnis, das ohne alle männlichen Bedenken und Zeremonien auskommt, schon beinahe unheimlich werden. Eine unsichtbare Haremsgemeinschaft tut sich da auf. Man war schon im Bunde, bevor man sich kennengelernt hat, das Kennenlernen konnte dem Verschworensein kaum noch etwas hinzufügen. Da gab es kein Überkreuztrinken und was sich die Männer in der Kneipe alles ausgedacht haben, um dem »Du« die höheren Weihen zu verleihen. Es ist beim »Du«-Sagen wie mit vielen anderen Situationen, die Männern schwerfallen: Frauen sehen gar nicht, wo die Schwierigkeit liegen soll. Sie breiten ihre Flügel aus, während Männer jeden ihrer Schritte – meist vergeblich – bedenken.

Werden die alten Regeln beim »Du«-Anbieten noch beachtet? Da man die möglichen Peinlichkeiten bei dieser Prozedur so klein halten wollte wie möglich, galt, daß der Ranghöhere oder der Ältere das »Du« anbieten mußte; wenn einer der Verlegenheit ausgesetzt sein sollte, ein angebotenes »Du« abzulehnen, sollte es wenigstens der weniger Gewichtige von beiden sein. Ebenso sollten Frauen sich nicht unerwünschten

»Du«-Angeboten ausgesetzt sehen; das »Du« mußte immer von der Frau angeboten werden. Nun gibt es zwischen Mann und Frau Situationen, die sich nur schwer in ein Regelwerk fassen lassen. Dennoch bleibe man eingedenk dessen, was dem jungen Mann aus bescheidenen Verhältnissen widerfuhr, der auf einem Ozeandampfer eine vermögende junge Erbin für sich begeistert hatte und sie am nächsten Morgen, als sie von ihren Freunden umgeben war, herzlich begrüßen wollte: »Sir«, sagte die junge Dame kühl, »mere sexual intercourse does not introduce in Boston circles!« – Bloßer Geschlechtsverkehr verschafft noch keinen Zutritt in die Bostoner Gesellschaft.

Wie man sich in der Familie anredet, sagt viel über den sozialen Status. Die Zeiten, in denen die Eheleute sich mit »Mann« und »Frau« ansprachen, scheinen überwiegend vorbei, obwohl ich es im bäuerlichen Milieu noch gehört habe; in den Briefen des bewundernswerten Fontane heißt es allerdings noch nüchtern »Liebe Frau«, wobei das Verhältnis allerdings wohl nicht von übertriebener Zärtlichkeit geprägt gewesen ist. Es soll auch Verhältnisse geben, wo die Eheleute »Vater« und »Mutter« zueinander sagen, vornehmlich wohl in kinderlosen Haushalten, wo der Schäferhund den beiden noch zu einem zusätzlichen schönen Titel verhilft, nämlich »Herrchen« und »Frauchen«. Im England des achtzehnten Jahrhunderts redeten sich die Ehepaare als »Mister« und »Mistress« an; wenn wir Laurence Sterne glauben wollen, sagte Mr. Shandy zu seiner Frau selbst zwischen den vier Pfosten seines Himmelbetts »Mrs. Shandy«. Eine Anrede, die sich die Köchin erst im neunzehnten Jahrhundert eroberte.

Sonst ist der Vorname inzwischen allgemein, aber im Verhältnis der Kinder zu den Eltern gibt es die interessantesten Variationen. Hier wäre »Mutter« und »Vater« zu den Eltern zu sagen gewiß die klassische Lösung und die den alten Traditionen entsprechendste. Ich habe das aber selten gehört; ich vermute, es klingt in deutschen Ohren zu hart und zu patriarchalisch. Beinahe international sind die beiden römischen Wörter »Mamma« und »Papa«. Mamma heißt auf Latein die mütterliche Brust und ist nach den ersten Lauten des Säuglings gebildet, der ihr seinen Mund entgegenreckt und trinken will – ein zutiefst sachliches, den Lebenszusammenhang erschöpfend erfassendes Wort ist das also, wenige Wörter packen ihren Gegenstand derart bei der Wurzel. Die Mamma ist deshalb auf der ganzen Welt verbreitet, aber besonderes Prestige genießt sie bei den Deutschen deswegen nicht. Wer von einer Frau sagt, sie sei eine Mamma, will ihr kein Kompliment machen. Und in bürgerlicher und aristokratischer Sphäre ist die Mamma geradezu verpönt. Sie mußte sich strecken und elegant verschlanken, um akzeptabel zu werden. So kam es wohl zu der kuriosen Erfindung Mamá, die französisch klingt, obwohl es das Wort in Frankreich nicht gibt; dort sagt man »maman«. Auch der Papa – immerhin heißt Papa auch Papst – war deshalb noch lange nicht fein genug, er mußte zum Papá werden, den es diesmal sogar auch auf französisch gibt. Die Mamá ist in den Zeilen Heinrich Hoffmanns »Konrad, sprach die Frau Mamá / ich geh aus und du bleibst da« unsterblich geworden, aber im alltäglichen Gebrauch kommt sie aus der Mode. Mit der Mamá verbinde ich tatsächlich einen Typus Mutter, der vor allem ausgeht und jedenfalls nicht jeden Nachmittag drei Stunden Schularbeiten überwacht. Die Mamá ist eine etwas ferne Dame, die die Sphäre des Kinderzimmers gelegentlich kometenhaft streift. Solch ein formvoll distanziertes Verhältnis der Eltern zu den Kindern muß keineswegs von Nachteil sein. Viele der fürchterlichen Generationskonflikte unserer Gegenwart sind aus einer allzu großen Nähe zwischen Eltern und Kindern entstanden. Die Eltern haben den Ehrgeiz, nicht die respektierten Erzieher, sondern die »besten Freunde« ihrer Kinder zu sein, und nehmen ihrem Nachwuchs in dieser distanzlosen zärtlichen Umklammerung die Luft zum Atmen. Ich weiß genau, daß ich meinen Vater als Vorbild ansehen wollte, und war stolz darauf, wenn ich bemerkte, welche Autorität er besaß. Natürlich zitterte ich vor ihm. Für schlechte Haltung im buchstäblichen und im moralischen Sinn war von ihm keinerlei Verständnis zu erwarten. Am liebsten hätte ich mich vor seinem Blick dann in ein Mäuseloch verkrochen. Die Vorstellung, daß solcher Respekt mit unbeeinträchtigter Kindesliebe einhergehen kann, scheint unserer Generation absurd vorzukommen, und doch ist es so.

Statt Mamá und Papá ist bei Aristokratie und Bourgeoisie nun Mami und Papi stärker in Gunst. Im Kleinkindalter mag das angehen, und in den engsten Familienkreis will der Manierenforscher sich nicht hineindrängen. Aber das Problem beginnt, wenn dieser engste Kreis verlassen wird. Natürlich sagt man zu einem Kind am besten: »Grüß deine Mutter und deinen Vater von mir.« Wenn es sich um einen Freund der Familie handelt, mag er auch sagen: »Grüß deine liebe Mamá von mir!« Aber: »Grüß deinen Papi und deine Mami« – das ist geradezu ein wenig peinlich, man sieht den Familienmief wolkenförmig nach außen treten. Und ebenso unangenehm ist es, wenn die Kinder, womöglich noch als junge Erwachsene, jedermann unablässig von »Mami« und »Papi« Bericht erstatten. Ein als »Papi« außerhalb der frühesten Kinderjahre bezeichneter Mann steht vor mir als ein von kleinlichem Familienbetrieb gründlich verharmlostes und entschärftes Wesen, »Papi« hat für mich etwas zutiefst Bedauernswertes, man sieht da den zum Chauffeur seiner Kinder degradierten Familienvater. Mit »Papi« und »Mami« breitet sich eine indiskrete Familienselbstzufriedenheit aus, deren Zeuge man ungern wird. Ebenso unschön, aber von der Schönen Welt dazu noch geächtet, sind »Mutti« und »Vati«, die spießbürgerlichen Pendants zu Papi und Mami. Hier kommt das sprachlich vergewaltigende Abhacken der letzten Silbe dieser ehrwürdigen Wörter und ihre Ersetzung durch das angelsächsisch inspirierte »I« als noch in viel höherem Maße Ärgernis erregend hinzu. Die »Mutti« ist aber auf dem Rückmarsch, seitdem sie zu einer pejorativen Bezeichnung für einen bestimmten Frauentypus geworden ist: Eine »Mutti« wird niemand gern genannt.

Für die Großeltern sind leider gleichfalls die klassischen Anreden »Großmutter« und »Großvater« selten geworden. Der gesellschaftliche Diskriminierungsbetrieb hat hier wieder in schöner Inkonsequenz gewaltet: »Oma« und »Opa« sind streng verboten, »Omama« und »Opapa« hingegen möglich – wo liegt da der essentielle Unterschied? Im amerikanisch umerzogenen Deutschland wurden hier auch »Grannie« oder »Grandma« ebenso wie »Daddy« oder »Dad« oder »Mum« in Umlauf gebracht, vielmehr die »Kids« haben es in den vielen widerwärtigen amerikanischen Familiensendungen und Filmen gelernt und in haltloser Mimesis übernommen. Das wäre einmal eine schöne Aufgabe für den sich in Deutschland neuerdings zaghaft entwickelnden Stand der Dandys: Was ist schlimmer – Vati oder Daddy? Wir sehen der ausführlich begründeten Verurteilung mit Spannung entgegen.

Nach unserer Beobachtung kommt der meist in ideologischem Mißtrauen gegen jede Form von Familie und Vater- und Mutterschaft wurzelnde Brauch, die Kinder dazu anzuhalten, die Eltern mit deren Vornamen zu nennen, allmählich wieder in Vergessenheit. Der Versuch, solche Grundverhältnisse der menschlichen Existenz, wie es Vaterschaft und Kindschaft nun einmal sind, auf dem nomenklatorischen Weg zu entschärfen, dürfte wohl als gescheitert anzusehen sein, wie das gesamte Projekt der antiautoritären Erziehung.

»Onkel« und »Tante« waren früher weiter verbreitet als nur im eigentlichen Familienkreis. Als ich nach Deutschland kam, sagten Mütter in gewissen Milieus noch zu ihren Kindern: »Gib dem Onkel schön die Hand«, wenn sie dazu auffordern wollten, einen Gast der Familie zu begrüßen. Vor Kindern sollten alle Leute »Onkel« und »Tanten« sein. Der dann leider gelegentlich auftauchende »böse Onkel« hat wohl auch dazu beigetragen, daß diese wilde Onkel- und Tanten-Adoption sehr stark zurückgegangen ist. In Österreich kann man dem Brauch, vor allem in aristokratischen Kreisen aber noch begegnen, gepflegt vielleicht aus dem Gefühl heraus, dem armen Fremden die Schande, nicht verwandt zu sein, etwas erträglicher zu machen.

Eine den familiären Anreden verwandte ist zwischen Männern der »Liebe Freund«. Zunächst spricht sicher gar nichts dagegen, seine Freunde, mit denen man sich duzt, mit »Lieber Freund« anzureden. Die Habitués des »Lieben Freundes« weiten den Gebrauch dieser herzlichen und vertraulichen Anrede jedoch stark aus. »Lieber Freund« oder »Mein Lieber« können nun sehr viele Personen sein, Kellner etwa, Zufallsbekanntschaften, junge Leute, denen man Ratschläge erteilt, Saufkumpane und Polizisten, die man nach dem Weg fragt. Es liegt etwas südlich, auch südöstlich Grandseigneurales im »Lieben Freund«, ein geselliges Leben zwischen Kaffeehaus und Jockey-Club scheint auf, demokratische Anwandlungen eines solide verwurzelten Klassendenkens machen sich so Luft. Glaubwürdig zu irgendeinem Wildfremden »Mein Lieber« oder »Lieber Freund« zu sagen verlangt eine sichtbar werdende Autorität und eine gutmütige Ironie, sonst kann es auch als Dreistigkeit empfunden werden. Wer sich den »Lieben Freund« allerdings zornrot verbittet, steht auch nicht gut da. Man muß nicht wie ein falscher Hidalgo einen Beruf daraus machen, überall Ehrenkränkungen zu vermuten.

In Deutschland sind die bürgerlichen Anreden vor den Namen: »Herr«, »Frau« und – immer noch zu finden, obwohl umstritten – »Fräulein«. Bis es dahin kam, mußte viel geschehen. Griechen und Römer kannten solche Zusätze nicht; die Leute hatten ihren Namen, und an diesem Namen war vollkommen befriedigend abzulesen, welcher Familie sie angehörten und welchen Rang sie mithin bekleideten, da bedurfte es keines »Herrn«. Der erste »Herr« der römischen Geschichte war der Kaiser Domitian, der den vorher völlig undenkbaren Titel »Dominus« annahm, denn dieser Titel bezeichnete das Verhältnis des Eigentümers zu seinen Sklaven, und als Sklaven hatten sich die freien Römer auch unter striktestem Kaiser-Regiment bis dahin nicht sehen wollen. Dann werden die germanischen, die gotischen und fränkischen Edeln »Domini«, deutsch »Herren«, und ihre Gemahlinnen werden »dominae«, deutsch »Frouwen«, das heißt »Herrinnen«, und ihre Töchter sind die schon erwähnten Fräulein. »Bin weder Fräulein, weder schön / kann ungeleitet nach Hause gehn«, sagt noch

Goethes Gretchen und will damit ausdrücken, daß sie keine Aristokratin ist und die plumpe Schmeichelei des sich an sie heranmachenden Faust durchschaut. Aber auch Papst und Kaiser sind unter allen Titulaturen vor allem »Herren« oder »Seigneurs« oder »Signori«.

Nun beobachte ich mit Faszination eine grundsätzliche Eigenschaft der europäischen Geschichte. Was für einen einzigen definiert wird, welche Formen dafür gemacht waren, die Souveränität eines einzigen auszudrücken, das wollen nach kurzer Frist auch die anderen haben, zunächst wenige Mächtige, dann auch die weniger Mächtigen, schließlich alle. Eine große Rolle bei der Ausbreitung der souveränen Würden auf alle hat die katholische Kirche gespielt. Ihre Sakramente schufen neben der Hierarchie des Blutes und des Adels eine Hierarchie der Weihen, die von der Abkunft unabhängig waren. Als die Kirche für jeden ihrer Priester gleichfalls den Titel »Herr« verlangte, drangen »Herr« und »Frau« – für die Benediktinerinnen – schon sehr weit ins Volk vor. Noch heute sind italienische Priester »Don« und französische Benediktiner »Dom«, während die Äbtissin der Benediktinerinnen »Madame« ist, in jenem alten Sinn dieser Titel, der den neuen demokratischen Sinn unmittelbar vorbereitete.

Als die Französische Revolution kam, gab es schon so viele »Herren« und »Frauen«, »Messieurs« und »Mesdames«, daß die Abschaffung des aristokratischen »Monsieur« offenbar nicht mehr so recht als Bedürfnis empfunden wurde. Ärzte und Rechtsanwälte, Bankiers und Schriftsteller, Zunftmeister und Ingenieure, Professoren und Maler waren nun schon unangefochten »Herren«. Jetzt sollten sie als Menschen der neuen Zeit gemeinsam mit den Kleinbauern und Arbeitern plötzlich »citoyen«, »Bürger«, sein. Es war Robespierre selbst, der diesen Beschluß der Revolution in einem rührenden Augenblick kassierte, als er, der sich bei einem Selbstmordversuch schwer verwundet hatte, dem Mann, der ihm aufs Schafott hinaufhalf, sagte: »Merci, Monsieur.« Und so ist es allen späteren revolutionären Versuchen ergangen, den »Herrn« und die »Frau« abzuschaffen; sowie der äußere Zwang weg war, kam hinter dem Genossen oder dem Kollegen wieder der Herr hervor. Über die bewußte und unbewußte Anschauung des Politischen und des Gesellschaftlichen sagt diese Bevorzugung des »Herrn« mehr als viele wissenschaftliche Analysen. Wir wollen gern alle Herren und Herrinnen sein, und wenn es auch nichts zu herrschen und regieren gibt – waren die Könige etwa Herren ihrer selbst? Wie oft konnten die Mächtigsten unter ihnen mit gutem Gewissen »Tel est notre bon plaisir« – Das ist unsere hohe Willkür – unter ihre Dokumente setzen? Wer die Geschichte kennt, weiß, daß das beinahe nie der Fall war. Aber das hat an der Anziehungskraft des einmal geprägten politischen Urbildes »Herr« nichts ändern können.

Bei dem Riesenerfolg der Anreden »Herr«, »Frau« und »Fräulein« sind aber doch die Kompliziertheiten, die leider nur für Deutschland mit dieser Anrede verbunden sind, bemerkenswert. Betrachten wir das Problem von außen. »Monsieur« und »Madame«, die französischen Äquivalente, genügen in beinahe jedem Fall – auf die Ausnahmen kommen wir noch zu sprechen – als vollkommen befriedigende Anrede für jedermann, gleich welchen Rang, Titel, Würden man beanspruchen mag. »Madame« war schon zu Zeiten der Monarchie die Anrede der Königin und die der Marktfrau. Mit »Madame« machte man niemals einen Fehler. Das wichtigste: Man kann Leute, deren Namen man nicht kennt, auf höfliche Weise anreden und hat immer das Richtige getroffen. Dasselbe gilt für »Signore« und »Signora« und für »Sir« und »Madam«. Im Deutschen ist die Möglichkeit, »Herr« und »Frau« als direkte Anreden zu benutzen, irgendwann im neunzehnten Jahrhundert verlorengegangen. »Mein Herr« hat man im neunzehnten Jahrhundert nach dem Vorbild von »Monsieur« zwar noch gesagt, aber jetzt geht das nicht mehr; »meine Herren« ist nur noch in Reden möglich geblieben. »Mein Herr« klingt irgendwie falsch im Ohr des Gegenwartsmenschen: gestelzt oder ironisch oder kellnerhaft oder subaltern oder altfränkisch. Einen Unbekannten kann man in Deutschland nicht anreden. »Herr«

geht nur mit dem Namen. Was die Frau angeht, so scheint sie für ein deutsches Ohr irgendeines Zusatzes zu bedürfen. Was in Frankreich »Notre Dame« heißen kann, muß in Deutschland »Unsere Liebe Frau« heißen. »Liebe Frau« schreibt Goethe noch an Charlotte von Stein, aber schon bald danach wäre das nicht mehr möglich gewesen, da waren Aristokratinnen »Gnädige« oder »Meine Gnädige« oder »Meine gnädigste Frau«. Die »Gnädige Frau« schien ein Äquivalent für »Madame« zu werden, als auch die Bürgerdamen diese Anrede für sich übernahmen. Das Standesdenken war in Deutschland aber noch so tief verwurzelt, daß die Aristokratinnen daraufhin an der »Gnädigen Frau« die Lust verloren. Seit neuerem ist die »Gnädige Frau« nur noch Anrede für bürgerliche Frauen, eine Aristokratin des niedrigsten Ranges ist bereits »Frau von Schulze« und nicht »Gnädige Frau«. Aber auch die Akademikerinnen und Politikerinnen wollen nicht mehr »Gnädige Frau«, sondern »Frau Professor« oder »Frau Oberbürgermeisterin« genannt werden, denn die »Gnädige Frau« absorbiert ihre Qualifikationen. Eine Arbeiterin würde aber auch nur von einem Politiker der alten Garde im Wahlkampf »Gnädige Frau« genannt werden. Inzwischen schrumpft der Kreis der Frauen, die man aus vollem Herzen »Gnädige Frau« nennen könnte. Es scheint mir, als gehöre eine gewisse feierliche, Respekt erheischende Damenhaftigkeit zur »Gnädigen Frau«, die die Frauen des wohlhabenden Bürgertums inzwischen eher fürchten als anstreben. In Hotels lebt diese Anrede noch, denn dort wird das Fehlen einer höflichen Anrede für Unbekannte besonders schmerzlich vermißt. Ansonsten ist die gutbürgerliche oder auch anspruchsvoll bürgerliche »Gnädige Frau« aber doch wohl kein Kulturgut, das allzu heftig betrauert zu werden verdient. Eine klassenübergreifende höfliche Anrede konnte sie nie werden, und außerdem hatte sie so viele Silben, daß meist eine gequetschte »Gnä' Frau« aus ihr wurde. Zu bedenken ist allerdings, daß gegenwärtig noch viele Frauen leben, auf die die »Gnä' Frau« paßt. Die kann man dann auch so nennen.

Das »Fräulein« ist, so zart es klingt, eine Todfeindin der Feministinnen geworden, die etwas besonders Schimpfliches darin sehen, verheiratete und unverheiratete Frauen in der Anrede zu unterscheiden. Man sage auch nicht »Herrlein« zum unverheirateten Mann. Tatsächlich hat sich die Anrede »Junger Herr« im zwanzigsten Jahrhundert verloren und wurde durch das lässige »Junger Mann«, im Supermarkt gerne auch für guterhaltene Greise gebraucht, ersetzt. Aber muß das »Fräulein« wirklich verschwinden? Ist es nicht um jede außer Gebrauch geratene Differenzierungsmöglichkeit schade? In Frankreich und Italien werden »Mademoiselle« und »Signorina« in Ehren gehalten, man hat angenehme Assoziationen bei diesen Wörtern, und die Geschäftsleute verwenden sie gern bei nicht ganz jungen Frauen, um so zu tun, als hätten sie sich über deren Alter getäuscht. Aber auch das alte Fräulein hat seine Würde. Eine meiner Erzieherinnen, Fräulein Hålme, war eine Frau von größter Autorität und hat stets jeden korrigiert, der sie aus Unkenntnis oder falsch verstandenem Taktgefühl »Frau Hålme« ansprach. Es scheint sich bei der Verfolgung des »Fräuleins« um ein spezifisch puritanisches Problem zu handeln. In Amerika hat man den Unterschied zwischen der verheirateten »Mistress« und der unverheirateten »Miss« unbedingt abschaffen wollen. Man kürzt dort nun »Ms.« ab, in der überreizten Argumentation der Feministen wird alles andere als Beleidigung der Frau verstanden. Glücklich derjenige, der in Verhältnissen lebt, die ihm gestatten, auf solche politisierten Maßregelungen keine Rücksicht zu nehmen.

Anreden und Titel (II)

Als ich nach Deutschland kam, spielten die akademischen Titel in der Anrede noch eine große Rolle. Wer einen Doktortitel erworben hatte, war »Herr Doktor«, oft sogar ohne folgenden Nachnamen, und seine Frau war »Frau Doktor«. Hatte die Frau promoviert, ihr Mann jedoch nicht, durfte dieser Gatte keineswegs am Titel seiner Frau teilhaben – aber das löste schon keine feministische Empörung mehr aus, denn die »Frau Doktor« mit dem Titel ihres Mannes war am Verblassen, als der große feministische Sturm einsetzte. Frauen, nein, »Damen« hatten übrigens das Privileg, Titel wie Doktor und Professor wegzulassen. Dies Privileg hat in Deutschland heute jedermann. Auch der »Herr Kollege«, mit dem sich Professoren gegenseitig ansprachen und der immer schon etwas von drolliger Ernsthaftigkeit an sich hatte, ist weitgehend dahingesunken, außer bei den Rechtsanwälten, wenn sie ihre teilweise recht unkollegiale Post austauschen. Wer heute auf Nennung seines akademischen Grades bestehen wollte, begäbe sich in die große Gefahr, sich lächerlich zu machen. Das hat gewiß vor allem mit dem nicht mehr besonders eindrucksvollen Ansehen der Universität zu tun. Auszeichnungen können nicht mehr Respekt erwarten als die Institution, die sie verleiht. Wer sonst auf Ehre keinen Anspruch erhebt oder erheben darf, kann auch niemanden ehren. Das heißt auf der anderen Seite aber durchaus nicht, daß man jemanden kränkt, wenn man ihm seinen vorhandenen oder vermuteten Doktortitel auf dem Briefumschlag und in der Anrede zuerkennt. Wie schon erwähnt, hat Höflichkeit überhaupt nichts mit Rechten zu tun. Mag auch der gesellschaftliche Anspruch nicht mehr bestehen – der im übrigen etwas völlig anderes ist als die standesamtlich festgestellte Rechtslage: der Staat und das Recht haben in puncto Manieren keine Stimme! –, so schafft es doch oft genug eine angenehme Atmosphäre der Achtung, wenn auf die Eigentümlichkeiten einer Person mit Aufmerksamkeit eingegangen wird, und dazu gehören eben auch ihre Titel. Daß man den eigenen Titeln mit höchster Gleichgültigkeit gegenübersteht, muß nicht erzwingen, daß man auch die anderer nachlässig behandelt.

Regierungsämter wie Minister und Staatssekretär werden in Deutschland derart stark als Funktionen und nicht als Titel angesehen, daß diese Funktionen in amtlichen Briefen erwähnt werden, aber an einem Abendessenstisch eigentlich keine Rolle mehr spielen. Das Bewußtsein, daß der Herr Minister morgen vielleicht schon peinlicher Umstände halber kein Minister mehr ist, ist inzwischen weit verbreitet. Die Hausfrau wird vielleicht ihren Gast mit »Herr Ministerpräsident X« vorstellen, aber im Munde führen müssen das lange Wort nur die Beamten der Staatskanzlei. Da hat Deutschland allerdings den eigenen Amtsträgern gegenüber eine Haltung angenommen, die auf entsprechende ausländische Herrschaften keinesfalls übertragen werden sollte, um nicht die größte Verstimmung zu riskieren. Botschafter und Minister der meisten Staaten sind »Exzellenz«, auch wenn man sie aus der Zeitung als kompromißlose Volksbefreier kennt. Wer auf diesem Gebiet Erfahrung hat, tut im Umgang mit ausländischen Staatspersonen der Höflichkeit eher zuviel als zuwenig. Die Deutschen vergessen leicht, daß sie das einzige Volk auf der Welt sind, das den Glauben an den Nationalstaat verloren hat – mit welcher Berechtigung, kann nicht Gegenstand dieses Buches sein.

Der Umgang mit den Adelstiteln fällt den Deutschen besonders schwer. Es ist oft ein Moment von Beklommenheit und Unsicherheit zu bemerken, wenn der Inhaber eines Adelstitels in bürgerliche Gesellschaft tritt. Auch eine gewisse Aggression bleibt gelegentlich nicht aus sowie die überwiegend risikolose Bekundung von »Bürgerstolz vor Fürstenthronen«. Ein Adelstitel kann heute eine beträchtliche Last sein, die seinem Inhaber Selbstsicherheit und Haltung abverlangt – und dabei will er in den allermeisten Fällen nichts anderes, als sich als besonders gewissenhafter Republikaner zu betragen. Wenn man seit der Zeit Karls des Großen rechnet – man könnte natürlich auch früher anfangen –, haben die Aristokraten über 1200 Jahre lang Deutschland beherrscht, um sich in gerade 80 Jahren zu Musterdemokraten zu entwickeln, ein beinahe unheimlicher Vorgang. War denn da nicht wenigstens in ein paar Ecken noch ein Minimum an reaktionärem Beharrungsvermögen? Keinesfalls länger als bis zur Hitlerzeit, die das Land derart gründlich veränderte, daß nirgendwo mehr Raum für rückwärtsgewandte Träume blieb. Die deutschen Aristokraten waren lange genug an der Macht gewesen, um einen starken antiillusionären Zug zu entwickeln. Auch von politischen Visionen sind sie nie geplagt gewesen; Bismarck mit seiner bürgerlichen Mutter steht wie ein Riese unter seinen Standesgenossen. Das hat ihnen die Integration in die demokratische Gesellschaft erstaunlich leicht gemacht. Es gibt deshalb kaum einen Lebensbereich, in dem man nicht auf Aristokraten stoßen wird.

Man kann sich natürlich auf den Standpunkt stellen, daß mit dem Ende der Adelsprivilegien nach dem Sturz der deutschen Monarchen – es waren immerhin zwei Kaiser, drei Könige, fünf Großherzöge, mehrere regierende Herzöge und Fürsten – das Thema Adel in Deutschland nicht mehr interessiert und somit ignoriert werden kann. Eine solche Haltung vergißt, daß gesellschaftliche Realitäten nicht durch Verfassungsartikel geschaffen werden können. Die politische und gesetzliche Lage sieht keinen Adel mehr vor, aber das gesellschaftliche Bewußtsein weiß, daß es den Adel trotzdem gibt. Die Österreicher waren klüger, als sie in ihrer republikanischen Verfassung den Adel nicht abschafften, sondern das

Führen von Adelstiteln verboten. »Schade für Herrn von Müller«, sagte damals Fürst Windisch-Graetz, der wußte, daß der Adel nicht im Titel, sondern in dem großen Namen steckt, der über Jahrhunderte hindurch in den Büchern der Geschichte verzeichnet ist; die prachtvollsten Titel sind ohnehin meist jüngeren Datums; zu Zeiten der Kreuzzüge, als der europäische Adel seine von allen Aristokratien der Welt unterschiedene Form annahm, waren die meisten Aristokraten einfach »Herren«.

Wer die republikanische Haltung und die Gesetze in dieser Hinsicht ernst nimmt und eine Prinzessin von Transsylvanien »Frau Transsylvanien« nennt, wird im übrigen auf keinerlei Widerspruch stoßen. Die Prinzessin hat in ihrem Kopf eine große Kommode mit vielen Schubfächern, und sie wird einen solchen konsequenten Titelverweigerer in die Schublade mit der Aufschrift »Prolet« oder »Underdog« ablegen und ganz besonders liebenswürdig zu ihm sein, denn sie hat gelernt, daß man den armen Underdogs auf ihrem trostlosen Lebensweg mit aller Güte entgegenkommen muß. So lebt man denn nebeneinanderher, und das ist vielleicht auch gar kein großes Unglück, aber eine Betrachtung über die Manieren hat vor allem die Formen im Auge, die die Menschen einander näherbringen. Es gibt kein europäisches Land, in dem die Institution des Adels nicht eine wahrnehmbare Rolle spielt, und die deutsche Aristokratie ist mit der anderer Länder vielfältig verbunden. Es wäre unbefriedigend, dieses Faktum nicht zur Kenntnis zu nehmen und auf die Formen nicht eingehen zu wollen, die damit verbunden sind.

Der Verständnislosigkeit, der sich der deutsche Adel im eigenen Land oft ausgesetzt sieht – bei gleichzeitig hohem Interesse und sogar Faszination –, steht allerdings, wie ein aristokratischer Historiker meinte, eine besondere Schwäche gegenüber, die den deutschen Adel auszeichnet: »Eine Schicht, die über tausend Jahre geherrscht hat, darf sich über Formunsicherheiten im Umgang mit ihr nicht beklagen. Ihre Aufgabe war es, vorbildhaft zu wirken und einprägsame Formen zu schaffen, die Allgemeinbesitz werden können. Diese Aufgabe hat der deutsche Adel nicht als die seine gesehen. Deshalb bestand bei ihm gar nicht die Absicht, seinem Volk ein Vorbild in einer schöneren, freieren, sichereren Lebensart zu sein. Das lag wahrscheinlich an den Standesschranken, die in Deutschland unüberwindlich waren, im Gegensatz zu England, Frankreich und Italien, deren Gesellschaften schon im Mittelalter nicht statisch, sondern dem Aufstieg günstig waren. Der Aufsteiger braucht zuverlässige Formen, um sich dort, wohin er aufgestiegen ist, richtig verhalten zu können. Wenn ein solcher Aufstieg gar nicht vorgesehen ist, bedarf es auch keiner den Neuling zurechtbiegenden Regeln. Zugleich ist der Reinheit des Blutes durch keine noch so schöne Lebensart ein Quentchen hinzuzufügen. Und so beschäftigte sich der deutsche Adel vor allem damit, die Schranken zwischen den einzelnen Stufen der Standespyramide noch unübersteigbarer zu machen und jede einzelne mit einer Dornröschenhecke aus Titulaturen zu umgeben, die nur ein Eingeweihter noch entwirren konnte.« Frankreich zum Vergleich, dessen Adel sich an Pomp und Repräsentationswillen nicht überbieten ließ, hatte die einfachste und jedermann zugängliche Form, ihn anzureden. Herzöge, Fürsten und Grafen mit ihren Frauen sind bis heute allesamt »Monsieur de X« und »Madame de Y«. Die Unterschiede ergeben sich aus dem verschiedenen historischen Gewicht der Namen; ein Baron aus der Zeit Ludwigs des Heiligen rangiert vor einem napoleonischen Herzog. In Deutschland wäre es grundverkehrt, die erwähnte Prinzessin von Transsylvanien »Frau von Transsylvanien« anzureden. Bis 1918 hätte man, bevor man das Wort an diese Person richtete, wissen müssen, was das für eine Prinzessin war, eine verheiratete oder unverheiratete, eine königliche oder eine fürstliche, eine regierende oder mediatisierte, ob sie, wenn verheiratet, von Geburt womöglich einen höheren Rang als ihr Mann bekleidete, der in der Anrede dann zu berücksichtigen war, et cetera. Fehler in der Rangfolge waren eine Katastrophe. Es gab Zusammentreffen, in denen eine richtige Tischordnung nicht gelingen konnte. Dann war man verstimmt wie heute nur ein chinesischer Botschafter, der sich fehlplaziert fühlt. Die Titulaturen waren byzantinisch. »Hoheit« war noch der sachlichste Titel, denn er bezeichnete das Mitglied einer Familie, die die Hoheit im Staat besaß oder sie später jedenfalls repräsentierte. »Durchlaucht« hingegen war die Übersetzung des lateinischen »Serenissimus« und sollte ausdrücken, daß der Träger dieses Prädikats von »olympischer Heiterkeit durchleuchtet« sei. »Erlaucht« war die Übersetzung von »Illustrissimus« und spielte gleichfalls auf Ruhm und Erleuchtung an. Dann gab es ein kunstvolles Spiel mit den Prädikaten »hochgeboren«, »wohlgeboren« und »hochwohlgeboren«. Seit der Zeit Goethes etwa okkupieren das letztere, ursprünglich den Grafen vorbehaltene die Bürger, die keine Handarbeit ausüben – damals war noch nicht abzusehen, wie ein Handwerksmeister einmal gegenüber einem Soldaten aus dem grauen Heer der Büroangestellten dastehen würde. Die Aufteilung der staatlichen Souveränität auf viele kleine Regionen, wie sie für die deutsche Geschichte typisch war, hatte zur Folge, daß Graf nicht gleich Graf und Fürst nicht gleich Fürst war – das Unterscheidungsmerkmal war die Souveränität, und so stand ein Graf, der als souveräner Herr sein kleines Territorium beherrschte, über einem Fürsten, der seinen Titel als Dank für geleistete Dienste empfangen hatte und ein Untertan war.

Der deutsche Adel selbst hat die Regeln der Anrede im zwanzigsten Jahrhundert sehr vereinfacht und sich dabei das Ausland zum Vorbild genommen, ohne dabei allerdings Frankreich zu berücksichtigen, eher Italien und Rußland. Weil »Herr« und »Frau«, die uradeligen Titel, inzwischen bürgerlicher Besitz geworden sind, sind sie aus dem Adelsvorrat, soweit irgend möglich, gestrichen. Notwendig sind sie natürlich bei Aristokraten, deren einziger Titel der »Herr« ist, das sind entweder sehr alte, bluts- oder schwertadlige Familien oder sehr junge aus dem neunzehnten Jahrhundert, als man nach englischem Vorbild in letzter Minute versuchte, den Adel für die wohlhabende Bourgeoisie zu öffnen. Aber bei den

»höchsten und allerhöchsten Herrschaften«, die den Herrentitel einst derart hochschätzten, daß sie ihn verdoppelten – »der allergnädigste König und Herr Herr Johann Albrecht et cetera« –, wird man ihn nun vergebens suchen; nur bei Kardinälen kann man diese doppelte Herrlichkeit noch antreffen – »Seine Eminenz, der hochwürdigste Herr Herr Anton Cardinal Müller« wird mancherorts noch auf Briefumschläge geschrieben. Weil der Freiherrentitel in der Anrede einst seltsam klang – »Herr Freiherr« war bei aller Herrlichkeit zu sperrig –, ging man dazu über, den deutschen Freiherren in der gesellschaftlichen Anrede den in Deutschland nicht existierenden Titel »Baron« zu verpassen; der Freiherr von Flächenbrand wird deshalb »Baron Flächenbrand« angesprochen, seine Frau ist »Baronin« ohne Namen, seine Tochter, in sehr geschlossenen, altertümlichen Verhältnissen, die es aber durchaus gibt, »Baronesse« – ein Titel, der französisch klingt, den es in Frankreich aber nicht gibt. Dort ist die Tochter der Baronin, der »Baronne«, »Mademoiselle«, und in Italien ist die »Baronessa« die Ehefrau des »Barone« und keinesfalls seine Tochter. »Herr Baron« wird nun nur noch von Untergebenen gesagt, aber immer seltener und nur noch in Gegenden, in denen »die Welt noch in Ordnung ist«, und auch dort wird es immer schwieriger, dem bosnischen, philippinischen und ukrainischen Personal solche Finessen einzupauken.

Dasselbe gilt auch für den »Herrn Grafen« und die »Frau Gräfin«; wer in ihrem Hause angestellt ist, sagt das so, obwohl ich feststelle, daß es den Leuten immer schwerer über die Lippen kommt, alle anderen sagen »Graf Barbarossa« und »Gräfin« zu seiner Frau. Die gräflichen Häuser, die bis zur Napoleonzeit souverän waren, verleihen ihren Mitgliedern das Prädikat »Erlaucht«, das man heute wohl vor allem auf Briefumschlägen noch entdecken kann, abgekürzt S.E., Seine Erlaucht, oder I.E., Ihre Erlaucht, oder I.I.E.E., Ihre Erlauchten, wenn das Ehepaar adressiert werden soll. Bei Musil heißt einer der Protagonisten Erlaucht Graf Leinsdorf, so lange liegt die Aktualität dieses Prädikats also auch noch nicht zurück; aber man muß schon sehr treue, altverbundene Vasallen eines solchen Hauses treffen, um den Erlaucht-Titel heute noch zu hören. Mit der Durchlaucht sieht es schon etwas anders aus. Der Vatikan und die ausländischen Höfe adressieren deutsche fürstliche Familien noch selbstverständlich mit »Durchlaucht« (»Son Altesse Serenissime«, abgekürzt S. A. S.), und in Gestalt der Fürsten von Liechtenstein und Monaco sind Durchlauchten immer noch Landesherren kleiner, aber wirtschaftlich höchst bedeutsamer Staaten und werden selbstverständlich auch von den meisten Leuten so angesprochen. Den abgesetzten deutschen Fürsten wird das Prädikat »Durchlaucht« vor allem auf dem Briefumschlag zuteil (S. D., I. D., I. I. D. D.). Ist der Fürst so alt, daß er lange vor dem Zweiten Weltkrieg geboren wurde und also noch in die eigentlich monarchische Zeit hineinreicht, darf man zu ihm getrost »Durchlaucht« sagen, aber wenn sein vierzigjähriger Sohn Chef des Hauses wird, dann redet man diesen »Fürst Trauchenburg« an und seine Frau »Fürstin«, seine Söhne »Prinz Trauchenburg«, seine Töchter »Prinzessin«. Kennt man sich besser, ist vom Du aber noch weit entfernt, kann man auch »Fürst Leopold« und »Fürstin Addolorata« sagen.

Die königlichen und großherzoglichen Familien Deutschlands haben für ihre Mitglieder das Prädikat »Hoheit«, wie schon erwähnt, und zwar »Königliche Hoheit« für die Prinzen und Prinzessinnen der Königshäuser und für die Chefs der großherzoglichen, land- und markgräflichen Häuser, »Hoheit« für deren Nachgeborene. Das Prädikat »Königliche Hoheit« unterliegt in der Aussprache demselben Silbenschwund wie die bereits besprochene »Gnä' Frau«; es wird ein eigentümlich flötend tirilierendes »Kö'oeit« daraus, beinahe einsilbig gesprochen, wie der Philosoph Theodor Adorno es auch bei der Hegelschen *Phänomenologie* gleich »Phäno'ogie« beobachtet hat. Man braucht die geübten Sprechwerkzeuge eines im Dienst ergrauten Kammerherrn, um dies Prädikat so beiläufig und zusammengeschnurrt wie erforderlich fallen lassen zu können. Es lohnt aber nicht, sich auf diese Aufgabe zu konzentrieren, denn auch dieses Prädikat steht heute vor allem auf Briefen, auf Hochzeits- und Todesanzeigen und auf den Gästelisten der Jagden. Zu den in der gesprochenen Sprache zusammenzuschnurrenden Prädikaten gehört übrigens auch noch die »Exzellenz«. Ein alter Offizier erzählte mir aus der Zeit, als die deutschen Generäle noch »Exzellenzen« waren – bis zum Beginn der Herrschaft des großen Modernisierers Hitler –, daß die Truppe einübte, wie ein General auf dem Kasernenhof zu begrüßen war. Daß hundert Mann nicht verständlich »Guten Morgen, Euer Exzellenz« schmettern können, war klar. Man ließ sie deshalb »Moin, Herr Lenz« brüllen. Bei einem einzelnen Sprecher soll sich dies schöne Prädikat »Ex'lenz« anhören.

Je nachdem, wie das jeweilige Haus sich mit den Politikern und der Öffentlichkeit seines einstigen Landes arrangiert hat, wird der Hauschef bei öffentlichen Anlässen von den Festrednern durchaus mit »Königliche Hoheit Prinz Friedrich« begrüßt. In Bayern ist das eine Selbstverständlichkeit, in manchen nördlichen Gegenden wohl eher nicht. Eine Rolle spielt hier immer auch, ob das Land sich gerade in irgendeinem Rechtsstreit mit seinem ehemaligen Landesherrn befindet. Wirtschaftliche Interessen können erstaunlich viel Höflichkeit hervorbringen, wenn auch meist nicht für sehr lange Zeit.

»Prinz« oder »Prinz Ferdinand« und »Prinzessin« werden auch bei den königlichen und herzoglichen Häusern stets die passenden Anreden sein. Die Mitglieder des damals regierenden Hauses Preußen sind Königliche Hoheiten, da sie nach der Reichsverfassung von 1871 keine kaiserliche Familie bilden. Die Erzherzöge und Erzherzoginnen des Hauses Österreich hingegen sind Kaiserliche und Königliche Hoheiten, wofern sie sich im Rahmen der Hausgesetze verheiratet haben; bei Mesalliancen ist die Hoheit perdu. Kein Zweifel, daß Erzherzog Otto, weithin als Otto von Habsburg bekannt, der bei der Krönung seines Vaters neben dem Thron stand, für jedermann »Kaiserliche Hoheit« ist. Seinen Sohn redet man, wie alle anderen Erzherzöge, mit »Erzherzog Karl« oder »Arpad«

oder »Salvator« an. Wer ihm und seiner Frau schreibt, kann den Umschlag aber immer noch mit der rätselhaften Buchstabenkette »I.I.K.K.« und »K.K.H.H.« schmücken.

Wollen wir noch über die Majestäten sprechen? Ich kann sagen, daß ich wirklich die ganze Spannweite möglicher Umgangsformen mit gesalbten Herrschern habe erleben dürfen. Der Kaiser von Äthiopien war für jeden Äthiopier, auch für dessen Familie, gleichgültig wie nah, »Euer Majestät«. Auf amharisch heißt Majestät »Janhoy«, ein Titel, der sich von der Verehrung des Elefanten ableitet. »Erhabener Herr«, wie Ryszard Kapuściński es behauptete, hat in Äthiopien niemand gesagt. Wenn man als Sohn oder Neffe sein Zimmer betrat, warf man sich auf dem Weg zu ihm dreimal zur Proskynese auf den Boden und küßte den Teppich. Zu seinen Füßen angekommen, wartete man mit gesenktem Kopf, bis der Kaiser einen aufhob. Er hob einen auf, aber das konnte ein Weilchen dauern, wenn man sich in der letzten Zeit nicht erfreulich benommen hatte. Das waren bange Momente, für die ich aber sehr dankbar bin, weil sie mir ermöglicht haben, das große kaiserliche Zeremoniell von Byzanz und sogar das des persischen Basileus noch nach dem Zweiten Weltkrieg authentisch kennenzulernen.

Am englischen Hof scheint man voll Eifer das Kontrastprogramm verwirklichen zu wollen. Nicht den Anschein einer Verneigung darf man machen, wenn man vor dem Souverän steht. Mit steifem Rücken läßt man den Kopf, als habe man eine kräftige Kopfnuß bekommen, auf die Brust fallen und richtet ihn alsbald wieder auf. Die Frauen machen einen Knicks, aber wenn in der Zeitung steht, der amerikanische Botschafter habe sich in den Palast begeben »to kiss the hands of Her Majesty«, so ist dies nur eine feierliche Redensart, denn die Hände der Königin werden keinesfalls von irgendwem geküßt. »Your Majesty« sagt man im ersten Satz, der einem in der hohen Gegenwart vergönnt ist, danach nur noch »Madam« in der sonderbaren Form von »Ma'am«, die einem phlegmatischen Schafsblöken gleicht. Desgleichen ist der Thronfolger, der Fürst von Wales, nur im ersten Satz »Your Royal Highness«, später »Sir«. Der König von Spanien ist »Señor«; Personen, die er auszeichnen will, begrüßt er mit der Akkolade. Der schwedische König ist, wie man mir sagt, in der Anrede »Der König«, man spricht zu ihm in der dritten Person Singular und sagt etwa: »Ich möchte dem König meine Kinder vorstellen.« – »Königliche Gegenwart ist wie ferner Donner über dem Meer«, schreibt Cecil Beaton, der seine Königin oft bei sich zu Gast hatte, aber das Gegenteil stimmt auch: In der Gegenwart eines Königs gibt es keine Beklommenheit und Verlegenheit, weil die Form alle Beteiligten eher zu leicht und mühelos über die meisten Unebenheiten hinwegträgt, und außerdem ist immer jemand zugegen, der die Fäden fest in der Hand hält und auf die Uhr guckt.

Solche Hofmarschälle und Kammerherren haben die abgesetzten deutschen Fürsten natürlich nicht mehr, aber sie tun ein wenig, als hätten sie alle Formfragen nach wie vor ihrem nicht vorhandenen Heroldsamt übertragen. Wenn ein allzu Neugieriger detailliertere Auskunft über die Form haben möchte, wird er etwas zerstreut angesehen und erhält eine ausweichende Antwort, aus der hervorgeht, daß man sich mit solchen Fragen eigentlich nicht beschäftige, es auch nicht so genau wisse, da müsse man den Onkel Franz fragen, der habe sich mit nichts anderem beschäftigt, sei derzeit aber leider tot. Im übrigen hat der junge Prinz, den man gefragt haben mag, von seinem Standpunkt aus gesehen, nur allzu recht. Er sagt ohnehin zu allen, denen er begegnet, du, und wenn er nicht duzen kann, fühlt er sich nicht sehr *à l'aise*. So kam es, daß sich in der Adressierung der Briefe die Gewohnheiten des deutschen und österreichischen Hochadels denen der linken Studenten von 1968 angenähert haben. Statt »Ihrer Hochgeboren, der Frau Gräfin Karl Friedrich von Feuergold-Pendülenburg«, wie es die Elterngeneration nach dem Zweiten Weltkrieg noch geschrieben hätte, steht heute vielfach »Christel Feuergold« auf dem Umschlag. Wenn Gräfin Christel den Umschlag öffnet, entnimmt sie ihm eine Einladung, auf der in englischer Schreibschrift gedruckt zu lesen steht: »Prinz und Prinzessin Hubertus zu Doppelfeldt-Doppelfeldt bitten Karli und Christel (die Vornamen der Gäste handgeschrieben) am … um … zum Abendessen.« Prinz und Prinzessin sind mit energischer Damenhand durchgestrichen, und nach dem Namen Hubertus ist handschriftlich ein »und Kitty« dazwischengeklemmt. »Kitty« ist der Kindername der Prinzessin, den sie mit 56 Jahren immer noch als ihr eigentliches Standesabzeichen trägt. Man hat sie bei ihrer Geburt mit den erlesensten alten Namen behängt wie eine byzantinische Ikone mit Schmuckstücken und hat, damit keine der Heiligen, die man etwa hätte vergessen können, als böse Fee dies Leben belaste, der Kette von zwölf Vornamen ein »et omnes sanctae« angefügt, aber von diesem Namensprunk wird nur der Gebrauch gemacht, ihn unter Verschluß zu halten – wie man es mit allzu großartig ausgefallenen Diademen tut, für die es keinen rechten Anlaß mehr gibt. Statt dessen nun also »Kitty«, und unter diesem »Kitty« ist die Prinzessin in ganz Europa bei ihren Verwandten und Freunden bekannt. Mimi und Schnecki, Dodo und Titti, Mommi und Didi sind zu den wahren Adelsabzeichen geworden, den verborgenen Residuen adeligen Wesens in der demokratischen Massengesellschaft. Innerhalb des Adels fallen keine Titel und keine Prädikate, dafür schwelgt man in diesen Baby-Namen. »Neulich, beim Karl Hohenhausen …« (Man bemerke, daß nicht nur der Titel, sondern vor allem auch das »von« unbedingt weggelassen werden muß!) – »Geh, bei wem? Beim Karl Hohenhausen? Ist das der Bruder vom Lolli?« – »Nein, der Vetter vom Guggi.« – »Ah, du meinst den Kiki!« – »Der Kiki ist der Schwager von der Fifi.« – »Aber die Fifi ist doch die Frau vom Hansi!« – »Ich mein' aber die Balli, die Tante vom Baba.« – »Ja, von dem red' ich doch, vom Baba.« – »Du sagst was von einem Karl.« – »Ja, der Karl ist doch der Baba!« – »Ja, sag's doch gleich!« So könnte eine anmutige Unterhaltung bei einem schönen selbstgebrannten Pflaumenschnaps und prasselndem Kaminfeuer aussehen.

Als in Österreich das Führen der Adelstitel noch verfolgt wurde – inzwischen scheren sich die Polizei und die Staatsanwaltschaft nicht mehr darum, nachdem das Verbot hartnäckig ignoriert worden und die Weiterexistenz des verbotenen Adels nicht abzustreiten war –, sahen Heiratsanzeigen so aus: »Heinrich Bozen gibt im eigenen sowie im Namen seiner Gemahlin Gräfin Maria Victoria von Bozen, geb. Gräfin von Szegedin geziemend Nachricht …«, denn es war nur das Führen der eigenen Prädikate verboten, nicht die Nennung derjenigen anderer Personen.

Auch in Deutschland hat man aber Gelegenheit zu zeigen, was man von dem Anspruch der Republik hält, den Umgang mit den Adelstiteln zu regeln. Nach der Abschaffung des Adels hatte man verfügt, die Adelstitel seien nun »Bestandteil des Namens«, wie es auch früher schon Namenszusätze, etwa in Westfalen, Friesland und am Niederrhein, gegeben hatte, die nicht adeligen Charakters waren, wie »vom«, »zur« oder »ten«. Dabei erhob sich aber die Schwierigkeit, daß ein Nachname in Deutschland eigentlich keine Geschlechtsspezifika besitzt wie in Polen oder Rußland. Wenn der Titel »Graf« Namensbestandteil werden sollte, hätten in Zukunft auch die Frauen »Graf« heißen müssen oder die Männer »Gräfin«, jedenfalls hätte man eine Form festlegen müssen, um konsequent zu sein. Das war man zum Glück nicht; man erkannte, daß sich die Titel nicht in das starre standesamtliche Raster pressen ließen, und gestattete weiterhin Freiherr und Freifrau, Graf und Gräfin, Prinz und Prinzessin. In anderer Hinsicht blieb man starr: Viele Familien, vor allem des hohen Adels, stehen unter dem Gesetz der Primogenitur, das heißt, der Chef des Hauses trägt einen anderen Titel als seine Agnaten. Ist der Chef des Hauses ein Fürst, sind seine nachgeborenen Verwandten entweder Prinzen oder Prinzessinnen oder Grafen und Gräfinnen. Es gibt auch Häuser, deren Chef Graf ist und deren Nachgeborene Herren und Fräulein von Soundso sind. Darauf wollte das Gesetz keine Rücksicht nehmen. Solche Familien haben im Paß eine einheitliche Regelung, wenn sie nicht, was durchaus vorkommt, mit dem örtlichen Standesbeamten auf gutem Fuße stehen. Der Adel nimmt auf solche standesamtliche Regelungen aber ohnehin keine Rücksicht. Amtlich steht jetzt auf dem Briefumschlag »Frau Yvonne Prinzessin von Burgund«. In der aristokratisch beeinflußten Sphäre fällt das »Frau« selbstverständlich weg, und wer betonen will, daß Prinzessin ein Titel ist, schreibt: »Prinzessin Yvonne von Burgund«.

Während man gegen die Adelstitel kämpfte, schwoll in Österreich eine bürgerliche Titelwut, die bis heute nicht abgenommen hat. Die für Deutschland inzwischen typische Titelverachtung im Umgang mit Politikern und Akademikern ist in dem Bruderland vollständig unbekannt. Nicht nur auf älteren Grabsteinen findet man die »Magazineurswitwe Rosalie Hinterhuber« und die »Kinobesitzersgattin Inozentia Ebersberger«. Der Grad eines Magisters, der in Deutschland als pure Selbstverständlichkeit unter den Tisch fällt, prangt hier auf Visitenkarten und in Zeitungsartikeln und wird, wenn man etwas von den Leuten will, durchaus auch in der Anrede verwendet. »Herr Magister« und »Frau Magister« kann man in gewissen Verhältnissen täglich vielmals hören. »Der Herr Doktor« wird außer von den Fakultäten der Universität auch von den Kellnern verliehen; ein Mensch, der eine Zeitung halten kann, ist »Herr Doktor«. Das Nestroysche »von«, das gleichmäßig über jeden halbwegs wohlhabenden, gebildet erscheinenden Ladenbesitzer, besseren Friseur, Hausbesitzer oder Kleinfabrikanten ausgegossen wurde und aus ihnen den »Herrn von Waclawik« und den »Herrn von Hollacek« machte, ist heute seltener zu hören, aber der »Wirkliche Hofrat« wird heute noch verliehen. Wenn Kaiser Friedrich wirklich einmal aus dem Kyffhäuser auferstehen sollte, wird er über eine genügend starke Zahl von Hofräten gebieten können, in Wien jedenfalls. Auch Funktionsbezeichnungen in privaten Firmen sind als Titel in vollem Schwange: »Herr Direktor« und »Herr Generaldirektor«, in Deutschland seit dreißig Jahren nicht mehr gehört, sind unbedingt üblich.

In Europa findet Österreich darin vor allem in Italien seinesgleichen, und zwar sowohl, was die Leichtigkeit des »Du« und des Weglassens aller Titel in den weltläufigen Kreisen als auch das Schwelgen in den bürgerlichen Titeln Dottore, Professore, Avvocato, Ingegnere – alles ohne »Signore« – betrifft. Die Bezeichnungen Cavaliere und Commendatore besagen, daß man den italienischen Verdienstorden erhalten hat, und fliegen in den provinziellen Kaffeehäusern und Friseursalons durch die Luft. Dem »Signore« geht es hier ähnlich wie dem »Herrn«, den die Aristokraten nicht mehr haben wollen, seitdem ihn jeder hat, nur daß in Italien nun auch die Bürger in den Genuß kommen wollen, den »Signore« irgendwie loszuwerden. Es spielt hier möglicherweise auch ein amerikanischer Einfluß eine Rolle, denn in den angelsächsisch geprägten Kulturen fällt bei militärischen Titeln (»Herr General« heißt »General«, »Herr Oberst« heißt »Colonel« etc.) und auch bei dem ausschließlich für Ärzte benutzten Doktortitel gleichfalls jeder »Herrenzusatz« weg (mit Ausnahme des Chirurgen, der in England immer »Mister« ist), allerdings aus anderem Grund: England hat als einziges europäisches Land die mittelalterliche Tradition der nach Klassen geschiedenen Anreden behalten.

»Mister« und »Mistress«, »Miss« und »Master« (»Junger Herr«, heute nur für die Buben von eleganten Leuten, die im *Tatler* abgebildet sind) entsprechen dem bürgerlichen »Meister« und seiner Frau Meisterin, in Europa sonst nur noch in Italien für Dirigenten – »Maestro« – oder in Frankreich für Rechtsanwälte – »Maître« – gebräuchlich. Ein Aristokrat ist deshalb kein »Mister«, auch wenn er als jüngerer Sohn eines Lords ohne eigenen Titel so angesprochen wird. Die allgemeine europäische Bewegung, die man eine dem europäischen Geist innewohnende Tendenz nennen könnte, den aristokratischen Herrentitel zu verbreiten, hatte in England deshalb eine scheinbar gegenteilige Wirkung – man versuchte, den »Mister« loszuwerden. Auf englischen Briefen schreibt man deshalb immer noch an Mr. John Smith »John Smith, Esq.«, denn der »Squire« oder »Esquire« ist der niedrigste Rang des englischen Adels und ohne Titel, obwohl die ältesten und vornehmsten Familien dazugehören. Desgleichen wurden Offiziere und akademische Titelträger als auf unbestimmte Weise der Gentleman-Schicht zugehörig empfunden und vom Stigma des »Mister« befreit. Der »Esq.« kommt derzeit wohl aus der Mode, aber dafür lassen die Engländer jetzt allgemein gern alle Anreden auf dem Briefumschlag weg. In den Niederlanden haben sich in Briefen die patrizischen Anreden des deutschen Barock erhalten. Je nach Fakultät heißt zum Beispiel ein Professor der »edelgelaarde«, »hooggelaarde«, »veelgelaarde«, »hoogedelgelaarde«, und eine reiche Nomenklatur dieser Art gibt es auch für Richter, Bürgermeister und so weiter.

Es bleibt die Kirche mit ihrer Hierarchie, die, wie man sehen wird, demselben europäischen Prinzip der Ausbreitung ihrer Titel unterliegt wie die weltlichen Titel. Christus hatte den Aposteln mitgegeben, daß sie niemanden Vater nennen sollten als den Vater im Himmel. Die Auffassung, daß jeder Priester in dem Augenblick, in dem er ein Sakrament spendet, Christus selbst nicht nur vertritt, sondern sogar verkörpert, machte dann aber möglich und verlangte es sogar, jeden Priester »Vater« zu nennen, und tatsächlich ist »Vater« in den verschiedensten Formen die vornehmste und eigentliche Hauptanrede der Priester in aller Welt geblieben. Die orthodoxen Priester und Mönche sind immer »Väter« mit darauf folgendem Vornamen, wofern er bekannt ist. Die englischen Priester sind »Father« mit darauf folgendem Nachnamen. »Patres«, also Väter auf Latein, sind die Mönche der alten Orden, wofern sie Priester sind, die Laien sind »Fratres«, Brüder. »Herr Pater« sagen die Leute zu einem solchen Ordensmann in Deutschland, aber dieser »Pater« wird häufig auch gegenüber Priestern verwendet, deren genaues Amt man nicht kennt. In Deutschland tragen die Benediktiner einen Ordensnamen aus der frühen germanischen Ordensgeschichte; die vollständige Adresse auf einem Brief wäre also etwa »Hochwürdigem Herrn Pater Beda, O.S.B. (Ordo Sancti Benedicti)«. Dominikaner haben hinter dem Namen O.P. (Ordo Prädicatorum), Franziskaner O.F.M. (Ordo fratrum minorum). Die Äbte der Klöster sind »Vater Abt«, was eine kuriose Verdoppelung ist, denn Abt kommt vom aramäischen Abba und heißt bereits Vater. Aus der Zeit der Kommendatar-Äbte im alten Frankreich, als der König vielen Leuten die Einkünfte einer Abtei überschrieb und sie zu deren Titular-Abt machte, obwohl sie ihr jeweiliges Kloster nie gesehen hatten, stammt der Brauch, in Frankreich jeden Weltpriester »Monsieur l'Abbé«, also eigentlich »Herr Abt« zu nennen. Alle Geistlichen, ob sie Pfarrer, Kapläne oder mit anderen Ämtern versehen sind, können »Hochwürden« oder »Hochwürdiger Herr« genannt werden, obwohl sich an dieser Anrede heute die Geister scheiden: Der fortschrittliche Volkspriester im Norwegerpullover wird sie als Provokation empfinden und sie sich womöglich sogar sehr gereizt verbitten, während der traditionstreue Priester im schwarzen Habit sich besonders verstanden fühlen wird. Bischöfe und Weihbischöfe (das sind Bischöfe, die keine eigene Diözese haben, sondern einen Diözesan-Bischof in seiner Amtsführung unterstützen) versammeln bereits eine bemerkenswerte Titelfülle auf sich: Sie werden im *Päpstlichen Jahrbuch* als »Reverendissimi et Excellentissimi Domini« geführt, als Hochwürdigste Exzellenzen und Herren. Jeder Bischof heute ist außerdem »Monsignore«. In Frankreich wurde dieser »Monseigneur«, die hochfeudale Version von Monsieur, den Herzögen und Prinzen von Geblüt vorbehalten und erst im siebzehnten Jahrhundert von den Bischöfen usurpiert – zum beträchtlichen Ärger der Feudalität, wie man bei St. Simon nachlesen kann. »Monseigneur« ist heute die Anrede der französischen Bischöfe, aber auch die niedere Geistlichkeit hat sich den »Monseigneur« oder »Monsignore« als Ehrentitel, der einem verdienten Priester vom Papst gewährt werden kann, erstritten; die vatikanischen Beamten sind allgemein unter dem Sammelbegriff »Monsignori« zusammengefaßt.

»Exzellenz« ist also ein katholischer Bischof; er trägt diesen Titel, wie schon erwähnt, zusammen mit den ausländischen

Diplomaten, und vielleicht steckt auch tatsächlich ein Stück Ultramontanität in diesem Titel, das Bewußtsein, daß der Bischof vor allem einer ausländischen Macht, dem Papst, verpflichtet ist. »Exzellenz« war übrigens früher vor allem ein Adelstitel, und zwar für venezianische Patrizier, sizilianische Fürsten und spanische Granden. Noch heute sind die Kinder der nicht ebenbürtig verheirateten Töchter des spanischen Königs »Exzellenzen«, eine für Deutsche, die mit diesem Titel ältere Herren verbinden, merkwürdige Vorstellung. Nur der Papst redet die Bischöfe mit »Fratres« an, denn er ist als Bischof von Rom ihr Mitbruder. Nun folgen die eigentlichen »Fürsten der Kirche«, die Kardinäle, die seit dem frühen Mittelalter den Senat der Kirche bilden. »Kardinal« ist kein priesterlicher Titel, er fügt seinem Träger keine priesterlichen Vollmachten hinzu, sondern hat einen säkularen Charakter, obwohl er nur Männern verliehen wird, die wenigstens die Diakonsweihe haben. Kardinäle stehen im Rang königlichen Prinzen gleich, das Krebsrot ihrer Robe wird mit dem senatorischen Purpur oder ihrer Bereitschaft zum Martyrium erklärt. Weil sie in der Sprache der Kirche »Kreaturen« des Papstes sind, redet der Papst sie mit »filii«, »Meine Söhne«, an, auch wenn es sich um Neunzigjährige handelt und der Papst erst siebzig ist, so wie auch ein fünfundzwanzigjähriger Priester zu einer Achtzigjährigen »Meine Tochter« sagen könnte und dürfte, es freilich nicht tun wird. Die Kardinäle sind nach *Päpstlichem Jahrbuch* »Reverendissimi ac Eminentissimi Domini«, also »Hochwürdigste Eminenzen«, einst sogar »Serenissimi« (»Durchlauchtigste«), »S. E. R.«, und so schreibt man ihnen auch, wobei es auch ein schlichtes »Eminenz« sein darf, in der mündlichen Anrede ohnehin.

Zu all diesen Titeln ist zu sagen, daß sie Verbindlichkeit vor allem für Diplomaten und weltgewandte Gesellschaftsmenschen besitzen. Wer in dieser Hinsicht ahnungslos ist, braucht nicht zu befürchten, nicht gehört zu werden, wenn er seinem Bischof »Lieber Herr Bischof« schreibt. Wer sie hingegen kennt und sie wegläßt, macht eine theologisch-politische Aussage über seine Auffassung von der Hierarchie, die teils gern gehört, teils auch weniger gern gehört werden wird. Die Regeln der Hierarchie sind in der Kirche stark im Fluß, schon Anreden können hier überaus grundsätzliche Spaltungen sichtbar machen. Insoweit hat sich die Bedeutung der kirchlichen Titulaturen vom bloß Zeremoniellen, Formalen inzwischen weit entfernt. Die Form ist hier wieder in hohem Maße inhaltsträchtig geworden.

Der römische Papst wird seit frühen Zeiten tief im ersten Jahrtausend »Sancte Pater«, »Heiliger Vater«, angeredet, wobei sich die Heiligkeit auf das Amt, nicht auf die Person bezieht – was für gelernte Katholiken mit ihrer streng juristischen Begrifflichkeit selbstverständlich ist, für Nicht-Katholiken aber keineswegs, und deshalb gelegentlich ein Stein des Anstoßes. Etwas weniger unmittelbar und distanzierter klingt »Heiligkeit«, eine Anrede, die wie Majestät und Hoheit eigentlich ein abstrakter Begriff ist. Hier sei eine Parenthese geöffnet, denn der Umgang mit diesen Anreden stürzt ihre Anwender häufig genug in grammatische Verlegenheiten.

Heiligkeit, Hoheit und Exzellenz sind als Begriffe weiblichen Geschlechts. Will man aber einen Mann mit ihnen ehren, tritt ein männliches Possessivpronomen hinzu: Ein Mann ist Seine Hoheit, Seine Exzellenz, Seine Heiligkeit. Die Frau hingegen ist *Ihre* Majestät, *Ihre* Exzellenz et cetera. Spricht man die Personen direkt an und will den bewußten Begriffen ein Possessivpronomen hinzufügen – was nicht nötig ist –, so verwendet man »Euer« oder »Eure«, also Euer Hoheit, Euer Exzellenz, Euer Heiligkeit, was im Schriftverkehr »Ew.« abgekürzt wird, also »Ew. Majestät«, »Ew. Heiligkeit«. Daß man einen Mann mit einem weiblichen Begriff anreden soll, verführt viele dazu, dieser Anrede dann auch gleich noch das weibliche Possessivpronomen mitzugeben, wodurch die Feierlichkeit einen Stich Unbeholfenheit und unfreiwillige Komik erhält, die bei den hohen Formen, wofern sie nicht beherrscht werden, ohnehin leicht in der Kulisse der sprachlichen Opernbühne lauert.

Von solch ganz leichter Komik ist auch die Anrede, die sich die hohen orthodoxen Prälaten seit neuerem zugelegt haben. »Seine Heiligkeit« war schon der römische Papst, und auf seine Stufe wollte man sich ganz bewußt nicht stellen. Nun hat aber das Konzil von Trient im sechzehnten Jahrhundert eine Abstufung unter jenen Menschen eingeführt, die die Kirche den Gläubigen als Muster an heroischer Tugend und sittlicher Vollkommenheit vor Augen stellen will: Wer nach einem strengen Prozeß der Untersuchung standhält, wird zunächst selig erklärt und zur Anrufung und Fürsprache im Himmel empfohlen. Können auf diese Fürsprache hin mindestens zwei Wunder nachgewiesen werden, kann der Papst die entsprechende Person zum Heiligen erklären. Nach dieser Rangfolge nennen sich die orthodoxen Patriarchen, die einer autokephalen Kirche vorstehen, jetzt »Ew. Seligkeit«. Das Mißverständnis besteht darin, daß man glaubt, der Begriff der Heiligkeit beim Heiligen Vater beziehe sich auf die Heiligen im Himmel. Das römische »Sanctus Pater« stammt aber aus der heidnischen Antike; »sanctus« waren alle auf den Kaiser bezogenen Einrichtungen im Sinne von allerhöchst, unberührbar, letzte Instanz, und als die Päpste in die Spuren der römischen Kaiser traten, übernahmen sie diese Benennungen. Inzwischen gibt es die Tendenz, Religionsführer ganz allgemein mit der Anrede »Heiligkeit« zu bedenken, so auch den Dalai Lama, und auch die orientalischen Patriarchen wie Papst Schenuda von Alexandria lassen sich »Heiligkeit« titulieren.

Aus höchsten Sphären lösen wir uns nun und kehren in den Alltag zurück, so wie man aus dem Petersdom, so lange man sich auch darin aufgehalten hat, eben schließlich doch wieder herausmuß. Das Thema der Titel und Anreden ist keineswegs erschöpft, ja, es erscheint mir, vor allem in bezug auf andere Völker, kaum erst angeritzt. Deshalb sei zum Schluß noch eine Anredeform erwähnt, die internationalen Charakter besitzt und bis zur Ebene der diplomatischen Verhandlungen von Regierungschefs vorgedrungen ist; man muß geradezu um das Gelingen einer Gipfelkonferenz fürchten, wenn sich die

Staatsmänner nicht auf diese Anrede einigen: Vornamen und »Sie«. Die Welt nimmt immer die Sitten der Macht an, und so wurde gerade in atlantisch geprägten Milieus der amerikanische Gebrauch, unter Bekannten und Kollegen so schnell wie möglich zum Vornamen überzugehen, schon bald nach dem Zweiten Weltkrieg nachgeahmt. Das »Sie« mit dem Vornamen war in Deutschland bis dahin dem Umgang mit dem Hauspersonal vorbehalten. »Luise, bringen Sie bitte den Tee.« Nun wurde etwas anderes aus diesem »Sie« mit Vornamen, etwas sehr Feines und Souveränes. Von der distanzlosen Duzerei war man weit entfernt, ja, es schien, als werde die Distanz noch stärker betont, wenn dem zutraulichen Vornamen dann doch das kühle »Sie« folgt; aber zugleich wurde eine neuartige Gemeinsamkeit beschworen, eine Gleichheit der Unabhängigkeit, der Weltläufigkeit und auch bei weißem Haar bewahrter, beschwingter Jugendlichkeit. Sie mit Vornamen hat die zukünftige Klassenlosigkeit als ein wünschenswertes und erstrebenswertes Ziel vor Augen, weiß aber, daß das Ziel noch nicht erreicht ist und daß die Vornamen-Siezer hier eine Avantgarde darstellen: ein mutiges, verwegenes Häuflein nach vorn Gewandter, die sich aber zu benehmen wissen und die den Beweis zu erbringen gedenken und selbst der lebendige Beweis dafür sind, daß demokratische Gleichheit nicht mit Kumpelhaftigkeit einhergehen muß. Wenn man sich vor Augen führt, daß es, lange Zeit jedenfalls, für die Wochenzeitung *Die Zeit* bezeichnend war, daß ihre gesamte Redaktion das »Sie« mit Vornamen angenommen hatte, dann weiß man mehr, sowohl über *Die Zeit* als auch über das »Sie« mit Vornamen. Im übrigen sei gar nichts Grundsätzliches gegen diese amerikanische Umgangsform gesagt; sie kann sehr praktisch sein und genau den richtigen, in der Situation erforderlichen Ton treffen. Es scheint mir aber, als sei die hohe Zeit des Vornamen-Siezens schon vorbei. Das angelsächsische und amerikanische Vorbild besteht zwar ungebrochen fort, aber das »Sie« mit Vornamen ist geradezu ein wenig altmodisch geworden, so jung und befreiend es einst auch gewirkt hat.

Um der nie zu erreichenden Vollständigkeit willen sei auch noch das in Reservaten der Männlichkeit gepflegte »Sie« mit Nachnamen ohne »Herr« erwähnt. Auf dem Kasernenhof, im Zuchthaus, gegenüber Untergebenen hörte man früher: »Schulze, kommen Sie mal her!« Das ist vielleicht etwas seltener geworden, aber aus der Welt ist es nicht. Auch bei Gelagen nach der Arbeit in rein männlichem Kreis gedeiht das »Sie« mit bloßem Nachnamen. Man sieht keinen Anlaß, sich zu verbrüdern, aber man will auch alle Förmlichkeiten fallenlassen. »Sie« mit bloßem Nachnamen hat immer etwas Rauhes, leicht Landsknechtshaftes – die sich nun allerdings keinesfalls gesiezt haben –, aber auch altertümlich herrenhaft Militärisches. Das untergegangene preußische Offizierskasino kannte dieses: »Quitzow, lassen Sie noch mal 'ne Pulle Brause kommen.« Kasino heißt immer auch Gemeinsamkeit, aber eben herbe, nicht in der Kameradschaft schwelgende Gemeinsamkeit. Zu »Sie« mit Nachnamen gehört in Intellektuellenmilieus dann auch das Frotzeln, ein Dauerfrotzeln, das zum Komment zählt, damit es nicht zu gemütlich wird. Wobei dann allerdings eine andere Art von Gemütlichkeit entsteht, aus dem Kasino wird ein Parnaß, der aber einer Kneipe verdächtig ähnlich sieht. Wer bei »Sie« mit Nachnamen angelangt ist, wird mit hoher Wahrscheinlichkeit nicht mehr bis zum »Du« schreiten. Man kennt sich schon zu gut für solche Zartsinnigkeiten. Im achtzehnten Jahrhundert war »Sie« mit Nachnamen dabei die Weise, in der bürgerliche Frauen ihre Ehemänner anredeten, in Deutschland, vor allem aber in Frankreich. Sofort sind ganz andere Assoziationen mit dieser Anrede verbunden, flirtistische, kokette, die damals aber wohl kaum intendiert waren.

Der Handkuss

Der Handkuß gehört zu den uralten Gesten der Ergebenheit und des Respekts. Es ist eine Geste der Unterordnung; Gleiche küssen sich nicht die Hand, es sei denn, sie wollten dartun, daß sie an diese Gleichheit nicht glauben, wie es bei Verliebten den Streit zu geben pflegt, wer der oder die Liebenswertere von beiden sei. Den Handkuß forderten die Herrscher; dem bayrischen König wurde noch im neunzehnten Jahrhundert von seinen Untertanen die Hand geküßt, dem spanischen gleichfalls. Die orientalischen Könige von Marokko und Saudi-Arabien lassen sich auch heute noch mit dem Handkuß von ihren Generälen und Ministern ehren. Die römische Kirche verlangt von ihren Gläubigen, Männern und Frauen, nicht den Kuß der Hand, aber des einstmals Reliquien enthaltenden »Fischerringes« des Papstes, der Kardinäle, der Erzbischöfe und Bischöfe. Auch war es allgemein üblich, den einfachen Priestern die Hand zu küssen, nicht nur während der Liturgie, wo es vorgeschrieben war, sondern auch im Alltag, wie man es noch lange in Italien, auf dem Balkan und in Polen sehen konnte; in Rom tun das noch heute die alten Damen des Hochadels, und nach einer Priesterweihe küßt die ganze Gemeinde die gesalbte Innenfläche der Hand des jungen Priesters. In der Ostkirche und bei den orientalischen Orthodoxen ist der Handkuß gegenüber Priestern und Mönchen immer noch selbstverständlich. Und dem Vernehmen nach ist auch die Mafia, die Camorra und die 'ndrangheta bisher nicht davon abgekommen, dem jeweiligen Paten von allen seinen Vasallen die Hand küssen zu lassen. Dies sei gesagt, um den ein wenig kitschigen Assoziationen, die man beim Wort Handkuß haben kann, ein ernstes Gegengewicht beizugeben. Zur Zeit Mozarts gehörte der Handkuß noch ganz selbstverständlich in die Familie, die Söhne küßten ihrem Vater die Hand; das gab es in sehr traditionsbewußten Adelshäusern bis zum Zweiten Weltkrieg. Übriggeblieben sind davon ein in Wien gelegentlich noch zu hörendes ironisches »Ich küsse die Hände und lege mich zu Füßen« und der Handkuß gegenüber Frauen.

Was ist über den Brauch, den Frauen die Hand zu küssen, zu sagen? Er gehört zu den Manieren, die besonders deutlich von den politischen Überzeugungen der Gegenwart abstechen. Daß gewisse Personen derart verehrungswürdig sein sollen, daß sie durch eine solche altertümliche Geste ausgezeichnet werden, ist beinahe ein skandalöser Gedanke für den Demokraten. Verehrungswürdig ist zunächst einmal überhaupt niemand. Wenn aber doch, dann ausschließlich für seine Leistungen – er erhält den Nobelpreis, alles applaudiert, erhebt sich, und das war es dann aber auch. Daß ein Mensch ohne die geringste Leistung oder irgendeinen anderen nennenswerten Vorzug einzig um seines Geschlechts willen vom anderen Geschlecht geehrt werden soll, und das auch dann, wenn keinerlei sexuelle Attraktion im Spiel ist, müßte eigentlich als ebenso absurd und empörend empfunden werden, wie wenn ein Mensch einzig wegen seines Geschlechts Nachteile zu erdulden haben soll. Nun, hier liegt tatsächlich »ein Problem begraben«, das wir ausführlich an anderer Stelle besprochen haben und noch besprechen werden. Es gibt noch ein weiteres Problem bei dieser schönen Begrüßungsform. Bernard Shaw läßt seinen ehrgeizigen Erzieher Professor Higgins in *Pygmalion* sagen, gute Manieren bestünden darin, alle Menschen gleich zu behandeln. Man ahnt, was er meint, aber beim Handkuß kommt man mit seiner Regel nicht weiter. Es gehören eben zwei dazu: ein Mann, der küßt, und eine Frau, die diesen Kuß erwartet und sich entsprechend dazu bewegt. Der Handkuß war in Deutschland nicht Volksbrauch wie noch heute in Polen, Ungarn oder der Türkei (hier vor allem unter

Frauen). Es gibt Milieus – durchaus keine sehr kleinen –, in denen der Handkuß die übliche Begrüßungsform ist, und große, sehr ehrenwerte Kreise, in denen er gelegentlich vorkommt, und noch größere, in denen er fremdartig und unverstanden bleibt. Die lieben Deutschen aller Klassen und Stände in ihrer – gemessen an anderen Ländern wirklich erstaunlich fortgeschrittenen – klassenlosen Gesellschaft haben es an sich, das, was sie nicht kennen, verdutzt, befremdet und womöglich gar ein wenig entrüstet aufzunehmen. Da kann ein Handkuß an der falschen Stelle eine Wirkung hervorrufen, die nicht beabsichtigt gewesen ist. Er kann demonstrativ oder affektiert wirken. Beides ist peinlich. Wenn eine Geste, die Verehrung ausdrücken soll, vor allem dazu dient, den Auftritt des Ausübenden in Szene zu setzen, hat sie ihren Zweck verfehlt.

Zunächst will ich zusammentragen, was man mir über die alten Regeln des Handkusses gesagt hat, und hinzufügen, wie ich sie heute gehandhabt sehe. Man küsse nur verheirateten Frauen die Hand, heißt es. Daran hält sich, glaube ich, keiner mehr. Die Ehe verschafft, soweit ich das beobachten kann, in Deutschland keine Vorzugsposition mehr – unverheiratete Frauen mögen das gelegentlich anders sehen, aber es geht hier um die »legitimistischen« Folgen der Ehe, nicht die tatsächlichen. In romanischen Ländern kann das in gewissen gesellschaftlichen Milieus noch durchaus anders sein, wenn ein sechsundzwanzigjähriges Mädchen nicht mehr eingeladen wird, weil sie immer noch unverheiratet ist und den jüngeren die Chancen verderben könnte. Natürlich erhebt sich daraufhin die Frage, ab welchem Alter einem Mädchen die Hand geküßt werden kann. Der gut erhaltene Sechzigjährige, der sich über die Hand der Sechzehnjährigen beugt, kann sich Fehldeutungen aussetzen. Ich habe festgestellt, daß es Mädchen gibt, die sich endlich erwachsen fühlen, wenn man ihre Hand küßt, und solche, die über den altfränkischen, sichtlich angetanen alten Onkel lachen. Wenn Regeln fallen, tut sich Freiheit auf, zugleich mit ihr aber auch Gefahr. Die ertrage, wer sie ertragen will. Ein bewährtes Mittel ist übrigens, deutlich durch die Miene zu verstehen zu geben, daß man den Zeremonienzauber nicht wirklich ernst nehme. Manche Leute kommen weit mit solcher Ironie, sie reisen sozusagen darauf. Auch hier ist das Übermaß »auch gleich zuhanden«, wie der Dichter sagt; ein beständig durchgehaltenes anzügliches Grinsen der Uneigentlichkeit kann unversehens Gereiztheit hervorrufen.

Es heißt, man küsse nicht die behandschuhte Hand. Diese Regel spielt beinahe überhaupt keine Rolle mehr, weil zu dem Ideal der Frauen nicht mehr dasjenige der »Angezogenheit«, wie das hieß, gehört. Aus dem neunzehnten Jahrhundert hatte man bis weit nach dem Zweiten Weltkrieg ein Bild vor Augen, das Frauen beim Verlassen ihrer Häuser perfekt eingepackt präsentierte, mit Hut, womöglich Schleier – der im zwanzigsten Jahrhundert aber weitgehend ein nichts verhüllender Dekorationsgegenstand geworden war –, Schal und Handschuhen. Bei kurzen Besuchen in einem anderen Haus, zum Tee oder zu einem Empfang, zog man dann den rechten Handschuh aus und hielt ihn in der linken Hand. Solche Verhaltensweisen sind heute eigentlich nur noch bei den europäischen Königinnen und der Kaiserin von Japan zu sehen, die von speziellen Couturiers eingekleidet werden wie niemand sonst auf der Welt, so daß man getrost behaupten kann, auch das demokratische zwanzigste Jahrhundert habe einen unverwechselbaren königlichen Stil geschaffen. Das Spiel mit solchen Gegenständen wie Fächern und Handschuhen als Ausdrucksmittel weiblicher Wünsche und Stimmungen hat ansonsten ein Ende gefunden. Wenn man heute einer Frau begegnet, die Handschuhe trägt, so meist deswegen, weil sie kalte Hände hat; dann ist für Kußzeremonien meist auch nicht der rechte Augenblick.

Es heißt, man küsse die Hände nur in geschlossenen Räumen, und außerhalb davon nur auf Bahnsteigen. Zum Abschied sollte sich niemand zurückhalten müssen; wenn überhaupt Gesten am Platze sind, dann doch beim Abschied. Diese

Regel ist nach meiner Beobachtung inzwischen auch weggefallen. Wer Hände küßt, tut das, wo immer es sich ergibt, in der Stadt auf der Straße, unter freiem Himmel, am Strand, auf dem Boot, beim Geländeturnier, staubbedeckt, schlammbespritzt, halbnackt.

Wie man die Hand küsse, darüber gibt es verschiedene Traditionen, die selbstverständlich alle für sich Allgemeingültigkeit beanspruchen. Numero eins erklärt, man dürfe den Handrücken der Frau keinesfalls mit den Lippen berühren, sondern habe ein bis zwei Zentimeter mit den gespitzten Lippen darüber zu schweben. Ich stelle mir vor, daß ein preußischer Herr zur Feststellung des exakt richtigen Abstandes an der goldenen Uhrkette neben anderen Berlocken und Rauchutensilien auch ein Miniaturzentimetermaß aus Platin mit sich führte, das mit souveräner Geste unauffällig angelegt werden konnte. In irgendwelchem preußischen Kontext stehende Männer, oft ziemlich jung, so daß die Erfahrung des authentischen Kasinos nur höchst vermittelt vorliegt, schlagen dazu zwar nun nicht mehr die Hacken zusammen, aber straffen sich sichtlich und erzeugen rein optisch ein Äquivalent zu höchst gedämpftem Säbelrasseln. Der federnd-zackige Handkuß entstammt dem generellen Wunsch, das barock Ausschweifende, das womöglich auch in dieser Geste liegen könnte, slawische Schlamperei und Flirt, womöglich sogar Anzüglichkeit, soweit als möglich aus dem Handkuß zu verbannen. Eine Huldigung soll darin nicht mehr erblickt werden können; der Hahn hat stolz einmal ganz kurz nach unten gepickt, und damit ist die Angelegenheit erledigt.

Schule Numero zwei fordert, der weibliche Handrücken müsse mit trockenen Lippen ganz leicht berührt werden, dazu müßten sich Mann und Frau in die Augen sehen. Dies ist die erheblich liebenswürdigere Version und die inzwischen wohl auch häufigere. Die Frauen, die den Handkuß erwarten, reichen dem Mann die ausgestreckte Hand waagerecht, als wollten sie ihm ihre Fingernägel zeigen, also nicht wie ein Ufa-Star mir erhobenem Handrücken; der Mann ergreift die Finger und führt die Hand zu sich heran, wobei die Frau einen leichten Widerstand leistet, damit die Hand nicht willenlos und allzu leicht nach vorn fliegt. In dem ganzen Ablauf muß etwas Festes, Sicheres liegen; es ist eigentlich eine kleine Tanzfigur, bei der die Partnerin geführt werden, aber auch ein Gegengewicht darstellen muß.

Es besteht kein Zweifel, daß solche Operationen denen am besten gelingen, die seit Kindheit daran gewöhnt sind. Es mag vom Gesamtzustand der Gesellschaft her gesehen überraschen, aber es gibt tatsächlich noch Familien, die ihre Söhne und Töchter zum Handkuß erziehen. Die Mädchen küssen dann ihren Großmüttern und Tanten und den Frauen der elterlichen Freunde die Hand – bis sie zwanzig sind ungefähr, den alten Damen natürlich auch danach noch –, und die Jungen gleichfalls den weiblichen Verwandten und auch ihrer Mutter. Man kann sich vorstellen, daß kein Milieu heute eine Insel ist und daß die Erziehung zum Handkuß vielfach nicht kampflos ablaufen wird, aber wenn sie durch väterliches Vorbild schließlich Selbstverständlichkeit geworden ist, dann ist auch die Beiläufigkeit und Ungezwungenheit da, die solchen Gesten am besten steht. Man könnte sich auf den Standpunkt stellen, daß ein Mann, der seiner Mutter und seiner Frau nicht die Hand küßt, es eigentlich auch bei allen anderen Frauen lassen sollte. Alle Manieren beginnen im Familienkreis. Hier tritt dem Menschen die Welt in ihrer geballten Andersartigkeit und Fremdheit entgegen, wie später, wenn er sich in Beruf und Freundeskreis unter Gleichen bewegt, nie mehr, weswegen die Familie eine einzigartige, im Leben nicht wiederkehrende Gelegenheit darstellt, Selbstachtung, Distanz und Respekt anhand der Manieren zu erproben.

Homogenität der Manieren macht ein schönes Bild und ist für alle Beteiligten sehr bequem und angenehm, aber nachdem die soziologischen Voraussetzungen zu solcher Homogenität dahin sind, gilt es, die Vorteile der neuen Vermischung zu nutzen, die mit Gewißheit nicht lange andauern wird, denn in der Gesellschaft gibt es einen physikalischen Grundzug hin zur Vereinheitlichung, der schon sehr weitgehend spürbar ist. Da gibt es dann eine ganze Weile noch Residuen, die sich dieser Vereinheitlichung der Anschauungen und Sitten widersetzen; wir sind in der Phase, in der es solche Restbestände noch gibt, in vergleichsweise vitaler Form, und müssen deshalb irgendwie damit umgehen. Bei einer Hochzeit der Aristokratie braucht sich kein Teilnehmer über die Frage des Handkusses den Kopf zu zerbrechen, aber nun besucht man am nächsten Abend einen Cocktail mit allen möglichen Geschäftsleuten, ein Betriebsfest, eine Ausstellung mit Leuten aus der Kunstszene, ein Abendessen bei einer Photographin oder eine Geburtstagsfeier eines Kollegen. Überall gibt es Frauen, die den Handkuß gewöhnt sind, aber sie sind in der Minderzahl. Ich habe oben die Maxime des Professor Higgins in Frage gestellt, die guten Manieren bestünden darin, jeden gleich zu behandeln. Aber ich empfinde es als höchst unbehaglich, einer Frau die Hand zu küssen und der daneben stehenden nicht, weil sie womöglich nicht dasselbe Genre wie die erste ist. Bei einem Gutsbesitzer bin ich in meinen Studentenjahren einmal in eine Teegesellschaft geraten. Nachher wurde mir erklärt, man habe sich allgemein köstlich darüber amüsiert, daß ich der Frau Pastor die Hand geküßt hätte. Solches Amüsement hervorzurufen bin ich auch heute noch gern bereit; ich finde den Gedanken monströs, in solchen Fällen einen Unterschied zu machen. Andererseits ist es auch reichlich absurd, fünfzig Frauen, die nicht wissen, wie sie sich dabei anstellen sollen, die Hand zu küssen, weil man bei einer damit begonnen hat. Wie bleibt man sich treu in Zeiten ohne verbindliches Regelwerk? Die Antwort auf diese Frage wird man keinem Buch der Welt entnehmen können. Es gibt Leute von natürlicher Autorität, die um sich herum einen ästhetischen *cordon sanitaire* zu legen imstande sind und ihre Welt überallhin erfolgreich mit sich führen. Andere müssen sich wie der Fisch im Wasser bewegen und durch die vorgefundene Situation hindurchzugleiten versuchen.

Die Konversation

»Wer beim Mittagessen geistreich ist, verrät damit nur, daß er noch keine Einladung zum Abendessen hat.« Saki

Als ich nach Europa kam, war ich mit heute sehr wunderlich erscheinenden Vorstellungen vom Wesen der europäischen Konversation ausgerüstet. Wenn ich meine Quellen, etwa Lytton Stracheys Lebensbeschreibung der Madame du Deffand oder eine faszinierende Biographie über die rätselhaft schöne, rätselhaft keusche, rätselhaft kluge Madame Récamier, deren Autor ich vollständig vergessen habe (nur die vielen unauflöslichen Rätsel stehen mir noch vor Augen), richtig verstand, war die Konversation so etwas wie das innerste europäische Mysterium, der eigentliche Ort des europäischen Geistes. Männer und Frauen saßen auf nicht zu bequemen Stühlen im Kreis, einer mochte auch am Kamin lehnen, eine Dame hatte sich auf einer Couchette ausgestreckt, und nun sprachen sie, als ob sie sich goldene Kugeln oder doch zumindest Apfelsinen zuwarfen, schnell, sicher, immer exakt replizierend, nie durcheinander, und tranken dazu Kaffee aus winzigen Tassen oder Zuckerwasser; das Ganze war jedenfalls von silbriger erhabener Nüchternheit. Die Konversation Europas war weniger ein Kult als eine Offenbarung von etwas Verehrungswürdigem, so wie die heiteren Gastereien der Götter auf dem Olymp auch eine göttliche Offenbarung waren. Ich war etwas ängstlich, ob ich jemals mehr als ein stummer Zeuge bei diesem olympischen Spiel sein würde, aber ich fühlte mich andererseits auch wieder nicht schlecht ausgerüstet, denn ich hatte in der Schüleraufführung der deutschen Schule zu Addis Abeba den Mephisto im *Urfaust* gegeben, und von diesem Glanzpunkt meiner Gymnasialkarriere waren viele Zitate in meinem Kopf hängengeblieben, weit mehr – wie ich zu meiner großen Überraschung feststellte –, als dem überwiegenden Teil der Leute, die ich in Deutschland traf, vertraut waren. Literarische Zitate spielten in den konversationsverherrlichenden Biographien aber eine wichtige Rolle, immerfort warf einer ein solches Zitat in die Runde, der nächste griff es auf und veränderte es, eine Dame behauptete, es nicht zu verstehen, und bat um eine Erklärung, und diese Erklärung wurde ihr so verdreht und absurd gegeben, daß ein neuer Spaß daraus entstand.

Inzwischen glaube ich manchmal, daß diese hochgepriesene, mythische Form der europäischen Konversation vor allem in der Phantasie der Leute blühte, die sie in Büchern als etwas Hinreißendes, aber leider vollständig Untergegangenes schildern wollten, etwas, was der Talleyrandschen »Süße des Lebens«, die nicht kennengelernt habe, wer nach 1789 geboren sei, entsprach. Ich neige sonst zu Autoritätshörigkeit und würde mir nie erlauben, die Darstellungen geistreicher und kenntnisreicher Autoren anzuzweifeln, aber in den gelungenen und phantasieanregenden Beschreibungen der großen Konversation befindet sich, nach meiner Lebenserfahrung, ein nicht geringer Widerspruch. Alles läuft in diesen Beschreibungen auf eine Kette von vorzüglichen Bonmots hinaus, Antworten auf intelligente oder, besser noch, dumme Fragen, die ihren Gegenstand erschöpfend witzig erledigen. Diese Bonmots waren, so wird uns suggeriert, gleichsam das Gerippe der Konversation, das nicht vergangen ist wie die luftigeren Substanzen, aus denen sich die Übergänge bildeten. Auf der anderen Seite wird klar, daß es zum Ideal der Konversation gehörte, daß sie niemals abriß, sondern daß die goldene Apfelsine beständig weiterkreiste, ohne ein einziges Mal zu Boden zu fallen. Und beides zusammen ist nicht zu verwirklichen. Ein Witz, ein Aperçu, ein Bonmot ist immer eine Art Bombe, die im Explodieren das lockere Gewebe des allgemeinen Gesprächs zerreißt. Man lacht, vielleicht sogar sehr, und je mehr man lacht, desto leichter verliert man den Faden, um die Unterhaltung fortzuführen. Nach besonders gelungenen Witzen kommt es sogar dazu, daß dem Lachen ein ratloses Schweigen folgt. »Wo waren wir stehengeblieben?« scheinen die Versammelten zu denken und empfinden inzwischen das Schweigen als peinlich. Wenn ich die entsprechende Literatur richtig verstanden habe, wäre eine Salonnière wie Madame du Deffand in einem solchen Augenblick nahe der Selbstentleibung gewesen.

Wenngleich ich nun also dieses Idealbild der Konversation in Europa niemals verwirklicht gesehen habe, ist mir mit der Zeit doch klargeworden, wieviel von diesem Ideal in den alltäglichen Abläufen gesellschaftlicher Konversation, wie sie in der Erinnerung als angenehm empfunden wird, fortlebt. Ein wichtiges Element ist das Fließen, das Nicht-Verstummen. Außerhalb Europas, bei Türken und Arabern, kann eine gelungene Zusammenkunft durchaus darin bestehen, daß die Männer würdig und still zusammensitzen und an ihren Wasserpfeifen ziehen; in Ostfriesland oder Schweden wahrscheinlich ebenso, unter Weglassung der Wasserpfeife. Für eine Zusammenkunft »der höheren europäischen Art« wäre dies eine Katastrophe. Ihre Qualität wird an der gleichmäßigen Munterkeit ihres Redestroms gemessen. Es gibt viele ernsthafte, mit den höchsten Gegenständen des menschlichen Denkens befaßte Personen, die mit geradezu weltanschaulicher Verachtung auf die oberflächlichen Gespräche bei Einladungen herabblicken. Wenn sie sich herbeilassen, zu einem solchen Anlaß zu erscheinen, stehen sie in sich gekehrt wie Fakire bei einer Meditationsübung oder mit dem höhnischen Lächeln eines Diogenes, der auf dem Marktplatz vergeblich einen Menschen sucht. Um sie herum wird, Inbegriff aller Nichtigkeit, angelegentlich über das Wetter gesprochen. An solchem Quatsch, ist ihre Überzeugung, kann sich ein Mensch von Wert nicht beteiligen. Dabei ist es jedem unbenommen, wenn die ersten Worte über das Wetter das Eis einmal gebrochen haben, der Konversation eine etwas andere Wendung zu geben

– ausgehend von der Feststellung, daß heute ein wolkiger Tag sei, könnte man etwa fortfahren, man habe heute eine Wolke gesehen, die aussah, als reite der Papst auf einem Kamel, oder es sei sonderbar, so schön die Wolken auch seien, aber Gemälde von Wolken hasse man, oder das wolkige Wetter passe doch vorzüglich zu den wolkigen Ausführungen des Bundeskanzlers. Was als Regel von den Idealkonversationsphantasien übrigblieb, ist, daß auf einer Einladung, so groß sie auch sei, jeder mit jedem prinzipiell müsse sprechen können. Und es widerspricht dieser Regel ebenso, den Versuch, sich mit dem nebenstehenden Fremden zu unterhalten, erst gar nicht zu unternehmen, wie auch, sich auf einen allzu tief unter dem eigenen geistigen Niveau liegenden Versuch eines anderen hoheitsvoll erst gar nicht einzulassen. Was sich mir bei der Lektüre über Madame du Deffand als ein Kreisen der Apfelsine dargestellt hatte, enthielt etwas Wesentliches über die Konversation: Sie war vor allem ein Spiel, sie war etwas Zweckfreies. Das Gespräch über das Wetter war kein schlechtes Bild für das ganze Unterfangen – ein Thema, das keinen ausschloß, keine Spezialkenntnisse verlangte, keinen kränkte, keiner Einführung und keiner Fußnoten bedurfte und das jederzeit, ohne ein Gefühl der Frustriertheit zu hinterlassen, abgebrochen werden konnte. Im übrigen habe ich wahrscheinlich noch nie eine Zusammenkunft, und sei es die biederste und gehemmteste, erlebt, bei der das Wetter mehr als nur die ersten lockernden Augenblicke beherrscht hätte.

Zu Hause hatte man mich belehrt, daß in der europäischen Konversation bestimmte Themen verboten seien. Ich vermute, daß aus dieser Information eine quasi professionelle Vorsicht meines Vaters sprach, der in Äthiopien ein hohes Amt bekleidete und natürlich vermeiden wollte, daß ein ungehemmt daherschwätzendes Söhnchen im Ausland diplomatisches Wetterleuchten verursachte: Religion sei verboten, Politik ebenso, am besten auch alles irgendwie Sexuelle. Da blieben eigentlich nur das Wetter, Schwänke aus dem eigenen Leben sowie Kunst und Literatur – aber sollte er wirklich nicht geahnt haben, welche heftigen Kriege gerade auf dem Gebiet von Kunst und Literatur geführt werden können? Oder hielt er mich mit meinen zwanzig Jahren für solche Debatten noch nicht gerüstet? Meine Überraschung hätte nicht angenehmer sein können: In Europa angekommen, bemerkte ich, daß es solche verbotenen Themen überhaupt nicht gab. Die Leute sprachen ungeniert über alles – sehr kontrovers über Politik und Religion, sehr offen über Kunst und Literatur und ziemlich deutlich über alles irgendwie Sexuelle. In Frankreich geschah das in einer mich als Afrikaner wahrhaft verblüffenden nüchternen Deutlichkeit, in England mehr im Sinn von deftigen Schuljungenscherzen, vor allem in gereimter Form, dann war ohnehin alles erlaubt, Spanien und Italien schwelgten in gepfefferten Obszönitäten, und das zahmste Land war Deutschland, obwohl keineswegs prüde. Ich gewann den Eindruck, daß diese Regel mit den verbotenen Konversationsthemen hoffnungslos veraltet war – bis ich nach Amerika, den Vereinigten Staaten *notabene,* kam (für Lateinamerika gilt dasselbe wie für Europa, man ist eher noch etwas ungenierter). In den USA hüte sich jeder, mit einer prononcierten Äußerung den Mund aufzumachen; er kann sicher sein, daß es irgendwen am Tisch geben wird, der fürchterlich schockiert sein wird.

Und doch hatte mein Vater nicht vollständig unrecht mit seinem Rat. Man hielt unter wohlerzogenen und wohlmeinenden Menschen durchaus gewisse Punkte bei den streitverdächtigen Themen im Auge. Das wichtige war nicht, was besprochen wurde, sondern, wie es zur Sprache kam. In einem wohltemperierten Kreis schien eine unsichtbare Hand darüber zu wachen, daß keine der angeschnittenen Fragen »ausdiskutiert« wurde, wie das so verräterisch heißt. Man nahm das Thema, wandte es ein wenig hin und her, und dann leitete irgendein Wort oder Halbsatz zu etwas anderem über. Und alle schienen sich einig zu sein, daß man auf das fallengelassene Thema keinesfalls zurückkam – das hatte seinen Auftritt gehabt, blitzschnell schienen die verschiedenen Positionen zu dieser Frage auf, und dann kam es wieder in den Kasten. Wenn sich herausstellte, daß alle in einer Frage bis auf einen einig waren, war es verpönt, nun gemeinschaftlich über diesen einen herzufallen – ich glaubte sogar zu spüren, daß sich manche Leute für ihr Unisono ein wenig schämten. Ich habe es jedenfalls später immer als wohltuend empfunden, wenn der scheinbar erdrückend lückenlose Konsensus gestört wurde, schon aus ästhetischen Gründen. Es bekommt den meisten Meinungen nicht gut, Mehrheitsmeinung zu sein. Wirklich schädlich für die Konversation waren vor allem Bemerkungen, auf die man nicht antworten kann. Was soll man sagen, wenn man hört: »Sind Sie aber gebildet! Wo Sie das nur alles herhaben! Wie Sie das eben wieder gesagt haben!« Dann klappt der Mund zu, und es ist Schluß mit der angeregten Mitteilsamkeit.

Darf man in einer Konversation eigentlich widersprechen? Die Frage erscheint beinahe absurd, aber in vielen Kulturen ist der Widerspruch ein Problem, in Japan etwa geradezu eine Beleidigung. In England ist »I wonder« bei haarsträubender Unwahrscheinlichkeit schon das Stärkste, was kommen sollte. Franzosen kennen keine Hemmungen, ausführlich und gründlich zu widersprechen, aber auch in Frankreich würde man natürlich nicht sagen: »Das glaube ich Ihnen nicht.« – »Das ist falsch.« – »Das ist nicht wahr.« – »Das ist gelogen.« – »Das verbitte ich mir.« – »In meiner Gegenwart wünsche ich solche Bemerkungen nicht zu hören.« – Solche und ähnliche aufrichtige Schroffheiten haben jedoch auch in Deutschland bei allem Hang zu demonstrativer Wahrheitsliebe und Bekennermut in der Konversation nichts verloren. Ungezogenheiten sind eigentlich auch gar kein Gegenstand in einer Betrachtung der Manieren, da für die Manieren der Wunsch, Ungezogenheiten zu vermeiden, als selbstverständlich vorausgesetzt wird; es geht hier im Grunde nur um einen Komment für diejenigen, die der Formlosigkeit und Unverschämtheit ohnehin entsagt haben. Im übrigen ist der Widerspruch natürlich das Lebenselixier jeder gelungenen Konversation. Man müßte eigentlich, wenn die Spannungslosigkeit in Langeweile umzuschlagen droht, aus Prinzip widersprechen, und da nicht die Wahrheitsermittlung der Gegenstand der Konversation ist, sollte man das auch tun, bevor der Gesprächswagen im Sand der Übereinkunft steckenbleibt.

Daß Themen nicht in Frage kommen, deren Behandlung einen der Anwesenden verletzen oder schmerzen können, hat ein alter Freund von mir in die großartig zusammenfassende Devise gekleidet: »Im Glashaus des Gehenkten sollst du nicht mit Stricken werfen.«

Das Dozieren ist von alters her in der Konversation streng verboten, aber ich weiß nicht, ob ich dieser Vorschrift immer folgen möchte. Gesellschaftliches Vorbild hat hier einstmals der große Platon sein sollen, der nicht nur in der Philosophie, sondern auch in attisch aristokratischen Manieren exzellierte. Es wird erzählt, er habe längere Zeit zwei Gastfreunde aus Korinth bei sich gehabt, die sich beim Abschied für herrliche Tage bei ihm bedankten, ihm einen kleinen Vorwurf aber nicht ersparen wollten: Bei der großen Mühe, die er sich als Gastgeber gegeben habe, wäre es die Krönung gewesen, wenn er sie auch mit seinem berühmten Namensvetter, dem Philosophen Platon, bekannt gemacht hätte. Gewiß, solche Zurückhaltung eines großen Mannes ist die Krönung der Eleganz, aber ich bin davon überzeugt, daß ich anstelle der beiden korinthischen Gastfreunde weit davon entfernt gewesen wäre, sie anzustaunen, sondern daß ich mich auf gewisse Art blamiert und gedemütigt gefühlt hätte, die ganze Zeit über den wahren Charakter der Situation im unklaren gewesen zu sein. Und so erlaube ich mir denn, im Punkte des Dozierens während einer Konversation eine Abweichung von der Mehrheitsmeinung zu formulieren. Ich erinnere mich an ein Abendessen mit einem Spezialisten für ägyptische Mumienportraits, der sich für das Gesprächsgeplänkel um ihn herum nicht interessierte und geradezu ein wenig mürrisch in sich versunken dasaß, bis irgendein Stichwort über den Tisch geflogen kam – »Portrait« oder »Ägypten« – und sich die Schleusen seiner Gelehrsamkeit auftaten. Mit der munteren Konversation war es nun vorbei, aber ich jedenfalls hing an seinen Lippen und erfuhr alles, wie mir schien, über dies bedeutende Thema und nahm dazu noch an der Hinrichtung völlig verfehlter Kollegenurteile teil, was dem Vortrag eine zusätzlich belebende Note gab. Die Hausfrau war leider sehr unglücklich über diesen Verlauf des Abends, aber ich war dankbar, und der intelligentere Teil der Gäste gleichfalls. Man mußte nur die Gabe haben, zuhören zu können. Mir fällt das nicht schwer, und so langweilte ich mich auch bei einem anderen Essen, bei dem alle irgendwie miteinander verwandt waren und engagiert nichts als ihre Familienangelegenheiten besprechen wollten, so gut wie gar nicht – es ist immer aufschlußreich, Menschen über etwas sprechen zu hören, was sie wirklich bewegt. Und ich hätte auch heute noch nichts an diesem Abend auszusetzen, wenn mir die Hausfrau beim Abschied nicht mit leisem Vorwurf gesagt hätte: »Sie haben ja leider den ganzen Abend überhaupt nicht den Mund aufgemacht.«

Eine Mischform aus der üblichen Konversation, an der sich jeder beteiligt, und dem Dozieren ergibt sich, wenn eine Einladung ganz bewußt um einen großen und berühmten Mann herum arrangiert ist. In solchen Dingen sind die Amerikaner groß. Leider bin ich nicht dabeigewesen, als eine vor Ehrgeiz brennende New Yorker Hostess den soeben aus Europa eingetroffenen Fürsten Jussupov, der an der Ermordung Rasputins beteiligt war, ihren Gästen vorstellte: »Ladies and gentlemen, may I announce to you: Prince and Princess Rasputin!« Bei solchen Anlässen muß man damit rechnen, daß der schon erwähnte Platz am Kamin oder ein sonstwie hervorgehobener (Thron-)Sessel für den solchermaßen zu ehrenden Gast freigehalten wird, die Hausleute sich beständig bei ihm halten und ihm die einzelnen für würdig befundenen Gäste zuführen und vorstellen. Erstaunlich, wie schnell überzeugte Republikaner sich bei solchen Gelegenheiten das Wesen der Hofetikette zu eigen machen. In England nennt man einen solchen Empfang für den großen Mann »to lionise somebody« – jemanden als Löwen behandeln. Und der Löwe darf und muß natürlich brüllen; wenn die Gäste nach Hause gehen, ohne ein beißendes politisches Aperçu oder eine Verurteilung der russischen Literatur oder einen Halbsatz von abgrundtiefer Weisheit vernommen zu haben, dann ist der Löwe wohl doch nur ein Hauskater gewesen. Die ganz Großen allerdings lassen das »lionising« vollständig schweigend über sich ergehen, wiegen ihr Haupt, zeigen ihren berühmten skeptischen und doch gütigen Blick und nicken zu allem, was ihnen gesagt wird, nur sanft und höflich. Die ganz Großen kritisieren nichts, tadeln nichts, konsumieren nichts. Wenn sie gegangen sind, wird es oft noch sehr lustig. Nur eine Frage will nicht verstummen: Warum sind sie gekommen?

Das Loben

»Loben und Tadeln ist portiirisch«, heißt eine alte Regel der Wiener Aristokratie. Uralt kann sie aber nicht sein, denn den Portier – »ie« wird hier als langes »i« gesprochen – als verächtliche Gestalt gibt es eigentlich, in Nachahmung des Fouchéschen Hausmeister-Spitzel-Systems, erst seit Metternichs Polizeichef Sedlnitzky in Wien. Da wurde in den großen Mietshäusern jenes Amt verpflichtend eingeführt, das nur scheinbar zur Bequemlichkeit der Mieter, in Wahrheit aber zur polizeilichen Kontrolle der Hausbewohner geschaffen war. Die Mieter hatten keinen Hausschlüssel und mußten in der Nacht den Portier herausklingeln, um ins Haus zu gelangen. Der aus dem Schlaf Gerissene wurde mit einem Trinkgeld, dem »Sperrsechserl«, besänftigt. Der Portier nahm auch die Post entgegen und gab sie an die Mieter weiter – es gehört zu den Konstanten der Wiener Literatur, daß man ihn verdächtigte, sie eben gerade nicht oder nur stark verzögert weitergegeben zu haben. Der übellaunige, erpresserische Portier und sein Weib, der penetrante Geruch aus der Portiersloge, der scheele, denunziationsbereite Blick auf die Mieter, deren Lebensform einerseits dem Portier unverständlich, andererseits von ihm aber akribisch ausgeforscht ist, sind von Heimito von Doderer, etwa in seinem Roman *Die Wasserfälle von Slunj,* scholastisch-metaphysisch analysiert worden. Der Portier ist ein Archetypus des modernen Großstadtlebens geworden, was man auch daran erkennt, daß er als Modell einer Lebensform weiterlebt, obwohl die Wiener Portierslogen inzwischen verwaist sind und höchstens einmal eine hübsche Serbin zum

Treppenputzen kommt, die mit Postausteilen und Sperrsech-serln schon lange nicht mehr befaßt ist. Das Ausspähen haben andere Instanzen übernommen. Dafür ist der »Portiir« nun nachträglich mit allen kleinbürgerlichen, niedrigen, miesen, spießigen Eigenschaften beladen worden, die die Aristokraten selbst nicht haben wollen. Man hat bisweilen den Eindruck, als gebe es aus dieser Perspektive nur zwei Menschensorten – Aristokraten und »Portiire«, was, wie alle solchen Polarisierungen, in seiner starken Vereinfachung viel für sich hat.

»Meine Schwägerin ist eine Santarossa«, sagt etwa ein junges Mädchen, »aber nicht von den portiirischen Santarossa« – sie meint den Zweig der betreffenden Familie, der aus einer Mesalliance hervorgegangen ist. Tadeln also sei »portiirisch« – daß sich, wenn man zu Gast ist, das Kritisieren des Gebotenen verbietet, ist keine klassenspezifische Einsicht, sondern ergibt sich aus den schlichten Fakten, daß der Gast empfängt, worauf er keinen Anspruch hat. »Wer bezahlt, schafft an«, heißt ein hier zutreffendes Wort aus schlichterer Sphäre, und »wer nicht bezahlt, hat das Maul zu halten«, könnte man fortfahren. Hier sind wir noch nicht im Bereich der Manieren, sondern bei der schieren Abwicklung sehr überschaubarer Rechtsverhältnisse. Wer sich als Gast, der ja nicht nur auf Händen getragen wird, sondern gewissermaßen wehrlos sich dem ihm angetanen Traitement zu unterwerfen hat, lieblos und liederlich aufgenommen fühlt, kann seinen Besuch abkürzen, muß von den mißratenen Speisen kein zweites Mal nehmen und braucht vor allem nicht wiederzukommen. Meist teilt es sich den Gastgebern schon irgendwie mit, ob ihre Gäste sich bei ihnen wohl gefühlt haben. Daß auch das Loben unangemessen sein soll, mag daher zunächst überraschen.

Bei der Suche nach etwas, was am Loben problematisch sein könnte, bin ich auf eine berühmte Bemerkung aus »Makariens Archiv« gestoßen: »Wen jemand lobt, dem stellt er sich gleich.« Um zu urteilen, muß man auf einen Richterstuhl steigen, der – beim Tennis etwa – recht hoch über das Spielfeld ragt; da schaut man, im wohlwollendsten Lob wohlgemerkt, bereits auf die Gelobten herab. »Sind Sie aber gebildet!«, sagte ein einfältiger Tischherr zu einer alten, sehr schlagfertigen Freundin von mir. »Können Sie das denn überhaupt beurteilen?« war ihre Gegenfrage. Im Anspruch, sich – lobend immer noch – mit einem anderen auf dieselbe Stufe zu stellen, kann eine beträchtliche Unverschämtheit liegen. Das ist die ernst zu nehmende Schwierigkeit beim Loben. Der eingangs zitierte Wiener Spruch hat aber weniger heikle Überlegungen zur Grundlage. Der Personenkreis, aus dem er stammt, beschäftigt sich recht wenig mit der Sorge, Anmaßung zu vermeiden. Der Aristokrat, der das Essen nicht lobt, auch wenn er es vorzüglich findet, stellt sich in eine sehr alte Tradition – ohne das auch nur zu ahnen freilich –, an deren Fortleben die Engländer das Verdienst tragen. Es ist die stoische Philosophie, die Gentleman-Doktrin der griechischen und römischen Antike. Resignierende, am Lauf der Welt verzweifelnde, meist sehr reiche Herren haben sie gepflegt. Um das, was das Leben mit der größten Gewißheit mit sich bringt, den Schmerz, zu vermeiden, unterwarf man sich dem Gesetz der Selbstbeherrschung bis zur vollständigen Teilnahmslosigkeit. Weil das Leben unbeständig ist und weil auf alles, was Freude bringt, notwendig das Leid – und wenn auch nur in Form eines Katers – folgt, zog man den Schluß, auf jede Freude von vornherein zu verzichten, um in einem eisernen Äquilibrium der Gleichgültigkeit zu verharren. In der Stoa wurde die englische *stiff upper lip* konzipiert. Daß zu solch abgeklärter Gleichgültigkeit das Loben nicht paßt, liegt auf der Hand; es kann sich dann ja nur um ein verlogenes oder ironisches Geschwätz handeln, denn außer seiner eigenen Unnahbarkeit kann der Stoiker Lobwürdiges nicht finden – schon die seines Nachbarn verdient, mit Zweifeln betrachtet zu werden.

Im Kreis eleganter Leute in England das Essen zu loben wird dem Ausländer nur deshalb nicht verübelt werden, weil er als Kontinentbewohner in den Augen der Gastgeber ohnehin einer bedauernswerten Rasse angehört. Ich bin aber davon überzeugt, daß die österreichischen und deutschen Aristokraten, die den Verzicht auf das Loben übernommen haben, sich über den stoischen Aspekt im Ursprung dieser Regel wenig Gedanken gemacht haben. Die Anglophilie allein war schon Grund genug. »Daß es gut ist – das Essen –, ist selbstverständlich«, kann man hören. Das müssen himmlische Verhältnisse sein, wo eine gute Küche selbstverständlich ist. Was ich in meiner Jugend am Hof des Kaisers von Äthiopien und an anderen Höfen mitbekommen habe, war etwas anderes. Keinesfalls war es selbstverständlich, daß die Küche Außerordentliches leistete. Die Berufung eines Chefkochs war eine Staatsaffaire wie die Berufung eines Chefarztes oder eines Finanzministers. Und unter den heutigen bürgerlichen Verhältnissen ist die Qualität der Küche eine noch viel geringere Selbstverständlichkeit, sondern oft eine beträchtliche Leistung und Anstrengung der Gastgeber. Die soll nun nach alter feierlicher Regel unbesprochen bleiben müssen. Was da mit Liebe und Mühe geschaffen wurde, soll ohne ein Wort der »guten Nachrede« einfach runtergeschluckt und verdaut werden, als sei es Lebertran, gesund und widerlich. Ich gestehe, daß ich mit diesem Ideal des gleichsam leblosen, gußeisern unempfindlichen Gentleman gewisse Schwierigkeiten habe. Wenn Manieren zum einzigen Ziel haben, Denkmäler ihrer eigenen Vortrefflichkeit zu erzeugen, kann man sich ebenso mit einer schönen Sammlung von Gipsabgüssen griechischer Statuen zu Tisch setzen, die zum Teil sogar einen noch erfreulicheren Anblick bieten als der lebendige Durchschnittseuropäer. Es ist bewundernswert, »nec spe nec metu«, »nicht von Hoffnung und nicht von Furcht« bewegt zu sein, aber das muß nicht zu einer Abtötung aller natürlichen Instinkte führen. Und zu denen gehört, für einen Genuß, den einem andere verschafft haben, zu danken und das Empfangene zu loben. Wer nicht weiß, daß das Gute immer überraschend ist, ist kein Kenner. Es ist immer ein tristes Erlebnis, gute Sachen von einem Ahnungslosen achtlos verschlungen zu sehen. Man lobe also furchtlos. Die alten Stoiker auf ihren Thronen in der Unterwelt trauen uns ohnehin keinen Stil mehr zu.

Daß in Deutschland und Österreich die Bemerkung »Danke für das Essen« oder wohl auch für »das gute Essen« beim Gehen nicht geschätzt wird, überrascht nicht sonderlich. Man kann nachvollziehen, daß ein Abend in einem anderen Haus gleichsam als Gesamtereignis betrachtet werden will, nicht bloß als Speisung der Dorfarmen, die nach dem letzten Löffel Suppe die warme Küche wieder verlassen. Der Dank beim Gehen gilt dem gesamten Zusammensein, in dem das Essen nur ein, wenn auch überaus wichtiger, Bestandteil war.

Einen gewichtigen Grund, sich beim Loben zu bremsen, gibt es in den orientalischen Ländern. Vor allem bei Arabern gilt teilweise noch die Regel, daß der Gastgeber dem Gast schenkt, was der im Haus bewundert. Auch bei Spaniern kann es einem passieren, daß man beträchtliche Geschenke provoziert, wenn man beiläufig irgend etwas bei ihnen schön gefunden hat. Die Jahrhunderte unter türkischer Herrschaft waren vielleicht Ursache für ein Geschenk, das einst Kaiser Franz Joseph aus Ungarn erhielt. Er war dort bei einem Magnaten zu Gast gewesen und hatte mit großer Freude von einem Wildschweinkopf gegessen. Als der Kaiser nach Wien zurückgekehrt war, traf kurz darauf ein großes Paket in der Hofburg ein, aus dem, als es geöffnet wurde, schwer atmend, aber unbeschädigt, der vom Kaiser gelobte Koch mit Namen Perski herauskroch. Aber das ist ein Spezialfall, der niemanden vom Loben abhalten soll. Denn was man nicht ausgesprochen hat, hat es eigentlich überhaupt nicht gegeben.

DRUCKSACHEN & BRIEFE

Ich komme zu einem Gegenstand, der für viele eine dornenreiche Konnotation hat: das Briefeschreiben. Für viele ist es eine gefürchtete Belastung, um die man sich tunlichst drückt, wenn es irgend geht. Bei den Kulturkritikern und Untergangspropheten ist der »Verfall der Briefkultur« denn auch ein wichtiger Topos. Erst beklagten sie den Niedergang der Sprache in den Depeschen. Da dort jedes Wort Geld kostet, hatte man frühzeitig den »Telegrammstil« nicht nur praktiziert, sondern auch gesellschaftlich akzeptiert. Inzwischen hat der Telegrammstil geradezu ehrwürdig altertümlichen Charakter. Das Telegramm ist ein eher seltener Luxus geworden, der nun nicht mehr für eilige Mitteilungen, sondern für feierliche Glückwünsche zu großen Familienereignissen und für Grußbotschaften der Staatsoberhäupter zur Anwendung gelangt. In manchen der alten Familien werden etwa Verlobungen dem Familienkreis per Telegramm annonciert (»Bubi und Ninni haben sich verlobt – Tutti und Kitty«, heißt es dann etwa). Der Papst sendet seinen Apostolischen Segen per Telegramm an die darauf folgende Hochzeit. Das Telegramm gibt Glückwünschen, obwohl sie so lakonisch ausfallen, offiziellen Nachdruck. Es ist bei entfernteren Beziehungen ein sehr nützliches Mittel, um Anteilnahme aller Art in wohltuender Distanz und Knappheit auszusprechen. Die Post hat aus diesem gewandelten Charakter des Telegramms den Schluß gezogen, ihrer Kundschaft »Schmuckblattelegramme« anzubieten, mehr oder weniger geschmackvolle Graphiken, die aber den eigentümlichen ästhetischen Reiz des Telegramms in seiner altmodischen Technizität, seinem Dampflokomotiven-Charme, verkennen und deshalb für das elegante Telegramm keinesfalls in Frage kommen. Am schönsten waren natürlich die Telegramme, deren Text in Telegramm-Orthographie, ohne Großbuchstaben und mit dem berühmt gewordenen »Stop« anstatt des Punktes, auf schmale Papierstreifen geschrieben war, die auf das amtliche Telegrammformular aufgeklebt wurden; sie sind nun auch schon Geschichte.

Als das Telefon sich durchsetzte, schien das Ende des Briefes gleichfalls nahe. Und auch bei Erfindung der elektronischen Post hieß es, nun sei mit Sicherheit der Tag gekommen, an dem der letzte Brief geschrieben sei. Dabei verhielt es sich wie immer, wenn neue Medien auftraten: sie traten zu den vorhandenen hinzu, aber sie verdrängten diese nicht unbedingt. Sicher wird eine große Zahl der Briefe, die früher geschrieben wurden, heute nicht mehr geschrieben. Seitdem die Post sich für die Bürger geöffnet hatte, seit dem achtzehnten Jahrhundert also, hatte das Briefschreiben flutwellenartig zugenommen. Voltaire soll achtzig Briefe am Tag geschrieben haben, aber auch viele unauffällig lebende Hausfrauen ließen keinen Tag verstreichen, an dem sie nicht akribisch über das Einmachen, die kranken Kinder, die Weihnachtsgans und die Aussprüche der Nachbarin in Briefform berichteten. Wie erfreulich, unterhaltend und belehrend das Studium solcher alter Korrespondenzen sein kann, weiß jeder, der etwa die Briefe der Madame de Sévigné oder der Liselotte von der Pfalz gelesen hat. Briefe sind die Literatur der Nicht-Schriftsteller. Natürlich stellen solche Briefe eine ernste Forderung: Sie müssen beantwortet werden. Und deshalb vermögen wir uns mit dem Ende dieser Brief-Hochkultur, mit Krokodilstränen in den Augen, wahrscheinlich recht gut abzufinden. Das ändert aber nichts daran, daß es immer Dinge geben wird, die man am liebsten einem Brief anvertraut. Es gibt Dinge, die so wichtig und folgenreich sind, daß sie einem veritablen und haltbaren Dokument anvertraut werden müssen. Oft genug befinden wir uns in der Lage, einem Dank ein wirkliches Gewicht verleihen zu wollen; das kann eigentlich nur in einem Brief geschehen. Manche ernsthafte Auseinandersetzung, bei der es darauf ankommt, keinen Punkt der Argumentation aus dem Blick zu verlieren, hat ihren richtigen Ort im Brief. Liebesbriefe werden gelegentlich sogar geschrieben, wenn das Paar in einem einzigen Zimmer zusammenlebt. Briefe werden geschrieben, damit sie aufgehoben werden. Es ist mit den »Kommunikationsmedien« wie mit den Anreden – es kann gar nicht genug davon geben, um dem Nuancenreichtum der möglichen Beziehungen gerecht zu werden. Das Briefschreiben werden wir so schnell nicht los.

Briefe schreibt man auf Papier. Unternehmungen aller Art fühlen sich heute dazu verpflichtet, von Graphikern gestaltetes Briefpapier zu benutzen. Wenn ein Graphiker losgelassen wird, um seine Notwendigkeit zu beweisen, findet man in vielen Fällen auf dem Blatt kaum mehr Platz für die Mitteilungen, so gefüllt ist es mit Logo, seltsamen Strichen, Blöcken voller Mitteilungen und unlesbaren Schriftzügen. Nun, niemand wird die häßliche und unprofessionelle Gestaltung des Geschäftspapiers demjenigen anlasten, der darauf schreibt, weil jeder weiß, welche Apparate an Beratung und Konferenzen und Entscheidungen notwendig wären, hier auch nur das Bescheidenste zu ändern. Bei privatem Briefpapier sieht das natürlich anders aus. Da ist zunächst die Lösung des weißen DIN-A4-Blatts. Sie ist in ihrer Einfachheit nicht zu übertreffen und besser als jede mißglückte typographische Gestaltung. Wenn man Drucksachen herstellen läßt, müssen sie vorzüglich gemacht sein, und wenn das nicht gewährleistet ist, bleibt das weiße Blatt unschlagbar. Leider gibt es, was die Formate angeht, in Deutschland keine Auswahl. Das Kernland für schönes Schreibpapier ist England mit vielen reizvollen Formaten, die sich oft nur wenig vom DIN-Format unterscheiden, aber in der Abweichung gleich viel hübscher aussehen. Der längliche Umschlag, in den die Sekretärinnen den zweifach gefalteten Geschäftsbrief schieben, womöglich noch mit Fenster, bleibt natürlich dem Bürobetrieb vorbehalten, ein privater Brief sieht in einem solchen Umschlag gleich wie entwertet aus.

»Was du schwarz auf weiß besitzt...«, heißt es bei Goethe, und das mag vielleicht auch noch abdecken »schwarz auf hellblau«, oder »schwarz auf hellgrau« und vor allem »schwarz auf elfenbein« – denn hartes künstliches Weiß ist nicht angenehm für die Augen –, aber ganz gewiß ist rotes oder flaschengrünes oder kornblumenblaues Briefpapier ein Unding, vom Geschmack ganz abgesehen, einfach von der Lesbarkeit her. Es ist bei Graphikern und allen mit Papier operierenden Berufen vollkommen in Vergessenheit geraten, daß alle berühmten typographischen Erfindungen und Entwicklungen in der Vergangenheit vor allem die praktische Seite der Lesbarkeit vor Augen hatten. Die unbestreitbare Schönheit der römischen Antiqua und der Bodoni und einiger anderer Schrifttypen ist ein Nebenprodukt ihrer besonders weit entwickelten Lesbarkeit – so etwas Ähnliches war es wohl ursprünglich, was die Propagatoren des vielfach mißbrauchten Wortes Funktionalismus sich vorstellten. Auf graphischem Gebiet jedenfalls fallen alle als »funktionalistisch« bezeichneten Schrifttypen wegen Unlesbarkeit weg. Überhaupt sollte man vorsichtig sein mit allem, was Schreibwarengeschäfte als »hübsches Briefpapier« anbieten. Alle irgendwie geschmückten Papiere fallen für die brieflichen Mitteilungen von Erwachsenen aus. Das war nicht immer so. Im achtzehnten Jahrhundert hatte man gerade für knappe Mitteilungen kleine Karten mit reichem, geprägtem Rand, der manchmal auch vergoldet war. Ein kurzer Satz stand darin wie in einem Bilderrahmen und wirkte sehr bedeutend. Vielleicht ist unsere Zurückhaltung gegenüber jedweder Verzierung des Papiers – und nicht nur des Papiers – nichts anderes als das Eingeständnis, daß unsere Zeit im Dekorativen und Ornamentalen eben nichts mehr zu leisten vermag. Das dekorative Element muß heute vor allem im Format, im schönen, nicht zu leichten Material und seiner diskreten Tönung bestehen. In England gehören zu einem wohlausgestatteten Haushalt Papiere in den verschiedensten Formaten, von Visitenkartengröße über schon etwas größere Karten, kleinere und größere Briefbögen, zu jedem Zweck das Geeignete. Vielfach sollen nur ein paar Zeilen zum Dank für ein Abendessen oder in Begleitung eines Blumenstraußes geschrieben werden, dafür empfehlen sich kleinere Formate, auf denen die paar Worte nicht allzu verloren oder aufgeblasen wirken.

Was läßt man auf diese Briefpapiere nun drucken? Das aufwendigste und schmückendste Verfahren ist der Stahlstich, bei dem der Schriftzug oder das Wappen in eine Stahlplatte geschnitten wird, die dann aufs Papier gepreßt wird. Die aufquellenden Buchstaben werden entweder mit einem glänzenden Lack gefärbt oder bleiben »blind«, wie man sagt. Der Stahlstich wirkt sehr nobel, aber sein hoher Preis kann auch verursachen, daß man ihn für protzig ansieht. Wenn vermögende Leute ihren Namen in Stahlstich auf ihr Briefpapier und ihre Visitenkarten setzen lassen, ist dagegen aber gar nichts einzuwenden; ich bin immer auch dafür, die Handwerkskunst zu ermutigen und ihre schönen, in Jahrhunderten entwickelten Techniken zu nutzen. Im Zusammenhang mit dem Stahlstich fallen mir noch zwei Ärgernisse ein: Das eine ist die pseudo-conaisseurhafte, etwas vulgäre Art, bei Empfang einer Karte mit den Fingern über den Schriftzug zu streichen und zu prüfen, ob er erhaben ist (und dabei ein triumphierend pfiffiges Gesicht aufzusetzen); das zweite ist der Wunsch, wie Stahlstich aussehende Drucksachen zu haben, sie aber nicht bezahlen zu wollen und deshalb eine abscheuliche Methode vorzuziehen, in der eine Art Gummi-Buchstaben auf das Papier gespritzt werden. Ob es sich um echten Stahlstich handelt oder nicht, sieht jeder Mensch auf den ersten Blick, deshalb kann von beiden Verhaltensweisen getrost abgesehen werden. Wenn man ein schönes festes Papier gewählt hat, leistet nach meinem Geschmack echter Buchdruck die gleichen Dienste und ist vielleicht sogar noch eine Spur eleganter, weil weniger massiv. Die Buchstaben sinken ein wenig ins Papier ein und geben der Schrift etwas Haptisches, das der

Lesbarkeit dient. Wer gedrucktes privates Briefpapier haben möchte – was wie gesagt ja keineswegs erforderlich ist –, der sehe auf jeden Fall von allem photomechanisch Hergestellten ab. In der Herstellung von Büchern hat diese Methode nun leider gesiegt, und es ist unmöglich, sie von dort wieder zu verdrängen. Die Zeit eines gut gedruckten Buches ist leider zunächst einmal vorbei, aber im Privaten haftet solchen womöglich noch selbst auf dem Computer fabrizierten Drucksachen etwas Jämmerliches an, vor allem, weil sie einen Aufwand suggerieren sollen, der allzu offensichtlich überhaupt nicht betrieben worden ist.

Briefe sind höchstpersönliche Mitteilungen, doch was man darauf drucken läßt, sollte zwar schön, aber eben nicht besonders persönlich sein. Die richtig schönen Schriften unterscheiden sich oft nur um Millimeter oder Teile von Millimetern von den weniger schönen Schriften. In Deutschland hat man in teuren Papiergeschäften, die die Drucksachen für die Honoratioren einer Stadt herstellen, oft eine erbärmliche Auswahl; die Leute sind hier offenbar mit wenig zufrieden. Auch hier bewährt sich die Einsicht, daß die Manieren bei einer gewissen Rückständigkeit der Gesellschaft, oder jedenfalls einer noch nicht bis in den letzten Winkel durchgeführten Modernisierung, besser gedeihen. Natürlich ist es vom Betriebswirtschaftlichen her gesehen höchst unrationell, sich als Drucker Schrifttypen hinzulegen, die nur selten verlangt werden, aber es ist gerade der Respekt vor ebendiesen seltenen Bedürfnissen, der den Standard einer Zivilisation ausmacht. Wenn diese seltenen Bedürfnisse nicht mehr befriedigt werden können, dann möge die betreffende Zivilisation aufhören, sich als eine solche zu bezeichnen. Im kleinen Europa kann man zum Glück für sein Briefpapier immer noch auf das bereits erwähnte England oder auf Italien und Frankreich ausweichen. Für die Schrifttypen kommt ohnehin der römischen Antike die Palme zu, in ihrer Schrift den unerreichbaren Maßstab an Klarheit und Schönheit entwickelt zu haben. Die römische Antiqua ist eines der erhabensten Kulturdenkmäler; mit den

Modifikationen, die bedeutende Drucker des fünfzehnten bis achtzehnten Jahrhunderts ihr hinzugefügt haben, ist sie konkurrenzlos. Ihr folgt die von englischen Typographen entwickelte lateinische Schreibschrift, die sich als die traditionelle Typographie für Einladungskarten durchgesetzt hat – in Deutschland jedoch leider nur sehr schwer in der richtigen Nuance zu bekommen ist; findet man diese richtige Nuance nicht, nimmt man besser die Antiqua. In den zwanziger Jahren des letzten Jahrhunderts wurde dann noch eine betont schmucklose und serifenlose Druckschrift entwickelt, die Leute, die weniger altmodisch konventionell auftreten wollen, auch nehmen können, ohne deshalb gleich in individualistische Exzesse zu verfallen.

In den angelsächsischen Ländern soll nun auf dem Briefkopf keinesfalls der Name, sondern nur die Adresse stehen. Man versteht hier das Briefpapier als zum Haus gehörig, das von allen darin Wohnenden, auch von den Gästen benutzt werden kann, ein schöner großzügiger Brauch, der in der modernen Vereinzelung, die die Sitte, über viele Wochen Gäste zu haben, nur noch in wenigen Fällen kennt, allerdings kein Pendant mehr hat. In Deutschland hingegen ist auf den eleganteren Briefbögen eigentlich nur der Name üblich. Das ist in einer Zeit, in der viele Leute eine ganze Liste von Telefon- und Fax- und E-Mail-Nummern und Adressen haben, nicht immer praktisch; man bedenke aber auch, daß man diese Nummernvielfalt vielleicht nicht jedermann mitteilen möchte. Privatpapier ist kein Geschäftspapier. Es gibt ein privates Menschenrecht auf Unerreichbarkeit. Wer Verbindung mit uns aufnehmen möchte, kann immer einen Brief schreiben. Der Vorwurf, man sei nicht erreichbar gewesen, darf in vielen Fällen überhört werden. So gehört denn auch auf die klassische Visitenkarte nur der Name, was man sonst noch von sich mitteilen möchte, schreibt man dazu.

Aristokraten prägen manchmal ihr Wappen auf den Briefbogen und verzichten dann oft auf den Namen; manche Aristokraten haben auch Briefpapier ohne Titel (dann aber auch ohne »von«). Die hohe Aristokratie kennt auch das Monogramm des Vornamens unter der geschlossenen Krone. Bürgerliche Wappen, auch wenn sie alt sind, sollten hier nie zur Anwendung gelangen. Man gestatte, daß ich hier eine Parenthese über den Gebrauch von Wappen an anderer Stelle öffne. In Deutschland und Frankreich gibt es die Sitte des niederen Adels, einen Siegelring mit einem in einen Stein geschnittenen Wappen zu tragen, wobei das Wappen auf dem Kopf stehen muß, um beim Siegeln dann richtig herum zu erscheinen. Dieser Brauch erinnert an das bis zu Beginn des neunzehnten Jahrhunderts bestehende Privileg dieser Familien, ihr eigener Notar zu sein und amtliche Dokumente mit dem eigenen Siegel statt dem des Staates zu siegeln. Der Bürger mit der adligen Mutter sollte unbedingt darauf verzichten, den von ihr ererbten Siegelring zu tragen, und sei er ein noch so liebes Andenken an die Verschiedene. Bürgerliche Wappen sollten überhaupt nicht getragen werden, auch wenn das unbetitelte Hanse-Patriziat es teilweise tat. Der deutsche Hochadel, die ehemals regierenden Häuser, tragen ohnehin keinen Siegelring, statt dessen aber häufig einen Rubin oder Smaragd im Cabochonschliff als Verlobungsring (»Allianz-Ring«) oder als Erbstück des Vaters.

Seit Erfindung der Schreibmaschine ist die Handschrift sehr aufgewertet worden. Der handschriftliche Brief gerade auch hochgestellter Personen gewann an Prestige. Kondolenz-, Dank- und Liebesbriefe durften überhaupt nur mit der Hand geschrieben werden, eigentlich die ganze Privatpost. Damals wurde allerdings auch noch auf lesbare Handschriften geachtet. In der Schule wurde das Schönschreiben geübt. Das Schönschreiben wird heute verachtet und als unwürdige Zwangseinwirkung auf das kreative Formgefühl des jungen Menschen angesehen. Es wurde deshalb abgeschafft. Das Ergebnis war die Erkenntnis, daß die allermeisten jungen Menschen überhaupt kein kreatives Formgefühl besitzen. Das ist keine Schande: »All taste is an acquired taste.« Aber seitdem kann ein handschriftlicher Brief eine Qual sein. Wie stark sich die Handschrift durch Erziehung und Formung von außen beeinflussen läßt, zeigen England und Frankreich. Man kann auf einen Blick sagen, ob ein Brief von einem Engländer oder von einem Franzosen geschrieben wurde. Eine fürchterliche Handschrift muß man bei sich übrigens nicht einfach als gegeben hinnehmen mit dem berüchtigten »Ich bin nun einmal so und stehe zu mir«. Ich möchte behaupten, daß es nie zu spät ist, sich in dieser wichtigen Persönlichkeitsäußerung zu korrigieren. Im Islam war das Abschreiben heiliger Texte eine Beschäftigung, der sich Moguln und Kalifen widmeten. Es ist eine würdige Tätigkeit, irgendeinen ehrwürdigen Text in ein Schönschreibheft mit Hilfslinien abzuschreiben. Man fürchte bloß nicht, dadurch das Charakteristische und Eigentümliche der Handschrift zu verlieren – das verliert man nie, weder im Guten noch im Schlechten; es setzt sich auch in einer auf Lesbarkeit hin geformten Handschrift alsbald wieder durch. Handschreiben sind heute übrigens beinahe ein Abzeichen der einflußreichen Klasse geworden. Viele Chefs schreiben mit der Hand, schon aus Diskretionsgründen, weil alles, was in einen Datenspeicher gelangt ist, trotz der raffiniertesten Sicherungsmaßnahmen in kurzem der ganzen Welt gehört. Dennoch kann man sagen, daß das gesellschaftliche Verdikt bezüglich des maschinengeschriebenen Briefs nicht mehr so streng gehandhabt wird. Wer Langes und Kompliziertes mitzuteilen hat, darf auch die Schreibmaschine benutzen; in solchen Fällen entschuldigen sich formvolle Leute gern für die Maschine zu Beginn des Briefes. Es gibt auch die schöne Übung, die Anrede jedenfalls mit der Hand zu schreiben. Ohne irgendwelchem Luxus das Wort reden zu wollen, sei auch auf die Erfahrung hingewiesen, daß ein guter Füller mit einer elastischen Goldfeder, die nicht zu dünn schreibt, die Schrift meist schon beträchtlich verbessert. Das Lob der Langsamkeit – hier beim Schreiben – habe ich an anderer Stelle bereits gesungen.

Die schriftliche Anrede eröffnet im Deutschen einen erstaunlich großen Spielraum von Nuancen, einzigartig in

Europa, wo man in dieser Hinsicht sonst viel weniger Ausdrucksmöglichkeiten hat. Die Gewohnheit, alle Welt ohne weiteres als »lieb« zu bezeichnen, ob man die Leute nun kennt oder nicht, breitet sich zwar aus, ist aber doch reichlich naiv. Natürlich sind alle Leute, zu denen man »Du« sagt, mit einem gewissen Recht »Liebe Anna« und »Lieber Franz«. Auch hier kann man jedoch bereits nuancieren. »Meine liebe Anna« ist schon etwas anderes, von den Weiterungen im Liebesbrief ganz zu schweigen, die aber in einer Betrachtung über die Manieren nichts zu suchen haben: »In der Liebe und im Krieg ist alles erlaubt.«

Wo das Duzverhältnis zugleich ein Respektsverhältnis ist, etwa weil der Altersabstand beträchtlich ist, kann es auch »Liebe, verehrte Anna« heißen. Im aristokratischen Österreich schrieb bis vor kurzem ein junger Mann an einen erheblich älteren Freund der Familie, zu dem er »Du« sagte: »Lieber Freund und Gönner!« Ist man bei Vornamen und »Sie«, bleibt bei dem erwähnten Altersabstand auf jeden Fall auch Platz für die Verehrung: »Lieber verehrter Y.« ist mitunter eine passende Wendung, um der gebührenden Distanz angesichts eines sich vielleicht nur zufällig ergeben habenden Vornamengebrauchs Ausdruck zu verleihen. Im privaten Brief haben der »Sehr geehrte Herr Müller« und die »Sehr verehrte Frau Meier« aus der geschäftlichen Korrespondenz nichts zu suchen, es heißt hier »Verehrter Herr Müller« und »Verehrte Frau Meier«. »Werter Herr Müller« zeugt von rührend biedermeierlicher Provinzialität. Ich habe mich fest dazu entschlossen, gegen solche Zeugnisse eines versunkenen kleinstädtischen Deutschlands, die mich bei meiner Ankunft in diesem Land fasziniert haben, keinesfalls zu Felde zu ziehen, nur hinterlassen sie freilich keinen besonders mondänen Eindruck. »Hochverehrte gnädige Frau« kann man einer alten Dame schreiben, entsprechend »Hochverehrte Gräfin« oder »Hochverehrte Prinzessin«, wenn das Alter deutlich vorgerückt ist. Aber wann »Verehrte gnädige Frau«, »Verehrte, liebe gnädige Frau« oder »Liebe gnädige Frau« angemessen sind, muß man schon selber wissen. Wie streng klingen dagegen das französische »Madame«, »Monsieur« ohne Epitheta; der titelhafte Charakter des Wortes »Madame« kommt hier besonders stark zum Ausdruck. Ohne Epitheta bleiben auch Prädikate des Hochadels. »Liebe Majestät« würde aber wahrscheinlich ohnehin niemand schreiben, und auch die »Sehr geehrte Exzellenz« ist eine Unmöglichkeit.

Für alle Lockerungen der Umgangsformen gilt, daß sie vom Älteren, in irgendeiner Weise Höherstehenden ausgehen müssen. Ob es dem menschlichen Zusammenleben indessen nützt, einem Mann, der einem zutraulich »Lieber Herr Müller« geschrieben hat, mit »Sehr geehrter Herr Meier« zu antworten und das Verhältnis durch solche Zurechtweisungen zu belasten, mag jeder für sich entscheiden. Es ist gut, wenn man den Wert und den Ausdruck der einzelnen Stufen der Vertraulichkeit kennt, ohne den Versuch zu machen, sich an sie zu klammern, wenn das Gegenüber, wie heute häufig, keinen Sinn dafür hat. In manchen Berufszweigen, und vor allem dort, wo ein gewisser kollegialer Zusammenhang vermutet wird, eine Art Zunftgefühl, schreibt man sich ohne weiteres mit »Lieber Emil Müller« an; das ist dann womöglich sogar nett gemeint und soll auch ausdrücken, daß der Adressat als bekannte Größe und zugehörig betrachtet wird. Es hat sich inzwischen allerdings der fatale Brauch herausgebildet, in den Zeitungen offene Briefe an alle möglichen Persönlichkeiten zu richten, denen zur Freude des Leserpublikums einmal so richtig die Meinung gesagt werden soll. Solche Briefe mit »Lieber Emil Müller« einzuleiten ist eine gesalzene Unverschämtheit. Man hat gesagt, auch nach Aussterben der Pferde werde die Reitpeitsche immer noch gewisse Probleme lösen können; eines davon ist sicher dieses.

Schlußformeln der Briefe könnten ein eigenes kleines Werk füllen, insbesondere wenn man auch die französischen berücksichtigen wollte. In Frankreich lebt in den kunstvollen Schlußformeln, die oft ganze zwei Zeilen lang sind, das achtzehnte Jahrhundert fort. Jede erdenkliche Beziehung ist mit cartesianischem Geist kategorisiert. Von Hoch nach Tief, von Mann zu Frau, von Gleich zu Gleich formuliert man, in vielen Unterabstufungen, seine »sentiments les plus respectueux« oder seine »expression d'estimation la plus sincère«. Das ist keine Geheimwissenschaft, sondern kann wie das Linnésche System auswendig gelernt werden. Die Franzosen sind allerdings gerade dabei, dies wundervolle Formelwerk, das sie mit den leuchtenden Epochen ihrer Literatur verband, abzustreifen; man macht es sich soeben allgemein leichter und legt auch brieflich die Krawatte ab. Wer den Reichtum von schönen Schlußformeln, die leider nur mit parodistischer Absicht nachgeahmt werden können, kennenlernen will, lese die Briefe des späten Goethe. Goethe hat sich das Vergnügen gemacht, für beinahe jeden Brief eigene Schlußformeln zu entwickeln, die übrigens weit entfernt von den zeremoniellen Schnörkeln waren, die in seiner Zeit eine Selbstverständlichkeit waren. »Treulichst« schließt er etwa einen Brief, oder mit dem vielsagenden Wunsch »Und so fortan!«. Was man jedoch daraus lernen kann, ist, daß im Brief der eigenen Erfindung keine Grenzen gesetzt sind.

Nun möchte sich allerdings nicht jeder, nachdem er schon dankbar war, den Brief schließlich überhaupt geschrieben zu haben, noch eigene Schlußformulierungen ausdenken. Als ich nach Deutschland kam, war die seltsam feierliche und doch zugleich auch militärisch stramme Formel »Hochachtungsvoll!« noch in allgemeinem Gebrauch, vor allem in der Geschäftskorrespondenz. Dort ist sie jetzt durch die »Freundlichen Grüße« abgelöst, die in jedem nicht strikt geschäftlichen Brief jedoch keinesfalls erscheinen dürfen. »Mit freundlichen Grüßen« werden uns jetzt unsere Steuerbescheide und Strafzettel zugestellt, die einstmals »Hochachtungsvoll« ins Haus kamen. Ist es nicht schade, daß das schöne Wort »freundlich« zu einer öden, kalten Formel in zum Teil recht feindseligen Korrespondenzen verkommen ist? Besonders kraß fällt die »Freundlichkeit« aus Benachrichtigungen heraus, die nach dem Gruß mit der Bemerkung schließen, die Unterschrift fehle, weil das Schreiben maschinell erstellt worden sei. Hier ist die formschöpfende Kraft eines Robespierre gefordert. Was würde er zu »Mit staatsbürgerlichen Grüßen« sagen?

Wer es knapp und umstandslos machen möchte, ersetzt die »Freundlichen Grüße« in der Privatkorrespondenz durch die »besten Grüße«, die sind immer richtig, schöpfen jedoch das Empfehlungspotential bei weitem nicht aus. Man kann etwa ganze Sätze bilden, die in alter Tradition mit »Ich bin« beginnen: »Ich bin – oder: Ich bleibe mit den besten Grüßen ...« Das läßt sich erweitern. Man kann auch »in Dankbarkeit«, »in Freundschaft«, »in Verbundenheit« oder gar »in herzlicher Verbundenheit« verbleiben oder sein und grüßen. Statt den »Besten Grüßen« gibt es auch den spröden und zugleich schlanken Charme der »Vielen Grüße«. Schließlich werden die Grüße »herzlich« oder »herzlichst« und sollen sich womöglich auch auf die Ehefrau erstrecken. Die ist vor dem Gesetz zwar die »Gattin«, sonst aber, vor allem in einer Weltläufigkeit beanspruchenden Korrespondenz, keinesfalls. In Süddeutschland habe ich ehrwürdige altmodische Leute von »Ihrer Gattin« sprechen hören; auch der große Adalbert Stifter tat es in seinen Briefen, aber die Schöne Welt will von der Gattin nichts wissen. Die »Frau Gemahlin« ist ebenso altmodisch, unterliegt aber nicht demselben Verdikt wie die Gattin. Mir ist dennoch nicht ganz wohl dabei. Schreibt man Freunden, ist die Sache einfach; dann bittet man, Anna zu grüßen. Aber einfach »Ihre Frau« oder »Ihren Mann« zu schreiben – oder auch zu sagen –, kommt mir doch etwas ruppig vor. Das Beste ist gewiß, die betreffende Frau oder den Mann beim Namen zu nennen: wer an Herrn Müller schreibt, bittet ihn, auch »Frau Müller« zu grüßen. Halten sich in dem betreffenden Haushalt noch Töchter, Tanten und Mätressen auf, kann man auch darum bitten, »Ihre Damen« grüßen zu lassen.

Aristokraten bitten oft darum, einen Handkuß an die Ehefrau zu bestellen; schreiben sie an eine Frau, schließen sie etwa mit der Formel »Mit einem Handkuß und den besten Grüßen, stets Ihr ...« In solchen Verhältnissen schreiben auch junge

Frauen an Großmütter und Patentanten »mit einem Handkuß«, die jungen Männer ohnehin. Bis in die Gegenwart durfte dann aber der Zusatz »gehorsam« nicht fehlen; Respektspersonen bekamen immer einen »gehorsamen Handkuß«, und wenn es auch um die Tugend des Gehorsams zu allen Zeiten schlecht bestellt war, klang es doch angenehm, wenn ein junger Mensch wenigstens den Anschein geben wollte, daß er sie besäße – »Die Heuchelei ist eine Verbeugung des Lasters vor der Tugend«, bemerkten dazu die französischen Moralisten.

Alteuropäisch, etwas feierlich und distanziert und zeremoniös, aber durchaus möglich ist es, seine »Ergebenheit« am Briefende auszudrücken. Das kann, je nach Angemessenheit – das muß man schon selber entscheiden –, in folgenden Abstufungen geschehen: »Ihr ergebener…«, »Ihr Ihnen stets ergebener…« bis hin zur Wiederholung der Anrede: »Mit den besten Grüßen und einem Handkuß bin ich, verehrte Gräfin, Ihr Ihnen stets ergebener…« Hier ist jetzt der Gipfel der rituellen Höflichkeit betreten, aber das mag auf einer längeren Lebensreise ja hin und wieder erforderlich sein. Was nun allerdings in der bewußten lesbaren Handschrift zwischen Anrede und Schlußformel eines Briefes geschrieben werden soll, berührt die Manieren nur noch zum Teil. So floskelhaft Anrede und Schlußformel auch sein mögen, im Brieftext selbst sollten keine Floskeln und Phrasen, Klischees und präfabrizierte Formulierungen mehr auftauchen. In der Geschäftskorrespondenz mag das anders sein. Wo täglich viele Briefe mit sehr ähnlichem Inhalt das Haus verlassen, kann man den Briefschreibern eine gewisse Gestanztheit ihrer Texte nicht wirklich übelnehmen. Das ändert nichts daran, daß der Managerjargon häßlich ist und daß es einem Menschen, der auf sich hält, schwerfallen sollte, ihn umstandslos zu übernehmen. Wirklich einflußreiche Leute sind oft daran zu erkennen, daß sie sich in einen solchen Firmen- und Geschäftsmannsjargon nicht zwängen lassen. Sie suchen sich die Assistenten, die ihre Briefe verfassen, danach aus, ob sie imstande sind, glaubwürdig auch einen etwas souveräneren Ton anzuschlagen. Es gibt freilich Metiers, in denen auf die Fachterminologie nicht verzichtet werden kann, so hölzern sie auch klingen mag, ohne die Präzision zu verlieren. Ein sehr eleganter und erfolgreicher Anwalt, dem ich begegnet bin, litt unter den Zwängen der Juristensprache und hatte den Ehrgeiz, seine Briefe so locker und flüssig wie nur möglich zu formulieren; leider entstanden aus diesen gelungenen Lockerungsübungen eine Reihe von nur mühsam zu behebenden Mißverständnissen. Aber Wörter wie »Mühewaltung« oder »corporative center« oder die »vollste Zufriedenheit« oder »relaunchen« können, glaube ich, auch ohne Verlust an Eindeutigkeit weggelassen werden.

Ich gebe zu, es ist nicht leicht, in Glückwunsch- oder Kondolenzbriefen an Leute, die man nicht besonders gut kennt, Allerweltsphrasen zu vermeiden. Besonders komisch wirken Glückwunsch- oder Kondolenzschreiben aus den Freud-und-Leid-Abteilungen der großen Firmen oder Ministerien. »Sie haben von 1973 bis 1984 die Auslandsabteilung unseres Hauses mit Erfolg und Engagement geleitet. Besonders durften wir dabei Ihre Einsatzbereitschaft und Ihre große Kollegialität schätzenlernen. Ihr Wirken für unser Haus wird uns stets ein Vorbild sein«, heißt es darin etwa; gut genug, um sie auf den Abtritt zu hängen, hätte man in früheren Zeiten zu solchen Briefen wahrscheinlich gesagt.

Daß einem nichts Persönliches zu dem Glücks- oder Unglücksfall dieser Menschen einfällt, ist der Ausdruck der weit entfernten Beziehung, die aus irgendwelchen Gründen eben doch ein Zeichen verlangt. Statt etwas zu schreiben, was man nicht empfindet, und sich mit der Vermeidung von Phrasen zu quälen, um dafür etwas weniger abgegriffene Phrasen zu gebrauchen, sind immer auch die lakonischen Möglichkeiten zu erwägen: das schon erwähnte Telegramm oder die Visitenkarte mit einem Gruß und einem Blumenstrauß. Die Schöne Welt hat sich in Deutschland darauf geeinigt, »Herzliches Beileid« bei Todesfällen zu ächten, »Innige Anteilnahme« ist hingegen erlaubt. Da sieht man, wie es einem beim großen Slalom um die Phrasen herum ergehen kann. Wirklich hilfreich und wohltuend sind die feststehenden Formulierungen jedenfalls bei den Drucksachen, die wir bei Ereignissen versenden, die nichts mit unserer einzigartigen und unverwechselbaren Persönlichkeit zu tun haben, sondern mit dem kollektiven Schicksal, dem wir als Mitglieder des Menschengeschlechts unterworfen sind; dazu Näheres im Kapitel »Familienanzeigen«.

Schließlich sei noch ein Wort darüber gesagt, wie man es mit den alltäglichen Dankschreiben halten kann, also nicht dem großen Dank für die große Unterstützung, Hilfe, Gabe, sondern die Reaktion auf Einladungen und dergleichen. Ich kenne in England einen sehr disziplinierten Mann, der jeden Abend mindestens zwei Cocktails und ein Abendessen besucht. Kommt er nachts nach Hause, setzt er sich noch vor dem Schlafengehen an den Schreibtisch und verfaßt seine *petits mots* an die entsprechenden Gastgeberinnen, eine Gewohnheit wie das Zähneputzen. Ich bewundere diesen Mann und bin auch gewiß, daß er sein anstrengendes Leben ohne solche Routine kaum führen könnte, aber ich weiß nicht, ob er für jedermann vorbildlich ist. Ein wie aus der Pistole geschossener Dank hat auch etwas von der Entschlossenheit, sich etwas Lästiges vom Halse zu schaffen. In Schweden darf man sich deshalb erst nach drei Tagen bedanken, am fünften Tag muß der Dank aber eingetroffen sein, eine Sitte, die doch zu denken gibt. Ob man es über sich bringt, »charmante Gastgeberin« und »wahnsinnig netter Abend« zu Papier zu bringen, hat aber weniger mit den Manieren zu tun als mit der Entwicklung der ästhetischen Empfindlichkeit – die freilich bei den Manieren sehr hilfreich sein kann. Unter Freunden gilt vor allem die Regel, daß man sich gegenseitig das Leben so leicht wie möglich macht. Niemand wird seinen Freunden deshalb verübeln, wenn sie nach einem Abendessen einmal nichts von sich hören lassen, weil der Moloch Alltag sie aufgefressen hat. Ist man aber nicht so eng befreundet – und ich sehe mit großem Mißvergnügen die gesellschaftliche Sitte, alle Leute, die man kennt, als »Freunde« zu bezeichnen, nur weil das Wort »Bekannte« bei der Schönen Welt geächtet ist –, dann ist es notwendig, sich wenigstens telefonisch für einen Abend zu bedanken, und wenn das am nächsten oder übernächsten Tag nicht gelingt, schnell noch einen kleinen Brief zu schreiben. Nach alter Regel bedankt man sich bei der Hausfrau, und wenn man als Paar erschienen ist, dann schrieb früher die Frau der Frau. Es kann jedenfalls nicht schaden, wenn man sich vornimmt, eine gewisse Angewohnheit zu entwickeln, kleine »Rohrpostbriefe« von vielleicht nur wenigen Sätzen zu schreiben, die auf jeden Fall eine größere Wirkung haben als ein womöglich auch noch ungelegen kommendes Telefonat. Eine Zeitlang konnte man eine sehr erfreuliche und liebenswürdige Mode beobachten: Es gab regelrechte Künstler des Postkartenschreibens, die die seltensten Karten, oft auch historische, fanden, um auf diesen ihren »kleinen Postverkehr« abzuwickeln. Leider ist man ihnen daraufgekommen, und nun bietet jeder unsägliche Museumsladen und jede Buchhandlung, die eigentlich ein erweiterter Zeitschriftenladen ist, Nachdrucke von alten Karten, die denn auch schon tüchtig die Runde machen. Das ist dann also auch vorbei, die Postkartendandys müssen sich etwas Neues einfallen lassen. Wer in einem Haus übernachtet hat oder gar länger zu Gast gewesen ist, muß sich ohnehin hinsetzen und einen Brief schreiben, und das dürfte bei längerer gemeinsam zugebrachter Zeit vielleicht auch kein kruziales Problem mehr sein.

Ist es vielfach aber leider doch. Ich möchte hier einen grundsätzlichen Appell vortragen, der sich teils aus erworbener Lebenserfahrung und teils aus Barmherzigkeit speist. Wie viele Freundschaften sind schon beeinträchtigt worden, weil es einem der beiden Teile nicht geglückt ist, die Korrespondenz aufrechtzuerhalten. Man hat sich nicht bedankt, man hat nach einem Fest oder einem Abendessen oder gemeinsamen Tagen einfach nichts mehr von sich hören lassen. Man hat ein Geschenk erhalten und nicht einmal den Empfang bestätigt. Wer das alles auf sein Gewissen geladen hat, der wird vom Bewußtsein seiner Schuld geradezu stranguliert. Aber ein schlechtes Gewissen ist die schlechteste Basis einer freundschaftlichen Beziehung. Weil man sich nicht bedankt hat, versucht man, dem anderen aus dem Weg zu gehen. Manchmal ersinnt man bei dann doch nicht zu verhindernder Begegnung hastige Entschuldigungen, die alles noch viel schlimmer machen. Der Grund für das alles ist allzu klar. Das Leben ist nicht leicht – ein Satz, der zu Recht eine »banalité superieure« genannt zu werden verdient, denn er ist die lautere Wahrheit. Oft kommt es uns vor, daß wir es kaum schaffen, uns überhaupt am Leben zu erhalten; alles, was darüber hinausgeht, und sei es auch nur die Bewegung des kleinen Fingers, erscheint uns unmöglich, und so steigt denn der Stapel der unbeantworteten Briefe der liebsten Menschen und läßt die Lebenslast noch spürbarer werden. Es gibt nur ein Mittel dagegen, will mir scheinen: der Gastgeber eines Abendessens, der Schreiber eines Briefes, der Schenker eines Buches muß sich die Frage, ob dafür ein Dank eingetroffen ist, auf das strikteste verbieten. Er muß das Ausbleiben der angemessenen Reaktion augenblicklich vergessen. Schon gar nicht darf er daran erinnern. Wer Briefschulden einklagt, der hat von vornherein gar keine Antwort verdient; das könnte man sich sagen, während man dem Briefschuldner das überzeugende Gefühl gibt, daß man das Ausbleiben seines Briefes gar nicht bemerkt hat.

Familienanzeigen

Geburt, Heirat und Tod sollten in unpersönlicher, ganz der Tradition unterworfener Form der näheren und weiteren Öffentlichkeit zur Kenntnis gebracht werden. Jedes Milieu hat hier seine eigenen, bewährten Formen; in jedem Fall ist es wichtig, sich auf diesem Feld dem Kollektiv einzugliedern und solche Anlässe nicht zur Produktion individuellen Einfallsreichtums zu nutzen. In Deutschland vertraut man die Nachricht von Geburt und Heirat üblicherweise nicht der Zeitung an. In Frankreich, England und Italien gibt es eine sehr gute Form, Familiennachrichten der Presse zu übergeben. Die Zeitungen haben für diesen Zweck lange, enge Spalten, in denen Geburt, Heirat und Tod in winzigen Anzeigen in den immer gleichen Formulierungen bekanntgemacht werden. Diese Anzeigenspalten gleichen den steinernen Wänden der Ossarien auf südlichen Friedhöfen, wo eine Vielzahl von Grabplatten über- und nebeneinander eingelassen sind. Sie entsprechen in ihrer Bescheidenheit den Grundtatsachen des menschlichen Lebens. Es zeugt von Kultur, wenn eine Gesellschaft dafür die angemessenen Formen bereithält.

In Deutschland läßt man für die Geburtsanzeige eine kleine Karte drucken, auf der der oder die Namen und der Geburtstag des Neugeborenen stehen und die Namen der Eltern darunter, aber bitte nicht wie häufig »Erich und Ida Müller, geb. Maier«, als ob beide früher Maier geheißen hätten, sondern »Erich Müller und Ida Müller, geb. Maier«. Bei solchen standesamtliche Ereignisse betreffenden Nachrichten gehört der Geburtsname der Frau unbedingt dazu. Natürlich kann man das Ganze auch in einen Satz kleiden; dann schreiben die Leute etwa »In Dankbarkeit und Freude geben wir Nachricht von der Geburt unserer Tochter Helene, Maria, Adelheid, geb. am ...« und darunter die Namen der Eltern. Früher zeigte der Vater im eigenen Namen und im Namen seiner Frau die Geburt des gemeinsamen Kindes an, aber das wird man heute kaum mehr lesen. Aus den angelsächsischen Ländern kommt der Brauch, den Namen des Kindes auf einer sehr kleinen Karte auf die größere Annonce mit je nach Geschlecht rosa oder hellblauem Band zu befestigen. Nun ist dies Rosa und Hellblau sehr unklassisch und kam erst im letzten Jahrhundert aus Amerika. In Europa waren die Babys mit einem roten Band, der Jesus-Farbe, für die Jungen, und mit einem blauen Band, der Marien-Farbe, für die Mädchen, umwickelt. Mir kommen solche Bändchen-Karten grundsätzlich etwas problematisch vor – ein Transport der Kinderstube in die nüchternere Welt, die auf das Goutieren von anderer Leute Säuglingsglück nicht eingestellt ist. Alles aber ist besser als Anzeigen voller Lämmlein und Blümlein, auf denen es etwa heißt: »Hurra! Unser Oliver ist da, 2856 Gramm schwer und pumperlgesund!«

Wenn in traditionellem Milieu geheiratet wird, ist das ein Ereignis, das nicht nur die Brautleute, sondern auch deren Familien etwas angeht, weil mit der Ehe neue Verwandtschaften gestiftet werden. Deshalb erscheinen die Familien der Brautleute auch auf den Hochzeitsanzeigen, in Frankreich sogar alle lebenden Großeltern. Da treten dann wirklich zwei Clans gegeneinander an, um das hochpolitische Geschäft der Allianz vorzunehmen. In Deutschland und Österreich zeigen auf einem großen, in der Mitte gefalteten Blatt links der Vater der Braut, zugleich im Namen seiner Frau, die Hochzeit seiner Tochter mit dem Sohn des X. und der Y. an, während auf der anderen Seite das Elternpaar des Bräutigams dasselbe annonciert, mitunter auch der Bräutigam allein, der mit seiner Verheiratung offenbar als mannbar betrachtet wird. Dieser Anzeige werden die Einladungen zur Brautsoiree, zum Brautdejeuner, zum Empfang oder was sonst alles ins Auge gefaßt sein mag, beigelegt. Die Einladenden sind die Eltern der Braut, in Erinnerung an alte Zeiten, in denen die Eltern einer Tochter dankbar aufseufzten, wenn sie aus dem Haus war und ein anderer die wirtschaftliche Verantwortung für sie trug. Obwohl sich die Verhältnisse in dieser Beziehung denkbar stark geändert haben und die Brauteltern oft sogar noch einen dazu bekommen, für den sie zu sorgen haben, bleiben die Hochzeitsgebräuche unverändert. Wer heiratet, will offenbar »richtig« heiraten, da kann es gar nicht genug überkommenes Brauchtum geben, dem vielleicht im geheimen die Kraft zugetraut wird, die Ehe haltbar zu machen. Wenn Braut und Bräutigam beide über vierzig Jahre alt sind, wird, selbst wenn die Eltern noch leben sollten, kaum jemand auf den Gedanken kommen, daß diese den Brauch fortzuführen hätten, die Hochzeit ihrer Kinder anzuzeigen. Solchen Ehen in reifen Jahren steht der Hochzeitsüberschwang von jüngeren Leuten nicht gut zu Gesicht. Es genügt hier, eine kleine Karte mit dem Satz »Wir haben geheiratet« und darunter die Namen, wenn man eine Annonce überhaupt für notwendig hält.

Es ist nicht leicht, sich über mißglückte Todesanzeigen zu erheben, weil sie oft in großer Trauer abgefaßt worden sind und mit dem individuellen Versuch, den Verlust neuartig und irgendwie anders als die anderen auszudrücken, auch das tapfere Bestreben einhergehen mag, mit dem Schmerz fertig zu werden. Deshalb sollte man sich, bevor das traurige Ereignis eintritt, schon klar sein, daß Nüchternheit und Zurückhaltung auf diesem Feld vielleicht am allerwichtigsten sind. Es ist ohnehin fruchtlos, den Tod eines Menschen selbst in das tiefsinnigste Dichterwort fassen zu wollen. Der Tod bleibt ein unversöhnliches Ereignis und ein erschreckendes Memento für die Überlebenden, und diese Tatsache sollte durch keinen Euphemismus beschönigt werden, aber auch als bekannt genug gelten, um nicht noch eigens formuliert werden zu müssen. Es gehört zu den grausamen Gesetzen der Todesanzeigen, daß alles, was die Angehörigen in wahrer Empfindung über den Toten formulieren, in gedruckter Form sentimental, verbraucht, peinlich oder womöglich gar unfreiwillig komisch wirkt. Es gehört gleichfalls zu den grausamen Gesetzen des Lebens, daß jeder Tote alsbald vergessen wird, was die leidenschaftlichen Bekundungen des Gegenteils auf den Traueranzeigen nicht glücklicher erscheinen läßt. Manchmal kommt es sogar zu persönlichen Anrufungen des Toten: »Du hast uns so viel gegeben«, liest man dann beklommen. Die blassen schematischen Würdigungen der geschäftlichen Anzeigen hinterlassen aber gleichfalls einen faden Nachgeschmack, wenn man etwa zum hundertsten Mal liest, der Verstorbene habe »die Firma Unterwassergummi von ihren bescheidenen Anfängen zu ihrer heutigen Bedeutung geführt und dabei Augenmaß, hohe Führungsqualität und Sinn für menschliche Werte bewiesen«. Nein, diese lobpreisenden, im Trauerrand veröffentlichten Nachrufe, diese lyrischen Hilflosigkeiten, die indiskrete Zurschaustellung des Privaten sind ein schlechter *pompe funèbre.* Beliebt ist allseits das Wort »tragisch« auf Todesanzeigen. Tragisch hat eine sehr genaue, streng eingegrenzte Bedeutung. Sie stammt aus dem antiken Griechenland und bezeichnet eine Situation, in der der Mensch, wie immer er sich auch verhält, schuldig werden muß. Antigone stirbt einen tragischen Tod, weil die beiden Gesetze, denen sie unterworfen ist, das öffentliche der Polis und das religiöse der Familie, gleiche Würde beanspruchen und keines befolgt werden kann, ohne daß das andere verletzt würde. Den Lesern ist dies bekannt; ich weise nur noch einmal darauf hin, um deutlich zu machen, daß ein Verkehrsunfall, eine schwere Krankheit oder selbst ein Mordanschlag etwas sehr Schlimmes, aber beinahe niemals etwas Tragisches sind. Alles hohle Geschwätz wird angesichts der Bahre mit dem Toten vollständig unerträglich. »Handwerker trugen ihn. Kein Geistlicher hat ihn begleitet«, heißt es am Schluß des *Werther,* und obwohl betrüblich ist, daß am Grab dieses armen Verwirrten nicht gebetet worden ist, so hat ihm dies doch auch den Leichensermon erspart.

Ein Grund, die Aufnahme in den Orden »Pour le Mérite« anzustreben, sind die würdigen Todesanzeigen, die der Ordenskanzler für die Mitglieder bei ihrem Tod aufgibt. Sie sind ziemlich klein, tragen oben das Emblem des Ordens, dann folgt der Name des Toten ohne Titel und Auszeichnungen und darunter steht der Name des Ordenskanzlers. Das Ganze sieht aus wie in Stein gemeißelt. Aber auch die traditionellen Familienanzeigen haben etwas für sich. In schwarzem Rahmen tritt die Familie noch einmal um den Gestorbenen herum zusammen. In Norddeutschland beginnt eine solche Anzeige etwa: »Der allmächtige Gott hat unsere geliebte Mutter, Großmutter, Schwester, Tante und Cousine X.Y. zu sich genommen«; darunter stehen die Verwandten in der oben aufgeführten Reihenfolge. In Süddeutschland und Österreich steht die Familie oben; dort heißt es dann: »X.Y. gibt im eigenen Namen, sowie im Namen seiner Ehefrau, seiner Brüder, seiner Kinder, seiner Tanten, seiner Onkel und seiner Vettern und Cousinen tief betrübt Nachricht vom Tode seiner geliebten Mutter Y.Z.« Katholiken fügen oft noch hinzu, ob der Tote die Sterbesakramente empfangen habe. Der Rand um die österreichische Anzeige ist sehr breit, bis zu drei Zentimeter, die Anzeige ist ein DIN-A4-Blatt, das quer bedruckt ist, wie auch in Italien. Manchen Leuten ist das zuviel Schwarz. Das sind wahrscheinlich dieselben, die auch schwarze Leichenwagen im Stadtbild nicht mögen. Manche Trauerfirmen, in Wien »Pumpfüneber« genannt, haben deshalb ein besonders ungutes Grau für ihre Autos gewählt, und in diesem Hellgrau habe ich nun schon eine Reihe von Todesanzeigen gesehen, manche davon waren mit geknickten Kornähren, andere mit einem Schwarm Zugvögel bedruckt. Nein, ich habe es gern rabenschwarz, wenn der Tod kommt, und ich schätze auch besonders, wenn in den Anzeigen nicht die zwar durch langen Gebrauch zurechtgeschliffenen Formeln »hat X.Y. nach langem Leiden zu sich gerufen« oder »ist X.Y. nach kurzem schwerem Leiden heim-« oder auch »von uns gegangen« erscheinen, sondern wenn die Wörter Tod und Sterben ganz ausdrücklich gebraucht werden.

Bei Tisch

Das Essen ist, gerade weil es unser Urbedürfnis ist, in vielen Religionen zum Sinnbild des ewigen Lebens nach Abschluß der Geschichte geworden. Den glückseligen Zustand, der eintritt, wenn das Leid des Lebens hinter uns liegt, wollte man sich als ein ewiges großes Gastmahl vorstellen – es sagt viel über unsere Empfindungsart, daß diese Vorstellung für viele heute etwas Grauenvolles an sich hat. Alle Opferrituale sind irgendwie mit dem Essen verbunden, und das Essen selbst ist in allen Teilen der Welt als ein heiliger, friedensstiftender Akt angesehen worden, den zu stören sakrilegischen Charakter hat. »An der Tafel altert man nicht«, sagen die Italiener, um die vorweggenommene Ewigkeit beim Essen auszudrücken. Und so wird in beinahe allen Kulturen der Platz, an dem man ißt, als Altar behandelt, indem ein Tuch darüber gebreitet wird, ob dies nun auf dem Boden liegt oder einen Tisch bedeckt. Man hat diesem Tischtuch praktische Bedeutung zuschreiben wollen – eine Serviette für alle, die Möglichkeit, die Krümel zu sammeln –, aber damit ist das Bedürfnis, auf Wüstensand oder grüner Wiese, auf niedrigen und hohen Tischen Tücher auszubreiten, bevor man davon ißt, offensichtlich nicht erklärt. Es geht bekanntlich auch ohne Tischtuch. Als die Engländer begannen, aus ihren Kolonien in großem Stil Mahagoni einzuführen, wollte man die großen Mahagoniflächen mit ihrer spiegelnden Politur nicht mehr durch ein Tischtuch verdecken, sondern gerade beim Essen auch ausstellen. Und so kommt es in England und Amerika dann zu dem Brauch, einen blanken Mahagonitisch mit Silber zu überschütten, aber kein Tischtuch darunter zu legen, eine stets etwas frostige Pracht. Die Tische der Könige hatten bis dahin aus Holzböcken bestanden, auf die Bretter gelegt wurden, als letztes Zeichen für den mittelalterlichen Brauch, daß der König beständig durch sein Land reiste. Das riesige weiße Tischtuch wurde an den vier Ecken zu großen Knoten gewunden, damit es nicht auf dem Boden schleifte, auf Leonardos *Letztem Abendmahl* habe ich diese mir schon vorher aus vielen Häusern bekannte Sitte wiedergesehen. Nichts geht über ein weißes Tischtuch. Ich weiß, man kann heute der Wäsche jeden erdenklichen Farbton lichtecht einfärben, aber in den großen Zeiten der Manieren konnte man es nicht, da war Wäsche weiß, und so hat sie sich unserem hereditären Geschmack eingeprägt.

Man betrachte es von mir aus als afrikanische Idiosynkrasie, aber ich möchte auf keinen Fall versäumen, ein Loblied auf die klassische Weise des Essens zu singen: das Essen mit den Händen. Es gilt für manche als Synonym für Barbarei. Aber dann haben diese Leute niemals das Essen mit den Händen gesehen, wo es bis heute gepflegt wird, in Afrika, in der Türkei, Arabien und Indien. Es verlangt mehr Geschicklichkeit und Geschmack, appetitlich und elegant mit den Händen zu essen, als man sich vorstellt; das Mit-den-Händen-Essen ist schwieriger, als mit Messer und Gabel zu essen. Natürlich gehört dann die Handwaschung zum Essen, vorher und nachher werden in diesen Ländern große Kannen mit warmem Wasser herumgereicht. In großen Häusern in Indien steht an der Seite eine mit Lorbeerzweigen gefüllte Schüssel bereit, in die das Wasser gegossen wird, so daß niemand gebrauchtes Wasser sehen muß. So aß man in der Antike, und so aßen auch die lieben Deutschen bis ins siebzehnte Jahrhundert hinein, als das Tafelbesteck aufkam. Ich plädiere deshalb dafür, die wenigen Gelegenheiten, die an einer deutschen Tafel für das Essen mit den Händen blieben, auch sehr bewußt zu nutzen. Brot wird mit den Händen gebrochen, in England dürfen Toast und Brötchen keinesfalls geschnitten werden – eine gute

Regel, die in Deutschland aber nicht so streng genommen wird. Spargel kann mit der Hand langsam in den Mund geschoben werden, mitfühlenden Personen tut es weh, wenn die langen Spargelfasern roh zerschnitten werden. Krebse, Hummer in der Schale und Artischocken müssen mit den Händen gegessen werden; Käse wird zwar mit dem Messer abgeschnitten, dann aber auf einem Stück Brot mit der Hand in den Mund gesteckt. Wachtelbeinchen dürfen abgenagt werden. Die Fingerschalen mit dem warmen Wasser und einem Stück Zitrone haben nach Benutzung sofort zu verschwinden; der großzügigere orientalische Brauch mit der großen Wasserkanne würde vielleicht zuviel Unruhe an die Tafel bringen.

Ein Wort zum Besteck. Messer, Gabel und Löffel gibt es inzwischen in vielen Größen und Ausformungen. Klassisch ist das nicht. Wenn wir die Bestecktasche der Kaiserin Maria Theresia betrachten, sehen wir darin einen Suppenlöffel, eine Gabel, ein Messer, eine Bratengabel, einen Dessert- oder Limonadenlöffel und Pfeffer- und Salzfaß. Alles Spätere ist bürgerliches neunzehntes Jahrhundert – man sieht bei gewissen Silbergegenständen die Hochzeitslisten vor sich, auf denen sie gestanden haben. »Ich schenke ein Teeservice für sechs Personen«, sagt ein Engländer in einem Witz aus dem *Punch*. »Und ich schenke Teelöffel für zwölf Personen«, sagt darauf der Ire. Schließlich der Schotte: »Ich schenke ein silbernes Teesieb für vierundzwanzig Personen.« In England sind zum Beispiel Fischmesser als viktorianischer Blödsinn geächtet, aber auch Krebsgabeln, Zuckerzangen, Schneckenzangen und Saucenlöffel sind doch eigentlich entbehrlich. Ja, soll es denn gar keine Neuerungen im Stil der Zeit auf dem Eßtisch geben? Im Restaurant gibt es davon doch mehr als genug: monströse Pfeffermühlen, Riesenrotweinpokale, mächtige silberne Wärmeglocken, unter denen sich dann ein Mäuslein verbirgt, und natürlich auch den Saucenlöffel. Wie die meisten Erfindungen des zwanzigsten Jahrhunderts ist er praktisch, überflüssig und etwas geschmacklos. Tausende von Jahren hat die Menschheit ihre Saucen mit Brot aufgetunkt oder eine Kartoffel darin zerquetscht. Nach Erfindung von Messer, Löffel und Gabel im siebzehnten Jahrhundert sollte man auf dem Tisch nun für eine Weile wieder Ruhe einkehren lassen.

In dem Raum der deutschen Kultur, zu dem Österreich gehört, gibt es zwei Arten, das Besteck auf den Tisch zu legen. Die »norddeutsche« ist die auf dem ganzen Kontinent, einschließlich England, gebräuchliche. Sie besteht darin, alle Instrumente, die man mit der rechten Hand hält, rechts vom Teller so hinzulegen, daß der Löffel oder das Messer für den ersten Gang außen liegt und der Löffel für den letzten ganz innen (sollte eine Süßspeise der letzte Gang sein). Genauso verfährt man auf der linken Seite mit den Gabeln. Fürs Dessert wird Löffel und Gabel gedeckt; wenn es nicht flüssig ist, wird nur die Gabel gebraucht. Für Spaghetti und sonstige Pasta gilt dasselbe – der Löffel wird gedeckt, bleibt aber unberührt. Löffel und Gabel für das Dessert können auch oberhalb des Tellers liegen, dann zeigt der Löffelgriff nach rechts, der Gabelgriff nach links. In den vom Hause Österreich beherrschten oder beeinflußten Ländern galt das »Spanische Hofzeremoniell«, so genannt, weil es nicht aus Spanien, sondern aus Burgund stammte: dies schrieb vor, das gesamte Besteck auf der rechten Tellerseite zu decken, wieder innen für den letzten Gang – rechts das Instrument für die rechte, links das für die linke Hand – und ganz außen für den ersten. Das hat den Vorteil, daß die linke Tellerseite frei bleibt und man dort seine Hand hinlegen kann, die auf dem Kontinent auf den Tisch gehört, wenn sie nicht gebraucht wird (in England und Schweden in den Schoß). Das Nichtgebrauchtwerden kommt aber selten vor, weil man in der linken Hand, wenn man etwas nur mit der Gabel ißt, ein kleines Stück Brot hält, mit dem der Gabel bei ihrem Werk gelegentlich nachgeholfen werden darf.

Eßmanieren und die Form und Art des Bestecks gehören sehr eng zusammen; die besten Manieren ergeben sich aus dem richtigen Besteck beinahe von selbst. Das Besteck muß dazu groß und schwer sein. Die gesamte Ideologie des »Leichten«, die zum ästhetischen Kernbestand des zwanzigsten Jahrhunderts gehörte, ist ein Irrtum. Margarine, Cola und gewisse Zigaretten werden in der »Light«-Fassung vollends ungenießbar. Stoff muß schwer sein, damit er schöne Falten wirft, Süßes muß schwer sein, damit es wirklich gut ist, und Handwerkszeug, wozu auch das Eßbesteck gehört, liegt ohne Gewicht nicht richtig in der Hand. Wer Diät-Bedenken hat, nehme eben wenig von dem Schweren – dieser entweder heuchlerische oder hämische Rat sei mir verziehen –, anstatt es zu verhunzen.

Eßmanieren sind eines der sichersten Abzeichen dafür, ob jemand als Kind erzogen worden ist. Jemandem, über den man nichts weiß, beim Essen zuzusehen, ist viel aufschlußreicher, als seine Kleider zu betrachten und seinen weltläufigen Reden zu lauschen. Es ist stets aufs neue erstaunlich, wie viele in ihrem Ton geschliffene, ja raffinierte Leute das Eßbesteck wie die Kinder handhaben, mit bedrohlich in die Luft weisenden Messerspitzen und Gabelzinken. Man könnte sagen, daß sich die Erziehung eines Menschen nicht daran zeigt, wie er mit Hummerscheren umzugehen weiß, sondern daran wie er ein Schweinekotelett ißt. Die Kunst, ein kleines Stück aufzuspießen und dann mit der Messerklinge von dem anderen, was auf dem Teller ist, darauf zu schieben und zu häufeln, beherrscht am besten, wer es von Jugend an geübt hat. Es liegt in diesem Stil eine gewisse Sorgfalt und Bedächtigkeit, die den Gedanken an ein gieriges In-sich-Hineinschaufeln gar nicht aufkommen läßt, etwas Diszipliniertes, das im Zusammenhang mit Triebbefriedigung sehr angenehm ist. Der Österreicher Heimito von Doderer beschreibt in den *Dämonen* einen jungen Mann bescheidener Herkunft, an dem sein ganzes Herz hängt. Das Mädchen, das mit dem Jungen ausgeht, bemerkt, daß er von dem Wein, den er sich bestellt hat, erst nach einer Weile trinkt, gleichsam abwartend, bis sich die heiße Gier auf den ersten Schluck gelegt hat, bevor er das Glas an die Lippen hebt. Dieses Abwarten hat einen ähnlichen Effekt wie das beschriebene sorgfältige Essen. In Parenthese sei hier angemerkt, daß einem eilig Schlingenden mit dem besorgten Rat

»Schling doch nicht so!« meist nicht gedient ist; er wird sich ohnehin in einer Verfassung befinden, in der Ratschläge seiner Haltung den Rest geben könnten. Jedenfalls läßt sich dieser beschriebene Umgang mit Messer und Gabel am besten erreichen, wenn die Messerklinge lang und breit und die Gabelzinken groß und lang sind. Wie Besteck von den Gewichten her so austariert ist, daß es sich in die Hand schmiegt, wußten die alten Silberschmiede, bei denen jedes Ornament eine physikalische Funktion hatte, genau; sie haben es ihren Nachfahren aber nicht hinterlassen. Das Lustige ist, daß modernem Besteck mit den Schnörkeln und Ornamenten auch die Brauchbarkeit abhanden gekommen ist. Ich wage hier den Krieg mit der gesamten hoch dekorierten Designerzunft, wenn ich behaupte, daß eine Gabel und ein Löffel, die hinten nicht ein genügend breites Schild für die Handinnenfläche haben, unbrauchbar sind. Eine Gabel ist kein Stäbchen mit Zinken.

Servietten werden bei einem Essen mit Gästen auf den Teller gelegt, bei manchen werden sie noch irgendwie schön gefaltet, was man das »Brechen« der Serviette nennt; dabei denkt man natürlich an gestärkten Stoff. Bei familiärem Essen gibt es dafür Serviettenringe, die in England merkwürdigerweise verpönt sind, als könne man nicht auch frische Servietten in den Ring tun. Das Klapperdeckchen ist für den mondänen Engländer eine noch größere Pein – nichts habe Mr. Nicolson bei einem Essen mehr verstimmt als »a grapefruit on the plate and a doily under it«. In Deutschland ist man, vor allem in altmodischen Häusern, nicht so streng mit dem Klapperdeckchen, obwohl es vielleicht wirklich etwas betulich ist.

Manche Leute blicken mit geheimem Kummer auf die Lückenhaftigkeit ihrer verschiedenen Service, von dem einen gibt es sieben Teller, von dem nächsten dreizehn, und auch das Besteck ist nicht einheitlich geformt. Und das in einer Zeit, in der in Zeitschriften und Hotels die prachtvollsten »Garnituren« paradieren, bei denen von den Kerzen bis zu den Servietten und jedem kleinen Teller alles aus einem Guß ist.

Es gehört zum Geschmack unserer Zeitgenossen, die »corporate identity« möglichst vollständig durch jeden erdenklichen Gegenstand sichtbar zu machen. Wer in einer Bank eine Tasse Kaffee trinkt, soll auf der Tasse das scheußliche Logo (Logos sind beinahe immer scheußlich) der Bank finden, um so von ihrem formenden Zugriff auf das kleinste Detail beeindruckt zu sein. Die Stewardessen- und Hostessen-Kostümierungen mit ihren »abgestimmten« und »Ton in Ton« gehaltenen Accessoires haben ein übriges getan, um einem alles an »Garnituren« Erinnernde zu verleiden, von Polstermöbeln mit »dazu passenden« Kissen bis hin zu einer allzu geleckten, aus einem Guß fabrizierten Tischdekoration. Das Mißtrauen gegenüber allzu perfekter Abstimmung ist übrigens nicht neu. Madame Errázuriz, die Inspiratorin von Christian Dior (ein Titel, den allerdings mehrere in Anspruch nehmen), verbot bei einer wirklich gutangezogenen Frau, daß eine Farbe an ihren Sachen zweimal auftauchte, daß etwa das Blau einer Feder auf dem Hut beim Schal wiederkehrte. Und es lohnt sich auch, in Tomasi di Lampedusas Roman *Der Leopard* noch einmal nachzulesen, wie der Tisch beim Principe di Salina gedeckt wurde. Weil keines der Service des Haushalts durch die Jahrzehnte vollständig geblieben war, saß dort oft jeder an der langen Tafel vor einem anders bemalten Teller; der Fürst bekam große vergoldete Capodimonte-Teller, von denen nur noch für seinen Gebrauch genügend da waren, und bei den anderen stückelte es sich, wie es kam, aneinander.

»Tout comme chez nous« könnte ich da ausrufen, nur daß es bei uns nicht um Capodimonte, sondern um alle möglichen englischen Produkte ging. Was ich sagen will: Ich sehe dies improvisierende Zusammenstückeln von Besteck und Porzellan in einem privaten Haus nicht als Notlösung oder verzeihlichen Behelf an, sondern geradezu als ästhetische Qualität, die herbeigeführt werden müßte, wenn sie sich nicht von selbst ergäbe. Nachdem auch alles, was zum persönlichen Lebensstil eines Menschen gehört, Warencharakter angenommen hat, sind die Eindrücke, die man nicht kaufen kann, von unbezahlbarer Kostbarkeit geworden, und dazu zählt auch ein Tisch, der in dieser Form niemals in einem Restaurant zu haben wäre.

Menükarten haben vor allem bei größeren Essen die Funktion, aufzuzählen, was auf den Tisch kommen wird, damit die Gäste ihren Appetit einteilen können. Ich war in Georgien einmal zu Gast bei einem der für dies schöne, unglückliche Land bezeichnenden Gastmähler. Der Tisch brach unter dem Gebotenen schier zusammen, die westeuropäischen Gäste (zu denen ich mich in diesem Fall zähle) schlugen sich wacker, aber es kam der Zeitpunkt, in dem sich eine Lähmung ausbreitete, die ganz nah schon an der Verzweiflung lag. Das gastgebende Ehepaar erkannte die Lage und gab schnell Anordnung nach draußen, nichts Neues mehr zu bringen, aber es war sichtbar unglücklich. In der Küche wartete noch einmal soviel wie das bis dahin Gebotene. Dies Unglück, so sage ich etwas besserwisserisch angesichts solch überwältigender Gastfreundschaft, hätte durch eine Menükarte vermieden werden können. Bei diplomatischen Essen ist es übrigens Brauch, daß sich die Gäste gegenseitig Autogramme auf die Menükarten geben. Die kann man dann zu Hause aufheben und nach zehn Jahren rätseln: Wer waren Dr. Schneider, Bobby Fairlawn und Griseldis Montefiore? Und doch, während man an einem Tisch saß, bildete man eine Gemeinschaft, eine enge sogar. Mit wem man gegessen hatte, von dem durfte man annehmen, daß er einem nicht in der Nacht ein Messer in die Brust stieß, so hielten es jedenfalls die orientalischen Kaufleute bei ihren großen Karawanen. Man hat sich jedem vorgestellt, und man kann mit jedem am Tisch ein Gespräch beginnen, und man muß sich selbstverständlich gegenüber den anderen, auch wenn man über ihre Gesellschaft nicht besonders beglückt ist, gesprächsbereit zeigen. Man hat einfach kein Recht dazu, als Fels in der Brandung dazusitzen und zu schweigen. »Mitgegangen, mitgehangen«, das gilt auch bei einer Essenseinladung.

Wenn man etwas haben möchte, was entfernt steht, darf man, das ist bekannt, nicht an der Nase seiner Nachbarin vorbeilangen und sich das Salzfaß selber holen, sondern muß darum bitten – in England übrigens mit der verwirrenden Formulierung: »Would you like some salt?« Die Antwort darauf ist nicht Ja oder Nein, sondern die schweigende Überreichung des Salzfasses. Wenn einer Freundin von mir die Zeit zu lang dauerte, um ihren neben ihr in ein Gespräch versunkenen Nachbarn anzusprechen, langte sie mit ihrem schönen Arm an ihm vorbei und sagte dazu: »Boardinghouse reach«, nach den rohen Sitten in Internatsspeisesälen. Wie gern würde ich das von ihr übernehmen, bin aber leider nie in einem Internat gewesen.

Um dem Hauspersonal Gelegenheit zu geben, in die Kirche zu gehen, gab es in England auf den Landsitzen früher die Sitte, das Sonntagsfrühstück als großes Büfett aufzubauen, von dem sich jeder selbst bediente. Nachdem das Hauspersonal jetzt allgemein so fromm geworden ist, daß es die Kirche quasi nicht mehr verläßt, wird man in Haushalten, bei denen es im Bewirten von Gästescharen eine gewisse Routine gibt, in Schlössern etwa, sehr häufig auf solche Büfetts treffen. Sie haben den Vorteil, den Gastgebern die Organisation sehr zu erleichtern, aber den Nachteil, daß die Konzentration bei Tisch leidet: das Hin und Her zu den Fleischtöpfen in hallenden großen Eßzimmern, die traditionell keinen Teppich haben sollen, schafft Unruhe. Das andere Extrem sind Haushalte, in denen mit mehr oder weniger Glück versucht wird, den Stil der Gourmet-Restaurants zu übernehmen und in der Küche jeden Teller mit allen Bestandteilen jeden Ganges präzis und dekorativ anzurichten. Wenn das in Ausnahmefällen wirklich gelingt, ist es großartig, aber ein Stilvorbild kann diese Art zu servieren nicht werden. Meisterköchin und -koch wollen auf dem Teller eine genau abgestimmte Geschmacksbalance erzeugen, die eigentlich in geradezu zen-buddhistischer Geistesgegenwart genossen werden müßte. Warum sollen die Platten und Schüsseln und Saucieren eigentlich nicht in alter Weise um den Tisch wandern oder von helfenden Kindern oder Servierhilfen oder den Gastgebern selbst angeboten werden?

Jeder nimmt sich, so viel er will, und ist glücklich. Es soll übrigens Frauen geben, die gern essen, aber Hemmungen haben, allein noch etwas zu nehmen. Ein Tischherr ist dann sehr liebenswürdig, wenn er auch noch etwas nimmt und mit dem Essen nicht vor seiner Dame fertig ist.

Wenn keine Hilfen da sind, sollten die jüngsten Leute am Tisch ruhig Anstalten machen, auch etwas herauszutragen, und zwar ohne zu fragen: »Soll ich helfen?«; diese Frage wird nämlich beinahe immer mit Nein beantwortet. Es gibt Hausfrauen, die froh sind über jede Unterstützung, und solche, die sie ablehnen, weil sie in ihrem Küchenchaos allein am besten zurechtkommen; deren kurzen bestimmten Hinweis, daß sie keine Hilfe wünschen, respektiert man natürlich ohne Diskussion. Was und wieviel ein Gast nimmt und was er liegen läßt, bleibt bei weltläufigen Leuten durchaus unkommentiert. Eine alte Freundin aus polnischem Kleinadel erzählte mir, daß ihre Eltern, wenn sie von einem Abendessen auf dem Land nach Hause zurückkehrten, oft den gleichen Dialog aufführten. »Es war ein schöner Abend, das Essen war gut«, sagte der Vater, und die Mutter antwortete: »Es hätte aber etwas mehr genötigt werden können.« Da sind die Zeiten andere geworden. Nötigen darf man jetzt nicht mehr. Nur Mütter werden sich davon mit keinem Argument abbringen lassen.

Begonnen wird mit dem Essen, wenn die Hausfrau begonnen hat. Das Trinken wird in weltläufigen Verhältnissen jetzt ohne jede Regel gehandhabt; man trinkt, wann man will. In bürgerlichen traditionsfreudigen Haushalten hingegen wartet man auf das Erheben des Glases durch den Hausherrn, der dann womöglich auch ein Wort zur Begrüßung sagt. Das früher ausführliche Reglement des Zutrinkens und Anstoßens und Sich-Zunickens und was es da alles gab – sehr nützliche Mittel, um mit entfernt Sitzenden dennoch in freundlicher Verbindung zu bleiben –, ist ziemlich dahingesunken. »Prost« wird meistens nur ironisch gesagt, »Zum Wohlsein« ist geächtet, wenn man elegant sein will. Es ist viel Stoisches in den zeitgenössischen Formen der Eleganz. Manchmal hat man das Gefühl, das gesellschaftliche Ideal des Verhaltens liege in einer Art Alles-über-sich-ergehen-Lassens, ein nicht sehr erfrischendes Ideal.

Wenn etwas nicht so geraten ist, wie die Hausfrau es haben wollte und wie es ihr normalerweise auch immer gelingt, muß sie schweigen, sosehr alles in ihr danach schreit, den unglücklichen Eindruck durch Erklärungen zu relativieren. Entschuldigungen sind eigentlich immer angebracht, hauptsächlich natürlich dann, wenn es gar nichts zu entschuldigen gibt und man sich womöglich sogar im Recht befindet. Der Hinweis »Sie müssen sich nicht entschuldigen« ist deshalb beinahe immer unnötig, denn daß dieser Zwang nicht besteht und selten eine Veranlassung, ist bekannt. Aber beim kalten Kaffee oder den verkochten Kartoffeln darf kein Kommentar hinzutreten: entweder der Fehler wird schweigend behoben, oder er wird eben nicht behoben.

»Der Kaffee, Cognac und Zigarren werden im Salon serviert.« Muß das sein? In einem kleineren Kreis kann man auch am Tisch sitzen bleiben – bei einem größeren gibt der Ortswechsel Leuten, die nicht so glücklich plaziert waren, die Gelegenheit zum Wechseln des Gesprächspartners. Manche Leute lassen ihre Gäste sogar schon während des Essens die Plätze tauschen, etwa indem alle Männer nach dem Hauptgang aufstehen und vier Stühle weiter gehen. Wenn die ausgetüftelte Tischordnung nicht aufgegangen ist, macht der Zufall dann vielleicht alles wieder gut.

Betrunken sein

»Ich halte jeden Menschen für voll berechtigt, auf die – von den Ingenieursgesichtern und Betriebswissenschaftlern herbeigeführte – derzeitige Beschaffung der Welt mit schwerstem Alkoholismus zu reagieren, soweit er sich nur etwas zum Saufen beschaffen kann. Sich und andere auf solche Weise zu zerstören ist eine begreifliche und durchaus entschuldbare Reaktion. Wer nicht säuft, setzt heutzutage schon eine beachtliche und freiwillige Mehr-Leistung.«

Heimito von Doderer, *Repertorium*

Über die Frage, ob man sich bei einer Einladung betrinken darf, gehen die Meinungen weit auseinander. Historisch sei deshalb zunächst einmal festgehalten, daß in alten Zeiten bei Heiden und Christen Einladungen vor allem deswegen stattfanden, damit alle sich betranken. Es hätte die Stimmung aus Überfluß und Heiterkeit empfindlich gestört, wenn da von Beginn des Festes an schon nervöse Restriktionen gegolten hätten. In meiner Heimat Äthiopien gehört der Vollrausch zu einem Gelage, das diesen Namen verdient. Auch in Rußland, Polen, Irland und in den skandinavischen Ländern sind Hochzeit und Begräbnis, Kindstaufe und Jubiläum Anlaß zu alkoholischen Exzessen; wem das nicht zusagt, der versuche abzusagen, denn die frühzeitige Flucht ist meist unmöglich. England ist die Geburtsstätte der *tea-totaller,* und das aus gutem Grund: Wer getrunken hat, was bei einem englischen Bankett hintereinander geboten wird, und nicht schwankt, muß mit dem Teufel im Bunde sein. Bei der Mittsommernacht in Schweden soll man sogar auf Festen des Königs Gäste mit schwerer Zunge erlebt haben. In Deutschland wird gleichfalls viel getrunken, die Betrunkenheit aber schon weniger geschätzt. Woran liegt es, daß am Mittelmeer die Trunkenheit viel unpopulärer ist? Man schwimmt dort im Wein, aber man trinkt nicht viel davon. Ich habe sechs Italiener bei einem Abendessen mit einer einzigen Flasche Wein auskommen sehen. Im alten Spanien gar war der Vorwurf »Señor, Sie sind betrunken!« nur mit Blut abzuwaschen. Montaigne erklärt sich die Liebe der Deutschen zum Rausch und die Mäßigkeit der Franzosen mit ihrer unterschiedlich entwickelten »Geilheit« – das ist eine mir besonders sympathische Erklärung, weil sie nicht mit dem Argument der moralischen Vortrefflichkeit operiert.

Manieren und Betrunkenheit scheinen einander zunächst auszuschließen. Manieren haben immer mit Selbstkontrolle und Selbstbeherrschung zu tun, und um die ist es in der Betrunkenheit meist geschehen, mit der geistigen übrigens schneller als mit der körperlichen: Bevor man unter den Tisch sinkt, hatte man schon Gelegenheit, sich um Kopf und Kragen zu reden. Der erfahrene Weinliebhaber ist deshalb zu einer Reihe von Distinktionen aufgefordert. Zunächst sollte er aus vergangenen Exzessen die Kenntnis dessen erworben haben, wieviel er verträgt. Wenn man sich schon betrinkt, dann soll man es nicht ohne Absicht tun wie ein Schuljunge, der zum ersten Mal an den Schnapsschrank gegangen ist. Zum zweiten sollte er die Gelegenheit einschätzen: ist dies der richtige Ort und vor allem die richtige Gesellschaft, um sich zu betrinken? In einer nüchternen Gesellschaft allein betrunken zu sein ist eine fürchterliche Erfahrung. Nie weiß man genau, wie man sich betragen hat, aber die anderen wissen es und vergessen es nicht so schnell. Besonderes Pech hatte ein Gast der verstorbenen Herzogin von Windsor, bei dem seine Betrunkenheit noch gar nicht aufgefallen war. Die frischgebackene Herzogin hatte sich die Allüre zugelegt, mit ihrer Dienerschaft nur schriftlich zu verkehren. Bei ihren Essen lag neben ihrem Teller stets ein kleiner Block Papier mit einem goldenen Drehbleistift. Mit wachsendem Mißvergnügen bemerkte sie, daß einer der bei Tisch aufwartenden Diener leicht schwankte. Sie winkte den Mann zu sich und übergab ihm einen Zettel mit den Worten: »Sie sind vollkommen betrunken – verschwinden Sie augenblicklich!« Der Diener hatte in seiner erhöhten Stimmung offenbar die Absicht, die nun einmal gegebene Ungnade auf sicheres Fundament zu gründen, nahm den Zettel und schob ihn diskret einem der Gäste zu, der ihn las, errötete, sich Entschuldigungen murmelnd erhob und eilends die Tafel verließ.

Zum vergnügten Trinken gehören Leute, die dasselbe im Sinn haben. Genötigt werden zum Trinken darf ohnehin niemand, solche Folklore überlasse man georgischen Dorfhochzeiten, an denen man ja nicht unentwegt teilnimmt. Die wichtigste Regel aber haben die Engländer zur Entfaltung gebracht, in einem staunenswerten Ausmaß: Was sich während eines hemmungslosen Besäufnisses, in Österreich übrigens »Mulatschag« genannt, zugetragen hat, fällt am nächsten Tag augenblicklicher tiefer Vergessenheit anheim. Niemand wird sich herbeilassen, auf das, was irgendein Teilnehmer an diesem Abend gesagt oder getan hat, noch einmal zurückzukommen. Keine Verabredung, keine Verpflichtung, keine Verbindlichkeit, die während der Zecherei entstanden sein mag, hat am nächsten Tag noch die mindeste Gültigkeit, es sei denn, der Verpflichtete selbst wünscht daran festzuhalten. Vertraulichkeiten mit bis dahin Fremden gelten als kassiert. Das ganze Fest hat es im Grunde am nächsten Tag gar nicht gegeben. Ich denke gern an ein Erlebnis nach einer besonders wüsten *stag party* (dem Abschied des englischen Bräutigams vom Junggesellentum), als man sich am Morgen in Cut und Zylinder, wenngleich mit leicht verquollenen Gesichtern in der Kirche wiedertraf. Ein anderer Ausländer, der am Vorabend gleichfalls gebeten war, versuchte augenzwinkernd bei seinem Banknachbarn an den letzten Abend anzuknüpfen:

»Das war doch recht nett gestern abend...«, und stieß ihn womöglich noch mit dem Ellenbogen kameradschaftlich in die Seite. Dem Engländer quollen vor Verständnislosigkeit die Augen aus dem Kopf: »Was meinen Sie? Wovon sprechen Sie?« blaffte er aus seiner Portweinwolke heraus, die das heiße und kalte Bad am Morgen nicht hatte vertreiben können.

Die Taufe und die Namen

»Es wird zuwenig bedacht, daß nur ein genialer Dichter die Fähigkeit besitzt, seine Geschöpfe mit Namen auszustatten, die ihnen ganz entsprechen. Der Name muß die Gestalt sein. Ein Dichter, der das nicht weiß, weiß gar nichts.«
Victor Hugo, *Beaumarchais*

Zu den essentiellen Rechten, die den Eltern in keinem politischen System und in keiner Kultur verweigert werden, gehört das Recht, ihrem Kind einen Namen zu geben. Mit dem Namen wird das Kind gleichsam ein zweites Mal geboren, jetzt erst ist es die unverwechselbare Person, das menschliche Wesen, das in seiner Einzigartigkeit jedem deutlich vor Augen tritt. Aber die meisten Namen sind doch nichts Einzigartiges, sondern im Lauf der Geschichte von unzähligen Menschen getragen worden, wird man einwenden. Es ist ja auch nicht der Name, der die Einzigartigkeit verleiht, er ist es vielmehr, der sie sichtbar macht: Wie durch eine Linse schaut man durch den Namen hindurch auf die Person. Um zu erkennen, muß man kategorisieren und daraufhin feststellen, was von der Kategorie nicht erfaßt wird; meist ist es dieser Rest, auf den es ankommt. Den aber bekommt man ohne die Hilfe der Kategorie nicht zu fassen.

Ein Name ist aber noch weit mehr als eine Kategorie, er ist ein großes Gefäß, in das eine Fülle von historischer und psychologischer Assoziation hineingeflossen ist. Was ist an menschlicher Substanz nicht schon allein in dem schlichten Namen »Hans« enthalten! Johannes der Täufer, der Diener Johann, Hänschen klein, jemanden hänseln, Don Juan, der

Priesterkönig Johannes, Hänsel und Gretel, Johannistrieb, Hans im Glück – keiner wird, wenn sich jemand als »Hans« vorstellt, sofort an all diese Hänse denken, aber im Unterbewußtsein sind sie eben doch da und formen ein Bild von einer Person, das an Eindringlichkeit schwer zu überbieten ist. Selten wird man jemanden finden, zu dem sein Name nicht paßt, und wenn man meint, einen gefunden zu haben, dann hat er oder sie an ihrem Namen eine kleinere oder größere Manipulation vorgenommen, die sich wie eine schönere Nase vom Schönheitschirurgen in das Gesamtbild nicht so recht fügen will. Vom Namen Gottes, den man nicht ohne Not im Munde führen soll, bis zum »Rumpelstilzchen« sind die Mythen und Sagen voll von Berichten über die Macht der Namen. Und auch wenn die Eltern keine namensphilosophischen Überlegungen anstellen, wenn sie ihr Kind taufen, so bringen sie in dem Namen, den sie wählen, so viel von eigener Hoffnung, eigenem Bild von sich selbst, eigenen Wünschen hinein, daß das Märchenbild von den Feen, die an die Wiege des Kindes gerufen werden, wahrlich nicht schlecht gewählt ist. Wenn das Kind seinen Namen hat, ist es in seiner ganzen Unschuld schon so tief in die Welt und die Geschichte seiner Eltern eingetaucht, daß von Unschuld eigentlich schon gar nicht mehr gesprochen werden kann. Bei solcher Verantwortung, die mit der Wahl des Namens für ein Neugeborenes verbunden ist, heißt es behutsam zu Werke zu gehen. In vielen Ländern und in vielen Familien gibt es deshalb gewisse Vorsichtsmaßnahmen, die ein allzu freies Auswahlrecht der Eltern einschränken.

Es gibt etwa den Brauch, gewisse Namen, die in der Familie häufig vorkommen, als gleichsam erblich zu betrachten und darauf zu achten, daß in jeder Generation diese Namen wieder auftauchen. Viele Länder haben den Brauch, den Namen des Vaters stets als zweiten Namen auftauchen zu lassen, manchmal mit einem Suffix oder Präfix, das Sohn oder Tochter bedeutet. Das russische Patronym ist wohlbekannt, Ivan Ivanovich heißt Ivan, der Sohn des Ivan. Genauso halten es die orthodoxen Juden, die Araber, wir Äthiopier (ich heiße also Asfa-Wossen, Sohn des Asserate), die gälischen Iren, die traditionsbewußten Schweden, die dann etwa Erik Erikson und Rosa Eriksdotter Svensson heißen; und die Völker, die diesen Brauch nicht besitzen, besaßen ihn jedenfalls einmal – viele Nachnamen sind daraus entstanden: in Italien zum Beispiel bei allen Leuten, die mit Nachnamen di Stefano, di Giorgio, di Martino heißen, und in Deutschland ist im Norden die Endsilbe »sen« (Sohn) in vielen Nachnamen enthalten. Die Isländer pflegen eine noch altertümlichere Sitte. Dort ist Sigurd Erikson der Sohn von Erik Halvarson, dessen Vater wiederum Halvar Kárason heißen kann. Es gibt den Brauch – in Griechenland beinahe ein Gesetz –, daß der erste Sohn nach dem Großvater väterlicher-, der zweite aber nach dem Großvater mütterlicherseits heißt, und so in genauer Rangfolge durch die ganze Familie hindurch. Es gibt den Brauch, dem Kind den Namen des Taufpaten zu geben oder, wenn die Familie katholisch oder orthodox ist, den Heiligen des Tages zum Namensgeber zu machen. Örtliche Kirchenpatrone tauchen oft als Namensgeber auf: wer Magnus heißt, hat seine Wurzeln im Allgäu, Hemma kommt aus Klagenfurt, Bernward aus Münster, Severin aus Köln. Die letzte und jüngste der alten Traditionen waren die Monarchennamen: Preußen nannten ihre Kinder Friedrich und Wilhelm, Viktoria und Luise, Sachsen August und Österreicher Franz Joseph. In Rußland wurde die Zarin Katharina vielfach zur Taufpatin, in England die königliche Familie mit den Namen George, William und Edward.

Ich führe all diese wohlbekannten Fakten an, um noch einmal in Erinnerung zu rufen, wie sehr die Tradition versucht hat, den geheimnisvollen, geradezu magischen Akt der Namensgebung der Willkür und dem persönlichen Geschmack zu entziehen. Es ging bei der Namensgebung der Vergangenheit immer um eine Einbeziehung in das Kollektiv, ich möchte geradezu sagen, wenn das gewagte Paradox erlaubt ist, um »anonyme« Namen, Namen, die möglichst wenig Individuelles enthielten. Bei den Herrschernamen fällt der Wunsch, sich als Person immer in die lange Reihe und den Schatten des Vorgängers zu stellen, besonders auf: achtzehn Ludwige beherrschten Frankreich, desgleichen zehn Karle, sechzehn Gustave Schweden, zahlreiche Christiane und Friedriche Dänemark. Spanische Könige heißen Philipp oder Ferdinand, Savoyer-Herzöge Karl Amadeus, mittelalterliche Kaiser Heinrich. Zwölf Piusse und dreiundzwanzig Johannes regierten die römische Kirche. Allein wollte und sollte der Monarch herrschen, aber ein Ego durfte er nicht haben.

Wann beginnt der Individualismus in der Namensgebung? Wann beginnt die Epoche, in der sich Eltern hinsetzten und ihrem Kind einen möglichst schönen ausgefallenen Namen aussuchten, der mit den Traditionen von Familie, Religion und Landschaft nichts mehr zu tun hatte? Ich vermute, mit der Französischen Revolution. Damals verpaßten die Revolutionäre sich und ihren Kindern Namen, die irgendwie an die Antike, die mit Demokratie verbunden wurde, erinnerten. César, Hector, Aristide, Hercule, bei den Frauen Fabienne, Corinne, Lucrèce und andere erlesene Namen wurden den Kindern bei der »republikanischen Taufe«, einem eigens ersonnenen, bis heute bestehenden Akte, wie Spruchbänder an das Steckkissen geheftet. In Deutschland entdeckte man mit dem Untergang des Heiligen Römischen Reiches die Zeiten, in denen Deutschland noch glorreich dagestanden hatte, und grub längst vergessene Namen wie Werner, Walter, Eduard, Emma, Minna und Ilse aus den Ritterchroniken aus. Es ist aufschlußreich, daß ein in vielem so konservativer Mann wie Goethe eine Vorliebe für solche Namen hatte und sie sowohl in seinen Romanen wie auch bei seinen Enkeln verwandte. Es kam nun nicht selten vor, daß ein regelrechter Bruch in der bis dahin lange gleichförmigen Kette eintrat: Johann Jakobs Sohn hieß plötzlich Hermann, und Charlotte Luises Tochter hieß Gerlinde oder Ortrud. Und seitdem folgte eine Welle neu ausgegrabener Namen, die irgendeine romantische Konnotation hatten, aus einem Roman stammten, von Künstlern oder Politikern propagiert wurden, eine Sehnsucht nach dem

Außergewöhnlichen und Seltenen verrieten und vor allem zeigten, in welchem kulturellen Milieu die Eltern sich bewegten. Der eben noch exquisite Name wurde in der nächsten Generation schon häufig und in der übernächsten beinahe gewöhnlich oder gar bereits vulgär. Die Politik begann sich, wie es in Frankreich angefangen hatte, der Namensgebung zu bemächtigen. »Oktobrina« sollten in Lenins Reich die Mädchen umbenannt werden, die »Marija« hießen. In Mussolinis Italien gab es plötzlich viele Mädchen, die Italia hießen, im Deutschland Hitlers hatten Horst, Volker und Kirsten Konjunktur, und nach dem Zweiten Weltkrieg nannten Gudrun und Ingmar, die auf der Napola erzogen worden waren, ihre Kinder David und Sarah. In Südamerika, wo es offenbar nicht die leisesten Restriktionen gibt, heißen die Kinder Lenin, Washington, Ho Chi Minh und Hitler.

Nun ist bei den inzwischen wohlhabend gewordenen Aufsteigern, die, weil sie sich in jeder Generation »neu erschaffen« müssen, besonders willig sind, neue Strömungen der Namensmoden aufzuspüren, das Deutschland vor der ersten nationalistischen Welle und dem ersten Schub der altdeutschen Namen modisch interessant geworden. Anna, Sophie und Clara, Lavinia, Laura und Charlotte, Hubertus, Alexander, Philipp, Johannes und Jakob heißen die Kinder von Uwe und Ingrid und sind damit sozial scharf von Kevin, Maik, Oliver, Tamara, Tanja, Sascha und Kim geschieden. In Ermangelung eines Monarchen, der Adelstitel verteilen könnte, schreitet man zur Selbstaristokratisierung durch den Vornamen der Kinder. Wie diese »klassischen« Namen, die aber in unklassischer Gesinnung gegeben wurden, in dreißig Jahren aussehen, kann allerdings niemand voraussehen.

Ein anderes Mittel, den Namen etwas interessanter und weltläufiger zu machen, ist schon ein wenig altmodisch geworden, kommt aber immer noch häufig vor, die »middle initial«. Sie stammt aus Nordamerika, war also ein Brauch der Sieger und verbürgte als solcher den Anschluß an eine bessere Zukunft. Wer Emil Friedrich Müller hieß, nannte sich fortan

Emil F. Müller. Dem ganzen Treiben, das so viele Lieferanten von Briefpapier und Visitenkarten in Lohn und Brot gesetzt hat, liegt ein großes Mißverständnis zugrunde. In Nordamerika bezeichnet die »middle initial« den Mädchennamen der Mutter: Die Mutter von John F. Kennedy war eine geborene Fitzgerald und die Mutter von T. S. Eliot eine geborene Stearns. Auf keinen Fall ist sie die vornehme Andeutung eines verborgen bleiben sollenden Vornamenschatzes. Im übrigen sei jeder, der mit Doppelnamen operieren möchte, weil ihm ein einzelner Name zu ausdrucksarm erscheint, an das Schicksal der Doppelnamen der Zwischenkriegszeit bis in die fünfziger Jahre hinein erinnert: an Klaus Dieter, Karl Heinz, Hans Detlev, Heidelinde, Rosemarie, Annetrud und Lili Marlen. Gewiß, Sixt Hubertus sieht zunächst etwas schneidiger aus, aber wie lange wird es dauern, bis auch aus ihm ein Karl Heinz geworden ist? In eigener Sache möchte ich in diesem Zusammenhang anfügen, daß mein Name Asfa-Wossen keineswegs ein Doppelname ist, sondern ein kleiner Satz, der im Deutschen sogar aus drei Wörtern besteht: »Erweitere deine Grenzen.« Wenn mein Vater noch lebte, der mir diesen Namen in Erinnerung an seinen jung verstorbenen Bruder gegeben hat, könnte er sehen, in welchem, von ihm natürlich nicht vorhergesehenen Ausmaß dieser Name die Realität meines Lebens bestimmt hat, das in höchst unfreiwilligen »Grenzerweiterungen« bestand.

Es ist ein verblüffender Widerspruch, läßt sich hierzu abschließend sagen, daß Eltern in einer Zeit, in der so viel von der Autonomie des Kindes und seiner Entwicklung in Freiheit die Rede ist, ihrer Nachkommenschaft gleichwohl das schwere Gepäck eines nach den eigenen individuellen Vorlieben, die meist nichts anderes als der Ausdruck kurzlebiger Moden sind, ausgesuchten Namens aufladen wollen, anstatt Namen zu wählen, in denen die ganze Breite des Mann-und-Frau-Seins enthalten ist, wahrhaft demokratische Namen wie Adam und Eva zum Beispiel.

Die Hochzeit

In einem Land, das sich von allem, was man so »Brauchtum« zu nennen pflegt, gründlich verabschiedet hat, ist das Heiraten eine Insel altertümlicher Sitten geblieben, die aus dem Meer der Gleichförmigkeit herausragt. Vieles, was aus ganz anderen Zusammenhängen stammte, mit denen man nichts mehr zu tun haben will, wird dennoch liebevoll gepflegt, natürlich überhaupt nicht vergleichbar mit orientalischen Hochzeiten und denen solcher Länder, die einmal unter orientalischem Einfluß gestanden haben: Griechenlands und des Balkan. Wer sich griechisch oder türkisch zu vermählen gedenkt, muß über die diesbezüglichen Hochzeitsbräuche nichts lesen – er oder sie werden schon merken, worauf sie sich eingelassen haben. Hochzeit ist in diesen Ländern eine Sache der Großfamilie, bei der sich tagelang die Spieße mit den frischgeschlachteten Lämmern drehen und der beteiligte Personenkreis so groß ist, daß von Blutsverwandtschaft eigentlich nicht mehr gesprochen werden kann. In einem orientalischen Land ist eine Hochzeit, was sie bis ins zwanzigste Jahrhundert hinein in Europa auch war: ein ökonomischer Pakt zwischen zwei Familien, der unter anderem vor allem die Erzeugung von Erben zum Ziel hat, die das Weiterbestehen der Familie und ihres Vermögens garantieren.

Diese nüchterne Grundeinstellung wurde nun umkleidet mit einer Fülle von Riten, die sich auch bei Anhängern der monotheistischen Religionen auf den Glauben bezogen, der in den Völkern immer am allertiefsten verwurzelt zu sein pflegt: dem Aberglauben und dem Glauben an die zahlreiche Gegenwart guter und böser Geister. Beschönigungen und Prüderien waren der alten Welt in Ost und West gleichermaßen fremd; der Westen kannte zwar nicht den Gipfel der orientalischen Feierlichkeiten, das immer noch vielerorts gepflegte triumphale Zeigen des blutigen Bettuchs, aber man stand im übrigen dem Osten an Deutlichkeit in nichts nach. »Kopulation« heißt die Hochzeit noch ganz selbstverständlich im Deutschland des achtzehnten Jahrhunderts, so in den Briefen des frommen Mozart an den noch frömmeren Vater. Das Rauben der Braut, das Tragen der Braut über die Schwelle des Schlafzimmers, Fruchtbarkeitsriten wie das Reiswerfen, der Kult des weißen Kleides, das der Bräutigam vor der Trauung nicht sehen darf, das Verbot von Perlen als Schmuck der Braut (Perlen bedeuten Tränen), die verschleierte Braut, die erst am Altar vom Bräutigam entschleiert wird (bei den Juden und im Orient allgemein noch üblich, aber gelegentlich auch im Westen geübt): all solche kultischen Elemente werden selbst dort begrüßt, wo man der Religion skeptisch gegenübersteht und auf eine kirchliche Trauung verzichtet (an die Stelle des Altares tritt dann der Schreibtisch des Standesbeamten). Ist es nicht sonderbar, daß Ehen, die unter so vollständig anderen Bedingungen zustande kommen als die der alten Welt, dennoch nicht auf das rituelle Rankenwerk verzichten wollen, das den Familienpakten der alten Zeit entstammt? Wer sich von unseren Zeitgenossen übrigens über die alte Maxime, die Ehe nach wirtschaftlichen Prinzipien anzubahnen, hoch erhaben dünkt und auf die Liebesheirat schwört, der sei nur an die grausame Rückkehr der Ökonomie erinnert, wenn die Liebe tut, was sie tun muß: wenn sie endet. Dann kommt die Scheidung, und die wird unter Umständen erheblich teurer, als es die alten Ehen mit ihren Mitgiften und Morgengaben und Wittum und Aussteuer gewesen sind. Mit einer Beschreibung, wie es vor sich geht, wenn ein Mann beim Vater seiner Freundin um deren Hand anhält – mittags um zwölf, mit Zylinder und Handschuhen –, brauchen wir uns nicht mehr aufzuhalten. Irgendwie erfahren die Eltern heutzutage, wann ihre

Kinder heiraten, und wenn sie sehr brav sind, dürfen sie sogar zur Hochzeit kommen. Ich habe allerdings auch den Fall erlebt, daß ein Vater mit der Verlobung seiner Tochter nicht einverstanden war und dem Bräutigam in einem recht witzigen Brief darlegte, daß seine Tochter zwar selbst entscheiden könne, wen sie heiraten wolle, daß es aber in der Bibel heiße: »Des Vaters Segen erbauet den Kindern Häuser.« Weshalb ist diese Verlobung dann schließlich doch geplatzt?

Über die Hochzeitsanzeigen haben wir schon gesprochen. Nun ist der große Tag da. Weiß ist die Farbe der Jungfräulichkeit, und der Schleier ist das Symbol des Hymen, habe ich mir sagen lassen, aber das hat der Beliebtheit des Weiß keinen Abbruch getan. Eine Braut, die zwei Ehen hinter sich hat oder seit zehn Jahren mit ihrem Freund zusammenlebt, trägt ihren weißen Hochzeitstraum glücklich zur Schau. Das wäre vor nicht langer Zeit noch ausgeschlossen gewesen. Wenn ein Paar, das schon länger zusammen war, seine Beziehung »ordnen« wollte, wurde es morgens um fünf in die Sakristei beschieden und dort getraut, mit dem Küster und einer alten Frau, die zur Frühmesse gekommen war, als Trauzeugen. Die Braut trug dazu ein dunkles Kostüm. Leute, denen Zeichen etwas bedeuten, nehmen auch heute noch von dem weißen Hochzeitsglück Abstand und überlassen es den jungen Mädchen, denen die Jungfräulichkeit zumindest als nicht völlig auszuschließende Möglichkeit auf die blanke Stirn geschrieben ist. In Deutschland ist, nach harten innenpolitischen Kämpfen der Bismarckzeit, die Ziviltrauung vor einer eventuellen kirchlichen Trauung vorgeschrieben. Folgt die kirchliche Trauung, trägt die Braut auf dem Standesamt ohnehin kein Brautkleid, aber auch wenn sie nicht folgt, läßt sie das besser bleiben. Das Standesamt ist, wenn es auch noch so nett untergebracht ist, ein Büro; die Unterzeichnung des Ehevertrages ist ein notarieller Akt, und dabei sind bemerkenswertere Ornate eigentlich nicht angebracht. Lebenserfahrene Brautleute treffen bei der standesamtlichen Trauung eine wichtige Vorsichtsmaßnahme: Sie bitten den Standesbeamten vorher ausdrücklich, sein Wirken ausschließlich auf den Rechtsakt zu beschränken und keinerlei Ansprache zu halten – die dabei beinahe zwangsläufig entstehenden Peinlichkeiten sind ein schlechtes Omen.

Für das Standesamt gibt es keinerlei Formalitäten zu beachten; das Paar geht mit seinen Zeugen hinein und ist nach kurzem wieder draußen. Im Grunde ist die sang- und klanglose Abwicklung der heiklen Angelegenheit aber auch, wenn in der Kirche geheiratet wird, eigentlich das allerweiseste. Goethe, der selbst ein Musterbeispiel für eine diskrete Vermählung geradezu bei Nacht und Nebel geliefert hat, warnt im *Wilhelm Meister* vor rauschenden Hochzeitsfeiern und nennt sie eine Belastung für das ihnen folgende Abenteuer – nach Jahren dann, wenn es geklappt habe, könne man dankbar ein Fest feiern. Wer zur Traumhochzeit oder zur Mariage à la mode entschlossen ist, wird sie sich freilich nicht durch derart skeptische Argumente ausreden lassen, ungeachtet der zahlreichen Schwierigkeiten solcher Vorhaben, die den Eheanfang gelegentlich schweren Strapazen aussetzen. In den Zeiten der Liebesheirat entstammen Braut und Bräutigam häufig sehr unterschiedlichen Milieus, die bei einem solchen Fest integriert werden sollen. Oft genug gelingt das bereits nicht. Dann kommen noch verschiedene Konfessionen hinzu. Dazu haben in Deutschland die sich längst nicht mehr feindlich gesinnten, sondern liebevoll einander umarmenden Kirchen die rituelle Kreuzung »ökumenische Trauung« ausgedacht, ein Hybrid-Ritus, der keinen der rigorosen Anhänger der jeweiligen Konfessionen zufriedenstellt und den anderen die Geduld, gleich zwei Predigten anzuhören, abverlangt, wobei sie sich nur besorgt fragen, warum zwei Leute, die das gleiche sagen, so unterschiedlich kostümiert sein müssen.

Eine ganz große Hürde bei einer deutschen Hochzeit sind dann die unausrottbar beliebten »Aufführungen«, bei denen Freunde und Verwandte Gedichte und Szenen aus dem Vorleben des Brautpaares darbieten. Zwei Spielarten sind bei diesem Konzept letztlich nur möglich: entweder Indiskretion oder Harmlosigkeit; was von beiden das Quälendere ist, bleibt im Einzelfall zu entscheiden. Interessanterweise sind die Hochzeitsaufführungen, eine zweifellos uralte Sitte, in Österreich als ausgesprochen »reichsdeutsche« Indelikatesse verpönt und Gegenstand des Spottes. Als letzte Prüfung bleibt dem erschöpften Paar noch das Versenden von Hunderten von Hochzeitsphotos und Dankkarten – »für den tollen Toaströster, über den wir uns wahnsinnig gefreut haben«. Jede der geschilderten Hürden bietet Anlaß für ernste eheliche Verstimmungen. Beide Brautleute hatten nun auch Gelegenheit, festzustellen, welche von den Freundinnen und Freunden des anderen sie nie wieder zu sehen gedenken – Hochzeitsfeste sind oft genug für eine Reihe von Gästen auch Abschiedsfeste. Aber es soll eben dennoch groß geheiratet werden. Hier also das Protokoll einer Gesellschaftshochzeit, das im einzelnen nach den Gegebenheiten natürlich abgewandelt werden kann.

Die Hochzeitsgesellschaft findet sich in der Kirche ein – wenn Entsprechendes angegeben ist, die Männer im Cut mit grauem Zylinder (oder im dunklen Anzug), die Frauen in kurzen Kleidern mit Hut – und wird dort von einem Verwandten, der den »Schattchen« macht (wie im Jiddischen der Heiratsvermittler und Zeremonienmeister der Hochzeit heißt), plaziert; die Verwandtschaft in die ersten Reihen, danach die anderen, »zwanglos nach Alter, Rang und Namen«, wie ein österreichischer Freund zu sagen pflegte. Der Bräutigam zieht nun mit seiner Mutter ein und stellt sich an seiner Kniebank am Altar auf. Draußen ist bereits die Braut mit ihrem Vater vorgefahren; durchaus in einem schönen schwarzen Auto, das aber nicht völlig außerhalb ihrer Lebenssphäre liegen sollte – zu diesem Zweck eigens angemietete Kutschen und Rolls-Royce sind gefährlich. Auch der Anblick eines mit Blumengestecken besetzten Autokühlers ist unharmonisch; das einzige, womit eine Maschine wie ein Auto zu schmücken ist, ist das Blankwienern. Am Kirchentor erwartet der Pfarrer oder Priester mit Ministranten die Braut, und hier steht auch ihr Hofstaat, denn im Westen werden den Brautleuten zwar nicht wie in Rußland, Griechenland und auch bei uns in Äthiopien Kronen über den Kopf gehalten, aber ein bißchen Königin soll die Braut dennoch sein. Aus Verwandtschaft und Freundschaft hat man also die Kinder, nicht älter als zehn, in Kate-Greenawaysche biedermeierliche Pagen- und Blumenmädchenkostüme gesteckt und mit Körben voller Blüten ausgerüstet, die nun vor der Braut ausgestreut werden und ihr »La vie en rose« verheißen. Schwestern, Freundinnen und Cousinen mögen nun noch brautjüngferlich agieren, als einzige Frauen wie die Braut in langen Kleidern und ohne Hut, und sie sind, wenn die Schleppe besonders lang ist, auch erforderlich; es tut aber auch ein kleiner Bub, der die Schleppe trägt.

So zieht die Braut nun ein, gefolgt vom Priester; andernorts geht er ihr voran. Am Altar »übergibt« der Vater seine Tochter dem Bräutigam, der sie mit Handkuß begrüßt. Der Braut ist die Brautmutter am Arm des Bräutigamvaters gefolgt und weitere nahe Verwandte, jedes Paar »gemischt« aus beiden Familien. Da bei einer modernen Hochzeitsfeier auf keinen Fall damit gerechnet werden kann, daß die Gemeinde mit kirchlichen Zeremonien vertraut ist, Lieder oder Responsorien beherrscht und überhaupt weiß, wie man sich zu verhalten hat, empfiehlt es sich, ausgefeilte Programme auszulegen, die die Gäste durch den Ritus führen. Wer schütteren Gesang vermeiden will, muß einen Chor engagieren – sparsame Brautväter lassen auch einen einsamen Sopran mit Querflöte von der Empore herunter Alleluja jubilieren. Bei Berufsmusikern heißen solche Aufträge »die Muggen«. »Die Muggen« werden erfahrungsgemäß mit der höchsten Lustlosigkeit ausgeführt, sie bringen ein bißchen Geld, aber keinen Ruhm, und deshalb denken die Musiker nur an eins: schnell wieder weg hier, und das ist leider dann auch zu hören. Ein Organist, dem die Kirchenmusik ein wirkliches Anliegen ist, macht oft einen besseren Eindruck als eine hastig zusammenengagierte »Agnus dei«-Truppe, die den Ritus nicht kennt, zu früh oder zu spät einsetzt und überhaupt einen Fremdkörper in dem Ganzen bildet.

Die Zeremonie der Trauung selbst haben die Geistlichen in der Hand, sie ist kein Gegenstand der Manieren. Beim Auszug aus dem Gotteshaus geht das Brautpaar voran, gefolgt von dem Brautvater, der jetzt die Bräutigammutter, und dem Bräutigamvater, der jetzt die Brautmutter führt. Die Gemeinde steht, während das Cortège vorübergeht. Vor der Kirche nimmt das Brautpaar dann die Glückwünsche in Form einer »Sprech-Cour« entgegen, wie es in der Sprache der Höfe geheißen hätte, das heißt, es stellt sich irgendwo auf, und alle Anwesenden stellen sich in langer Reihe hintereinander an, um zu gratulieren. Auf dem Land spielt bei solchen Gelegenheiten oft die örtliche Blasmusik, passionierte Jäger werden von Waldhorn-Ensembles erwartet, Offiziere durften ihre Frauen durch eine Gasse aus gezogenen Säbeln ihrer Kameraden führen (in England und Frankreich häufig heute noch), in Deutschland pflegen solche Sitten auch die Corps-Studenten.

Zum anschließenden Empfang, zu dem die Brauteltern bitten, sind meist alle eingeladen, die eine Anzeige bekommen haben. Entweder schließt sich daran ein Mittagessen an, das »Brautfrühstück«, dem das Brautpaar präsidiert, umrahmt von seinen Eltern, oder eine abendliche Brautsoiree mit Tanz. Solche Feste werden in wachsendem Maß in Hotels oder in der gemieteten Pracht eines zum Hotel konvertierten Schlosses absolviert. Ich kann nur versichern, daß es nichts gibt, was bei solchen Anlässen das private Haus, die eigentliche Umgebung der Familie, ersetzen kann, obwohl schon von alters her in den verschiedensten Kulturen des Erdballs bis hin zur Südsee »Hochzeitshäuser« der jeweiligen Gemeinschaft bekannt sind, die dem Fest den Rahmen geben, den ein Privathaus nicht hätte bieten können. Aber man bedenke, daß solche Zunfthäuser, Stadthallen et cetera nicht den individuellen Charakter eines modernen Hotels hatten – durch Hochzeit im Zunfthaus kam ja gerade der kollektive Charakter des Festes, seine Einbindung in die Gemeinde zum Ausdruck; es wurde damit nicht ein Lebensstil prätendiert, der nicht der eigene war, auch wenn solche Zunft- und Stadthäuser oft sehr prächtig waren.

Bei norddeutschen Landwirten hatte ich das Vergnügen, zum hochzeitlichen »Danz op de Deel« eingeladen zu sein. Die Diele war eine mit Bretterboden ausgelegte Scheune, es gab für zweihundert Leute das dort rituell vorgeschriebene Hühnerfrikassee mit Reis, und beim Schnapstrinken und Tanzen wurden gleichfalls die strengsten Regeln eingehalten, was jedoch keinerlei Restriktion, sondern eher eine Aufheizung der Stimmung zum Ziel und auch zur Folge hatte. Bei solch einem »Danz op de deel« erscheint man natürlich nicht im Smoking, wie bei einem städtischen Polterabend, oder im Frack, wie bei der Brautsoiree, sondern im dunklen Anzug, in dem, was man einen »Sonntagsanzug« nannte und was leider seither fast vollständig verschwunden ist. Als ich nach Deutschland kam, konnte man ihn noch sehen, eines der schönsten männlichen Kleidungsstücke, das den deutschen Bauern mit dem französischen und dem sizilianischen verband: ein Zweireiher aus unzerstörbarem schwarzem Tuch, weit geschnitten, mit besonders weiten Hosenbeinen, die Jacke relativ kurz, die Hose mit Hosenträgern hoch über den runden Bauch gezogen, bei mageren Männern etwas schlotternd, dazu die ziemlich hochgeschlossene schwarze Weste mit der rotgoldenen Uhrkette (manchmal war die Uhr daran aus Stahl) und der bretthart gestärkte Hemdkragen mit der schwarzen Seidenkrawatte. Die Frau trug dazu passend ein schwarzes, etwas formloses Kleid mit winzigen weißen Punkten und hatte ihren Haarknoten mit einem feinen Netz umgeben, dazu eine schwarze Handtasche von Aktentaschenformat und womöglich schwarze Netzhandschuhe. So erfreulich sah ein solches Paar aus, daß ich voll Dankbarkeit bin, davon auf dem Land noch einige gesehen zu haben.

Der Polterabend ist meist ein großes Tanzfest, etwas lockerer als die Festlichkeiten des Hochzeitstages selbst. Das rituelle Zerschlagen von Porzellan wird man bei einer »Mariage à la mode« nicht erleben. In England ist die *stag party* ein rein männliches Vergnügen; etwa dabei erscheinende Damen sind jedenfalls nicht Gäste im eigentlichen Sinne – hier soll möglichst hemmungslos Abschied vom Stand des Junggesellen genommen werden. Anzug: Smoking.

Erfahrene Hochzeits-Schattchen bedenken auch das Problem der Photographien. Es ist klar, Hochzeiten müssen photographiert werden. Bei hoch und niedrig stehen die Hochzeitsphotos auf Kommoden und Tischchen. Doch nicht immer nimmt der Verlauf der Zeremonie genügend Rücksicht auf den Photographen, der sich schon nah genug an das sakrale Ereignis herandrängt und immer noch nicht den richtigen Winkel erzielt hat. In Italien begleiten das Jawort Blitzlichtgewitter, so daß wirklich die Stimmung von etwas Übernatürlichem aufkommt – die Spannung zwischen dem Paar ist so stark, daß es sichtbar knistert. Die Krönung habe ich bei einer amerikanischen Hochzeit erlebt, bei der der Photograph so unzufrieden war, daß er das Brautpaar und den Methodistenprediger nach dem Auszug noch einmal in die Kirche hineinscheuchte und sie die Zeremonie andeutungsweise wiederholen ließ. Und hatte er nicht recht?, mag mancher einwenden. Die kleine Peinlichkeit war schnell vergessen, aber die Hochzeitsphotos währen ewig, und auf sie kommt es schließlich an. Bei Photographen hilft also nur die schärfste Vergatterung. Vor der Hochzeit muß mit ihnen ein Standort festgelegt werden, von dem sie sich nicht rühren, und im Zeitalter hochempfindlicher Filme kann sich ein guter Photograph auch das Blitzlicht sparen.

Bei großen Hochzeiten mit zeremoniellem Aufwand wird übrigens klugerweise geübt. Die Braut ist normalerweise nicht mehr gewöhnt, sich mit Schleppe zu bewegen, den Brautjungfern muß gezeigt werden, wie sie den Schleier hinlegen sollen, die Blumenkinder müssen wissen, wo sie stehen, und besonders wichtig ist die Fortbewegung: das Schreiten – hier ist das schöne, aus Mangel an Gelegenheit beinahe überflüssig gewordene Wort einmal am Platz. Der Hochzeitszug bewegt sich langsam. Wenn man es als Mitgehender als zu langsam empfindet, ist es gerade richtig. Das scheint man schon immer so gesehen zu haben. Dante schildert in seiner *Göttlichen Komödie* eine Prozession von solcher Langsamkeit, »daß selbst eine Braut sie hätte überholen können«. Bei einer Trauung in Frankreich, bei der die »Madeleine« geradezu in Blumen ertrank, flüsterte eine einfache Frau aus dem Publikum der Braut in ihrer enormen Robe bei einer Stockung des Zuges zu: »Also, ich habe nicht solchen Aufwand gemacht, als ich das erste Mal ...« – »Ich auch nicht«, antwortete die Braut.

Wenn alles langsam geschieht, sind auch Fehler und trotz aller Vorbereitungen eintretende Unordnung kein Unglück mehr. Nur Hast und Nervosität stören das Bild, das wichtiger ist als die Photos, nämlich das innere Bild der Erinnerung. Wer sich als soziologischer *bird watcher* betätigen möchte, sei auf zwei Details hingewiesen, die so selten geworden sind wie Auerhähne, aber eben noch nicht vollkommen ausgestorben. Die inzwischen wohl einzige Gelegenheit, eine Frau mit einem Diadem zu sehen, ist die Hochzeit eines Mitglieds des Hochadels. Dann trägt die Braut oftmals das Diadem, dies juwelenbesetzte Mittelding aus Stirnreif und Krone. Nachdem das Diadem ursprünglich ein Attribut der Frauen aus Herrscherhäusern war, erlebte es im demokratischen Amerika geradezu eine Hochkonjunktur bis in die dreißiger Jahre des letzten Jahrhunderts hinein. Die reiche Amerikanerin ging in Hermelin-Stola und mit Diadem zum Ball; nicht umsonst wurde für einen bestimmten Typ der amerikanischen Erbin der Ausdruck »Jap« – »jewish american princess« geprägt. Inzwischen ist das Diadem aber wieder ganz zu den regierenden Häusern zurückgekehrt, und in Deutschland zu den heiratenden Prinzessinnen. Eine katholische Adelshochzeit kann außerdem – in seltenen Fällen, denn der deutsche Adel provoziert nicht gern – eine unter feministischem Gesichtspunkt geradezu empörende Zeremonie enthalten. Auf die Frage des Priesters, ob sie diesen Mann heiraten wolle, antwortet die Braut nicht, sondern dreht sich um, sucht die Augen ihres Vaters, der nickt zustimmend, die Braut dreht sich wieder um und antwortet nun: »Ja.« Wo diese Szene noch gespielt wird, ist sie selbstverständlich Komödie, aber eine hintergründige.

In Österreich und Bayern, und auch in Norwegen, gibt es weithin verbreitet auch das Institut der Trachtenhochzeit. In einer vorwiegend bäuerlichen Welt, in der die Tradition der Tracht als Festgewand noch lebendig ist, ist das eine natürliche und harmonische Sache. Wenn hingegen städtische Bourgeoisie oder Gesellschaftsmenschen aller Art sich für die Hochzeit in Dirndl und Lederhosen stecken lassen, dann muß ich an Torbergs schöne Anekdote von den beiden Herren im Café Zentral denken, die einen perfekt mit Breeches, Stiefeln und Reitgerte ausgestatteten Reitersmann das Lokal betreten sahen. »Ich habe zwar auch kein Pferd«, sagte da der eine zum anderen, »aber so kein Pferd wie der...!« – »So kein Landgut wie der und die...!« möchte man beim Anblick mancher perfekt in Grasleinwand und Mieder und Schürze gehüllter Hochzeitsbesucher sagen. Jedes Dorf, jedes Tal, jede Region hat ein eigenes Dirndl – die Fest- und Prunkdirndl, die bei solchen Anlässen zu sehen sind, sind aber meist Phantasieprodukte. Wer kein Bauer war, hat vor dem Ersten Weltkrieg ohnehin keine Trachten getragen, es sei denn als Verkleidung etwa bei den berühmten »Bauernhochzeiten« in den Redoutensälen der kaiserlichen Hofburg in Wien. Das heutige Bauernspielen unterscheidet sich vom rokokohaften Bauernspielen nur dadurch, daß es damals noch einen realen Bauernstand gab, der heute beinahe zu bestehen aufgehört hat. In Italien und Frankreich gibt es in bestimmten Milieus übrigens eine nachahmende Bewunderung für das deutsch-österreichische Trachtenwesen, weil sich darin das Unheimlich-Unberechenbar-Rückständig-Reaktionäre, das sie in Deutschland, dem modernsten Land Europas, vermuten, so schön faßbar ausdrückt.

Bei den Leuten, die nicht in Cut oder Frack heiraten, machen sich seit einiger Zeit Tendenzen bemerkbar, den Bräutigam in eine Art Phantasieanzug zu kleiden, der dem überwältigenden sahnebaiserhaften Brautkleid etwas entgegensetzt. Man sieht da vor allem Spenzer, knappe, über den Hüften abschließende Jacken oder farbige Blazer, oder Rüschenhemden und blitzende Satinschleifen. Der Cowboy im Festgewand scheint die dahinter stehende Idee solcher Ornate zu sein. »Rührend« würde der Gesellschaftsslang solche Kostüme vermutlich nennen, aber ich möchte es gern anders ausdrücken: der Versuch und das Bedürfnis, in blaß-uniformen Zeiten irgendwie verrückt geschmückt herumzulaufen, rührt mich aufrichtig auch dann, wenn die Verwirklichung nicht glückt.

Geschenke

»Der teuerste Gegenstand ist ein Geschenk.«
Baltasar Gracián

Geschenke gehören zu den ältesten Zeugnissen einer sich allmählich formierenden Menschheit – ich denke an die Geschenke, die die frühesten Menschen den Toten ins Grab legten und die teils für die Toten selbst auf ihrem Weg durch das Schattenreich, teils für die Götter, die sie dort erwarteten, bestimmt waren. Von Anfang an also sind Geschenke religiös motiviert, sie werden bis heute nur selten ganz ohne festlichen Anlaß gemacht – und diese Anlässe sind beinahe ausnahmslos von offensichtlichem oder verborgenem religiösen Charakter. Für Weihnachten und Ostern, Taufe, Hochzeit und Namenstag ist das klar, aber auch hinter den Geschenken zum 18. Geburtstag, zur Wohnungseinweihung, zur Verabschiedung, zum »Einstand« im neuen Büro sind die Initiationsrituale ältester Provenienz so deutlich zu greifen, daß die Religionsforscher im Geschenkemachen die wesentliche religiöse Aktivität der weithin scheinbar religionslos gewordenen westlichen Gesellschaft sehen. Das Schenken ist das moderne Gesicht des Opferns, und an Weihnachten scheint die gesamte Volkswirtschaft mit diesem religiösen Treiben in Deckung zu geraten, nicht anders als in homerischen Königreichen, in denen die Rinderherden als Apollo gehörig betrachtet wurden.

Meine Mutter liebte es, ihre kleinen Söhne mit kurzen grauen Flanellhosen und dazu passenden hellgrauen Wollkniestrümpfen bekleidet zu sehen; zwischen dem Rand der Hose und dem Ende des Strumpfes sahen also nur ein paar Zentimeter braune Haut hervor. Daß meine Brüder und ich diese

Strümpfe haßten, wird nur denjenigen verwundern, der davon ausgeht, daß sich afrikanische Zehnjährige von europäischen Zehnjährigen fundamental unterscheiden. Aber meine Empörung und Enttäuschung wuchs ins Riesenhafte, wenn ich an Weihnachten oder an meinem Geburtstag ein mit großen roten Schleifen verheißungsvoll geschmücktes Paket öffnete, das sich allerdings schon verdächtig weich anfühlte, und unter dem raschelnden Papier auf ein weiteres Paar dieser teuren, natürlich aus Europa importierten Strümpfe stieß. Meine Eltern verhielten sich wie alle Eltern und taten, als hätten sie vollständig vergessen, welche Unlust ihnen entsprechende Gaben in der eigenen Kindheit ausgelöst hatten. Die Kinderseele ist mit der Frühzeit der Geschichte in einer den kommunizierenden Röhren vergleichbaren Verbindung. Wie die archaischen Helden, die auszogen, um das Goldene Vlies zu erlangen, wünschen sie sich nichts Nützliches als Geschenk. Man versteht schon, was hier mit »nützlich« gemeint ist, denn ich hätte damals selbstverständlich eine elektrische Eisenbahn oder eine Spielzeugdampfmaschine keineswegs als etwas Unnützes angesehen. Mit »nützlich« ist das Graue, Alltägliche gemeint, das, was man zum Leben braucht, was einem aber, jedenfalls aus der kindlichen Perspektive, wofern es wirklich notwendig ist, ohnehin gegeben wird, weil die Notwendigkeit das eben gebietet. Aus dieser Sphäre etwas mit Aplomb und Schleifen als Geschenk überreicht zu bekommen erschien mir als eine Verhöhnung des Geschenkbegriffs, der für das Außerordentliche, Unverdiente, Unerwartete, Unverhoffte stand; es war das Weihnachtsfest mit seinem Geschenkstrom wirklich nichts anderes als das Hereinbrechen einer anderen Art von Wirklichkeit als der, die uns langweiligerweise täglich umgab.

In dem schönen Werk *Minima Moralia* von Theodor Adorno steht eine Klage über den Verfall des Geschenks, der gewiß in mancherlei Hinsicht zuzustimmen ist, aber nicht in jeder. Adorno hatte damals aus Amerika die Erfahrung von »Gift shops« mitgebracht, Läden, die ausschließlich Gegenstände anboten, die dazu bestimmt waren, verschenkt zu werden, die also keinem wie immer gearteten Gebrauch dienten; Läden, die niemand betreten hätte, der ein wirklich notwendiges Bedürfnis damit erfüllen wollte, außer eben eine Sache zu finden, der er sich in Geschenkform alsbald wieder entledigen würde. Inzwischen scheinen ganze Strecken unserer Einkaufsstraßen aus solchen Geschenkläden zu bestehen, ganze Länder in Asien leben von nichts anderem mehr, als durch billige Handarbeit kleine Sinnlosigkeiten massenhaft zu fabrizieren, die dazu bestimmt sind, die Regale von Geschenkläden zu füllen. Der unübertroffene Saki sprach schon zur vorigen Jahrhundertwende von Geschenkläden »mit Gegenständen zu 9 Sh 6 ps, die aussehen wie 14 Sh 4 ps«. So erbärmlich und gesichtslos und häßlich aber diese Entwicklung auch sein mag – vom eigentlichen, klassischen Wesen des Geschenks ist sie nicht so weit entfernt, wie der betrübte Professor meinte. Das klassische Geschenk ist immer vor allem und ausschließlich zum Verschenken dagewesen und zu nichts anderem. Wenn Odysseus sich an einem königlichen Herdfeuer durch sein Seemannsgarn als beschenkungswürdige Person erwiesen hatte, ließ der betreffende König die Schatzkammer öffnen, den Geschenkladen der Antike, und holte Gegenstände von beträchtlichem Wert daraus hervor, für die Odysseus als landfremder und unbehauster Herumtreiber allerdings nicht die geringste Verwendung hatte, goldene Dreifüße zum Beispiel. Wie viele goldene Dreifüße werden in den antiken Sagen nicht verschenkt! Was machte man mit solch einem goldenen Dreifuß? Normalerweise werden Dreifüße zum Kochen verwandt, aber da jeder weiß, daß der Schmelzpunkt des Goldes besonders tief liegt, dürfte man zwischen den Beinen des goldenen Dreifußes ein kräftiges Herdfeuer kaum entfacht haben. Aber schön ist er wahrscheinlich gewesen und prachtvoll hat er gefunkelt, wenn man die Schatzkammer öffnete und in das Dunkel blinzelte. Ich hätte gern einen solchen goldenen Dreifuß. Was ich damit machen würde? Ich würde ihn aufstellen, so wie Scharen von Jungverheirateten goldene Sammeltassen und goldene Schnapsgläser und goldene Likörkaraffen – ihre Hochzeitsgeschenke – in ihren Vitrinen aufstellen. Seitdem in Deutschland breite Kreise die herbere Ästhetik von »Ikea« entdeckt haben, sind es vor allem die türkischen Brautpaare, die diese schöne Tradition aufrechterhalten.

Die Könige haben sich in ihren Gaben immer an die Tradition des goldenen Dreifußes gehalten. Kalif Harun Al Raschid schickte an Kaiser Karl den Großen einen weißen Elefanten nach Aachen, der dort gebührend bestaunt wurde und die einzige Funktion besaß, zum Ausdruck zu bringen, daß der Kalif den Kaiser für einen Mann hielt, für den ein weißer Elefant ein genau angemessenes Geschenk darstellte. »Ein schönes Geschenk!« höre ich in Deutschland immer wieder lobend sagen, wenn mir ein goldenes graviertes Zigarettenetui für einen Nichtraucher oder ein ebenso gravierter silberner Taschenflakon für einen Antialkoholiker gezeigt wird. »Ein schönes Geschenk« hatten sich auch die Zaren ausgedacht. Gibt es in Europa ein königliches Schloß ohne jene immens große, waldmeistergrüne Malachitschale? Mit einer gewissen naiven Enttäuschung erfuhr ich, daß diese Schalen nicht etwa aus massivem Malachit bestehen, sondern aus Gips, der mit Engelsgeduld mit hauchfeinen Malachittäfelchen beklebt wurde. Man konnte in einem solchen Zarengeschenk also noch nicht einmal die Champagnerflaschen kühlen.

Häufig kommt es kurz vor dem Zusammenbruch einer Welt noch einmal zu einem ästhetischen Höhepunkt, als spürte man das Ende und wolle angesichts dessen die eigene Lebensfähigkeit unter Beweis stellen. Man ahnt gewiß schon, daß ich von den Produkten des Hauses Fabergé zu sprechen gedenke, mit denen die alte Welt sich verabschiedete, nicht ohne die Neue Welt mit praktischen Ratschlägen auszurüsten, denn das Fabergé-Osterei ist in Amerika besser angekommen als irgendein Produkt des europäischen Kunsthandwerks sonst. Es ist das ideale Geschenk im Dreifuß-Sinn: es ist beinahe unbezahlbar, man kann es sich nicht anstecken, umhängen oder aufsetzen; man kann es aufklappen, aber es ist mit irgendeiner Juwelen-Niaiserie gefüllt, und man kann folglich noch nicht einmal etwas hineintun. Es war genau die Art Luxus, mit der der asketische Zar und seine fromme und bescheidene Familie am meisten anfangen konnten.

Ein Geschenk bleibt selten allein, es provoziert ein Gegengeschenk. Der kalte nüchterne Kenner des höfischen und geschäftlichen Betriebes, der Jesuit Baltasar Gracián sagt in seinem *Handorakel* warnend: »Der teuerste Gegenstand ist ein Geschenk.« Es ist ein bitterer Satz, weil er das Unbegründete, das Unverdiente, das Nichtbeanspruchbare, das zum Wesen des Geschenks gehört, in eine Beziehung setzt zu einer Zwangsläufigkeit des Austausches, und der Tausch heißt auf lateinisch »commercium«. Was einem in Unterbrechung der Kausalitätskette scheinbar in den Schoß gefallen ist, soll nun eine Schuld begründen und letztlich doch bezahlt werden. »Timeo Danaos / Et dona ferentes«, sagte der Priester Laokoon, als er das Trojanische Pferd sah, das in seiner maßlosen Größe von den anderen Trojanern sofort als Opfergabe und Geschenk verstanden wurde. Es gibt Geschenke, die mit einer gewissen Heimtücke dort eine Verbindlichkeit begründen wollen, wo sie auf anderem Wege nicht herbeizuführen war. Und es gibt gesellschaftliche Konstellationen, die einen Automatismus im Austausch von Geschenken zu erzwingen scheinen. Die Ethnologen haben das indianische »Spiel« des Potlatsch erforscht, in dem ein Stamm den anderen beständig mit Geschenken zu übertrumpfen sucht, bis schließlich der gesamte Besitz beider Stämme restlos ausgetauscht ist. Nein, so weit treiben es die Europäer selten. Bei ihnen wird dies Spiel, neuerdings mit besonderer Begeisterung, etwas anders gespielt: Eine Gesellschaft kauft die andere vollständig auf, so daß von der anderen nur der Firmentitel oder die Holding zurückbleibt, die aber wiederum alsbald die erstere Firma in Gänze aufkauft et cetera.

Geschenke unter Freunden bedürfen selbstverständlich nicht des geringsten Anlasses; die Regeln und Gesetze, nach denen sie dargebracht und ausgetauscht werden, stellt die jeweilige Freundschaft selber auf. Der rituelle Geschenkcharakter ist am meisten gewahrt in den Blumen, die gleichsam immer angemessen sind, und in Pralinen, für die die Confiseurs und Patissiers früher besonders schöne Verpackungen bereithielten: Das Wagenrad voller Pralinen war solch eine große und doch zugleich auch ein wenig unpersönliche Huldigung von verbindlicher Unverbindlichkeit. Solche schönen Packungen gibt es in Deutschland leider nur noch selten, in Wien aber selbstverständlich, in Mailand und Paris auch. In Frankreich verschenkt man zu Neujahr schöne Schachteln mit glacierten Maronen, es gibt in Italien und Griechenland auch spezielle Süßigkeiten zur Taufe, meist Zuckermandeln. Spanien glänzt gleichfalls mit – bereits arabisch inspirierter – Patisserie, die immer auch sehr reizvoll verpackt ist. Parfüms gelten als sehr persönliche Gabe, da sie ja etwas darüber verraten, wie der oder die Beschenkte am besten riechen soll, sie sind also mit Vorsicht zu behandeln.

Das beste an all diesen Gaben ist, daß sie nicht den unmittelbaren Druck zum Potlatsch auslösen. Sie werden überreicht oder geschickt, und das war's. Leider ist die Zeit vorbei, in der die Leute von der Côte d'Azur während der winterlichen Saison Kisten mit Orangen an ihre Freunde schickten, oder Brüsseler Trauben und Melonen aus ihren Gewächshäusern, weil man dies alles jetzt ja beständig kaufen kann. Für Krankenzimmer sind Obstkörbe oft aber immer noch die vielleicht geeignetste Gabe. Weinkisten und »Freßkörbe« – häufig ein Geschenk an Angestellte – haben manchmal etwas von Deputat oder Tribut an sich; die Pflicht zu gewissen Geschenken begleitete im Mittelalter viele Rechtsverhältnisse. Goethe berichtet in seinen Jugenderinnerungen, daß die versammelte gegenwärtige Kaufmannschaft zu Beginn der Frankfurter Messe dem Stadtschultheißen – seinem Großvater Textor – einen Mörser voll Pfeffer und ein Paar Handschuhe zu überreichen hatte; die Handschuhe pflegte der Großvater dann im Garten zum Rosenschneiden zu tragen. Als Aberglaube ist immer noch sehr populär, vor allem in Rußland, daß man nichts Scharfes, kein Messer und keine Schere, verschenken dürfe –

um die Freundschaft vor dem Zerschnittenwerden zu bewahren, müsse man dann einen Kauf fingieren, der Beschenkte hat dem Schenker die kleinste Courant-Münze zu übergeben. Wie bemerkte der Atomforscher Niels Bohr, über dessen Haustür ein Hufeisen angenagelt war, so zutreffend: »Es hilft auch, wenn man nicht dran glaubt.«

Wie verhält es sich mit dem Weiterverschenken von Geschenken? Von den prachtvollen Panettone-Kartons, die man sich in Italien an Ostern überreicht, habe ich den Verdacht, daß sie auf eine oft schwer zu verfolgende Wanderschaft geschickt werden. Bei einem Panettone mag das angehen, aber wer ein einst liebevoll ausgesuchtes, womöglich gewidmetes oder graviertes Geschenk an anderem Ort wiederfindet, ist berechtigt, das als Aufkündigung der Freundschaft zu verstehen. Das Zurückweisen von Geschenken ist gleichfalls heikel. Es erleuchtet blitzartig die bis dahin möglicherweise in wohltuendem Halbdunkel gelegen habende Beziehung, und der sich dabei bietende Anblick kann irreparable Folgen haben. Dagegen ist ja auch gar nichts einzuwenden. Wer Anlaß hat, zu befürchten, daß das in Aussicht gestellte Geschenk im Graciánschen Sinne teuer werden soll, darf sich einem solchen Anschlag entziehen, auch wenn es dann im diplomatischen Sinne nichts mehr zu beschönigen geben dürfte. Bei Widmungen an hohe Persönlichkeiten und bei Geschenken mußte deshalb früher stets angefragt werden, ob die Zuwendung willkommen sei; auch heute sollte sich, wer etwa plant, einem anderen ein Buch zu widmen, vorher davon überzeugen, ob der andere denn wirklich »bras-dessus, bras-dessous« mit einem in der Öffentlichkeit auftreten möchte.

In wachsendem Maße hat sich in Deutschland eingebürgert, daß Leute, die zum Essen eingeladen sind, über einen schriftlichen Dank oder vorher, nachher oder zum Abend selbst mitgebrachte Blumen hinaus noch ein Geschenk mitbringen. Ich möchte nur daran erinnern, daß das, als ich in den sechziger Jahren nach Deutschland kam, keinesfalls üblich gewesen ist. Es galt im Gegenteil als wenig weltläufig. Ein normales

Mittag- oder Abendessen war ja schließlich kein Fest, an dem irgendein Datum gefeiert wurde, sondern eine überaus willkommene, aber dabei doch durchaus alltägliche Veranstaltung. Hier nun gleich mit der Gegenleistung in der Hand aufzuwarten, gab der ganzen Sache in ihrer Selbstverständlichkeit gleich einen Stoß. Für viele Leute ist es in ihrem bedrängten Leben schon eine ziemlich beachtliche Leistung, sich überhaupt für einen Abend freizumachen; nun soll auch noch ein Geschenk ausgesucht werden. Wenn ein Abendessen ohne besonderen Anlaß, bei dem eine Lammkeule in den Ofen geschoben und zusammen verspeist wird, nun wirklich nicht mehr ohne wohltaxierte Gegengabe stattfinden soll, wird das gesellschaftliche Leben eine rechte beklommene Angelegenheit werden. Je mehr die Leute übrigens »in die Welt« gehen, desto weniger spielen die Geschenke eine Rolle. Wer jeden Tag in der Woche zwei oder mehr Einladungen wahrzunehmen hat, würde an der Geschenkklippe schließlich scheitern. Ich habe aber auch noch nie erlebt, daß das Ausbleiben eines Geschenks reklamiert worden wäre. Auf der anderen Seite hat natürlich jede Bemerkung des Gastes, die nach Entschuldigung aussehen könnte, à la »Ich komme mit leeren Händen«, zu unterbleiben. »Das goldene Zigarettenetui, das Sie mir schenken wollten, ist sicher noch beim Gravieren«, pflegte in solchen Fällen ein alter Freund von mir zu sagen.

Es gibt aber Feste, bei denen nicht die Gäste schenken, sondern der Gastgeber. Bei Festen an den europäischen Höfen ist es oft üblich, daß Erinnerungsgaben in Form von kleinen Sträußen oder Bonbonnieren mit der Photographie des Monarchen verteilt werden. Zu gewissen Anlässen läßt man in solchem Zusammenhang immer noch Medaillen prägen, die leider inzwischen unsagbar häßlich sind; das einzige Land der Welt, in dem die Medailleurskunst noch nicht endgültig ruiniert ist, ist England, aber auch dort wird daran gearbeitet.

Ein Spanier ist nur von einem Spanier zu schlagen, und so möchte ich denn dem nun schon mehrmals erwähnten Gracián-Wort das des erst vor einigen Jahren verstorbenen Gómez

Dávila entgegenhalten: »Aristokratisch ist, ein Geschenk ohne Gegenleistung annehmen zu können.« Es erfordert tatsächlich eine gewisse Haltung, das Ungleichgewicht, das durch ein Geschenk entsteht, auszuhalten und die Pflicht zur Dankbarkeit nicht gleich in einer Gegenleistung zu ersticken. Dem Geschenk steht der Dank als Pendant gegenüber, nicht das Gegengeschenk. Dankbarkeit verschärft natürlich das Gefühl der Ungleichheit, die unseren Zeitgenossen oft »zu tragen peinlich« ist. Und es gehört tatsächlich etwas von der nun schon öfter erwähnten Verrücktheit dazu, sich aus der Pflicht zur Dankbarkeit keinesfalls entlassen zu wollen.

Warum werden Geschenke eingepackt? Das scheint eine Sitte zu sein, die durch alle Kulturen geht. Selbst der Elefant für den Kaiser Karl ist – wenngleich nicht geradezu eingepackt – mit Gewißheit herrlich bemalt und geschmückt übergeben worden. Warum werden Geschenke mit Seidenpapier und bunten Bändern, mit schönen Etuis und Schachteln assoziiert? Man kann seine Gabe schließlich auch ohne solche Verhüllungen überreichen. Aber seltsam, es scheint dann etwas zu fehlen. Da liegen auf einem Tisch für Geschenke ein eingepacktes und ein uneingepacktes Buch nebeneinander. Sofort ist klar, welches von beiden das reizvollere ist. Ich kann es mir nicht anders vorstellen, als daß das Einpacken einen sehr tiefen, mit der juristischen Natur des Schenkens verbundenen Grund hat. Hier kommt meine Erklärung: Durch das Einpacken sondere ich den zum Geschenk bestimmten Gegenstand aus der Reihe meiner Besitztümer aus; wie eine zum Opfer bestimmte Kuh einen Blumenkranz umgehängt bekam. Im Überreichen der eingepackten Sache gebe ich das Eigentum an ihr endgültig auf, und der Beschenkte bestätigt sein Eigentumsrecht im Auspacken, so wie ein Bräutigam bei den Juden oder den Indern, und manchmal auch bei den Christen während der Hochzeitszeremonie seine Braut entschleiert, zum Zeichen, daß er zu einem solchen Akt der Besitznahme auch berechtigt ist. So wird verständlich, warum man überall darauf besteht, der Beschenkte müsse sein Geschenk selbst auspacken. Tut er es nicht, ist der Schenkungsvertrag irgendwie nicht zustande gekommen.

Bei wohlhabenden Leuten, die alles haben – als könne es des Unnützen zuviel geben! –, bürgert sich, natürlich von Amerika herkommend, die Mode ein, bei Geburtstagen und ähnlichen Anlässen, Beerdigungen etwa, keine Geschenke oder Blumen (darüber ausführlich im nächsten Kapitel) annehmen zu wollen, sondern einen entsprechenden Betrag auf ein Konto für wohltätige Zwecke überwiesen zu wünschen. Das ist, ins Unpoetische eines Buchungsvorgangs übertragen, im Grunde der Brauch vieler indischer Fürstenstaaten, den Maharadscha aus Anlaß seines Jubelfestes in seiner imposanten Leiblichkeit auf eine Waagschale zu setzen und ihn in Gold oder Silber aufwiegen zu lassen, wobei die Untertanen, die ihre Spende in die andere Waagschale warfen, gewiß mit Bangen den Augenblick erwarteten, in dem der hohe und schwere Herr zu schweben begann. Der Ertrag war gleichfalls für die Armen bestimmt, eine Sondersteuer sozusagen, die krassen Mißständen im Fürstentum abhelfen sollte. Damit ist über dies Überweisen zum Ruhm des Jubilars eigentlich schon alles gesagt. Wer in der glücklichen Lage ist, von solch einem Jubilar nicht abhängig zu sein, kann diesen Hinweis, womöglich auch noch auf der Einladung gedruckt, getrost übersehen.

Blumen

»Eine hübsch arrangierte Blume im Knopfloch ist das einzige Bindeglied zwischen Kunst und Natur.« Oscar Wilde

Blumen sind ein besonders ehrwürdiges, wahrhaft rituelles Geschenk; sie sind teuer, verwelken schnell und haben keinerlei praktische Funktion. Das macht sie für die Manieren unersetzlich. Das Schmücken von Altären, Bräuten und Opfertieren mit Blumen gehört zu den ältesten Bräuchen der Menschheit. Wer seinen Gastgebern einen von einem modernen Floristen hochmodisch zusammengestellten Strauß überreicht, bringt damit eigentlich dem Zeus Xenios, dem Zeus der Gastfreundschaft, und allen Laren und Penaten des Hauses ein Opfer dar. Und damit ist eine solche Gabe wohl hinreichend gerechtfertigt.

Europa hat eine bis ins Detail ausbuchstabierte Sprache der Blumen entwickelt, die heute aber vor allem Kunsthistoriker interessieren dürfte, die aus den Blüten, die in einem mittelalterlichen Paradiesgarten wachsen, eine ganze theologische Botschaft zu entwickeln vermögen. Die Lilien der Reinheit, die roten Rosen der Verliebtheit, das bescheiden und bereits ein wenig hoffnungslos flehende Vergißmeinnicht – mehr wird den meisten Leuten (und mir) nicht mehr einfallen. Weiße Blumen seien Totenblumen, heißt es, die man deshalb keinesfalls verschenken dürfe, und zugleich sehe ich Wohnungen berühmter Innenarchitekten vor mir, in denen wahre Wälder von weißen Lilien und Calla aus den voluminösen Vasen quellen, gewiß weder um nekrophiler Neigungen willen noch als Huldigung an das Ideal der Jungfräulichkeit. Geblieben ist wohl einzig die Signalwirkung tiefroter Rosen. Wer sich mit einem großen Strauß besonders langstieliger schwarzroter Baccara-Rosen einer Frau nähert, hat etwas vor, das wird sich die Empfängerin dieser Gabe nicht ausreden lassen.

Ich höre, daß es einmal eine Regel gegeben haben soll, keine bunten Sträuße zu verschenken. Richtig mag daran vor allem sein, daß man mit Farbzusammenstellungen leicht Schiffbruch erleiden kann. Die Bekundung des eigenen Geschmacks mag für manche Leute ein nicht geringes Risiko enthalten. Beim Anblick eines Straußes aus gelben Rosen, gelben Tulpen, gelben Nelken, gelben Narzissen wiegen sie sich in Sicherheit: eine weitere Hürde auf dem steinigen Weg des gesellschaftlichen Lebens ist genommen.

Im Punkt der Einfarbigkeit ist es wohl vor allem die Quantität, die die Phantasie anregt. Einhundertundeins rote Rosen sind die passende Gabe für die Liebesnacht mit der Opernsängerin. Sie ist es leider nicht mehr gewöhnt, unter Blumen begraben zu werden. Wenn man ein Blumengewitter alter Art erleben möchte, gehe man etwa in die Römische Oper, wo der Diva aus den Rängen, vorzugsweise dem dritten, Blumengeschosse zugeworfen werden, bis sie schließlich in buntem Blumensalat steht. Wenn sie sich dann bückt und einen Strauß oder auch nur eine Blüte daraus aus der Menge heraushebt und versonnen an ihr Herz drückt, steigert sich der Applaus zur Raserei. Die großen Blumenkörbe, die den sie eilig hereinbringenden Hotelpikkolo um einen halben Meter überragten und einstmals als Gaben der Liebe und der Bewunderung unentbehrlich waren, sind ganz aus der Mode gekommen, und trotzdem behaupte ich, daß die Augen der Frau, die einen solchen Korb in ihrem Hotelzimmer vorfindet, während sie »Wie protzig!« sagt, in stillem Glanz leuchten werden.

Nein, wir sind maßvoll und geschmackvoll und wohnen in kleinen Wohnungen und können mit Blumensträußen groß wie Weihnachtsbäume nicht viel anfangen. Zu klein, wie von Kinderhand zum Muttertag, muß der mitgebrachte Strauß aber auch nicht gerade sein. Apropos Muttertag, der in den

Blumengeschäften immer besonders angekündigt wird und von den Blumenhändlern bekanntlich auch erfunden wurde: Ich habe die Feststellung gemacht, daß es bei »besseren Leuten« verpönt ist, den Muttertag zu bemerken. Wäre man doch bei anderen Geschäftsideen der Geschenkindustrie auch so strikt!

Ein mittlerer Strauß also ist es, der mitgebracht oder auch geschickt wird. Die Anzahl der Blüten sollte ungerade sein – warum, weiß ich nicht; vielleicht, damit sie nicht so abgezählt aussehen. Floristen haben eine Neigung, vielerlei Grün und anderes, den Strauß aufpumpendes Füllmaterial in das Gebinde hineinzubringen. Bis zu einem gewissen Grad mögen Farne oder Palmblätter eine gewisse Funktion haben, aber zuviel Grün schafft einen gemüseartigen Eindruck. Was ist eigentlich aus dem guten alten Asparagus geworden? Als ich nach Deutschland kam, war der Standardstrauß bei Feierlichkeiten auf kommunalpolitischer »Ebene«, wie es so schön heißt, rote und weiße Nelken mit Spargelkraut. Dieser Strauß hatte für sich, daß er auf so einprägsame Weise scheußlich war, daß auch Leute mit geringem ästhetischen Sensus sich darüber entrüsten konnten und sich als wahre Connaisseurs gaben, wenn sie Nelken mit Asparagus für »unmöglich« erklärten. Inzwischen ist die Lage viel unübersichtlicher geworden. Die Züchter holen das Letzte heraus aus den pflanzlichen Genen, lassen Blüten riesenhaft anschwellen und erzielen immer mehr Farben, die von der Natur eigentlich nicht vorgesehen waren.

Am Mittelmeer und im Orient hat sich der alte Begriff von Luxus konserviert. Blumen sind schön, wenn sie in der Natur nicht vorkommen, wenn sie in Treibhäusern teuer gezüchtet wurden und wenn sie Überlebensgröße erreichen, diese Grundsätze gelten hier immer noch. Die wie aus rotem Kunstleder geschnittene Anthurie, die wie aus weißen Joghurtbechern geformte Calla sind um das Mittelmeer herum immer noch der Gipfel florealer Schönheit; ein Feldblumenstrauß würde hier mit allen Zeichen der Verwirrung entgegengenommen. Die Ästhetik des Feldblumenstraußes stammt aus dem

Norden. Sie ist deutsch und englisch. Pfingstrosen, Flieder, Rittersporn und Phlox, am besten aus dem Pfarrgarten, bilden hier das Glück der Liebhaber. Kann man sich einen Italiener vorstellen, der etwa wie ein Hans Thoma einen Feldblumenstrauß malte? Wenn überhaupt, dann muß es ein anglophiler Italiener sein (von denen es gar nicht so wenige gibt). An die Stelle der einst »unmöglichen« Nelke ist jetzt die Gerbera getreten, eine in allen erdenklichen Farben gezüchtete, besonders fett wirkende Margeritenart. Aber auch die exotisch schrillen Gewächse sind bei den Deutschen, die sich etwas auf ihren Geschmack einbilden, noch nicht wirklich angekommen. Bananenstauden, gefährlich hackende Papageienschnäbel in giftigem Orange, alles Orangefarbene überhaupt (von Apfelsinenbäumen aus der Orangerie selbstverständlich abgesehen), seltsame rote Pfeifenreiniger in Pflanzenform, seltsame organisch wirkende Taschengewächse et cetera besitzen in eher traditionell elegantem Milieu trotz hoher Preise kein Prestige.

Interessant ist die Geschichte der Orchidee. Sie war einmal das Feinste, was es überhaupt gab; heute noch heißen Fächer auf der Universität, die niemand studiert, Ägyptologie etwa, »Orchideenfächer«. Ein Steckenpferd, das ebenso elegant war, wie einen Rennstall zu unterhalten, war die Orchideenzucht. Neben vielen Landsitzen erhob sich ein Gewächshaus, in dem nicht nur Brüsseler Trauben, Melonen und Ananas gezogen wurden, während draußen die Parkwiesen weiß verschneit waren. In feuchter Hitze, die das Wasser von den Scheiben rinnen ließ, wurden Orchideen darüber getäuscht, daß sie sich nicht im Regenwald befanden. Mondäne Frauen trugen Orchideen, vor allem die berühmte Cattleya als »Corsage«, aber auch Männer vom Schlag eines Gulbenkian wurden jeden Tag mit einer frischen Orchidee im Jackenknopfloch gesehen (außer wenn er in Frankreich war und dort das Knopfloch für das rote Bändchen der Ehrenlegion zu reservieren hatte). In Prousts *Recherche* nennen Swann und die schlimme Odette sogar das Liebemachen »faire Catleya«, weil ihre Romanze einmal damit begonnen hatte, daß er ihr im Dunkel ihrer Equipage dabei half, die an ihrem Ausschnitt befestigte Blume zu richten. Waren die Orchideen eigentlich schön? Sie waren selten und teuer, und ihre Form entsprach perfekt den bauchigen Auswüchsen und dem fatalen Geschlinge von Jugendstilornamenten; ein weiteres Mal sollte Oscar Wilde – auch er ein großer Liebhaber der Knopfloch-Orchidee – recht behalten, als er sagte: »Natur ahmt Kunst nach.« Für mich wurde der Charme der Orchidee schwer beschädigt, als ich erfuhr, daß das griechische »orchos« Hoden heißt. Und nun sieht man nicht nur in jedem Blumengeschäft, sondern auch in Kaufhäusern in Plastik gepackte Hoden-Blumen zu Hunderten, immer noch nicht billig, aber auch nicht mehr richtig teuer, und von dort wandern sie, den schwachen Stil mit einer wie von Salvador Dalí ersonnenen Krücke gestützt, auf Büroschreibtische und Fensterbänke, wo ihnen trotz Begießens der baldige Tod droht, ungeachtet der Tatsache, daß es jetzt auch »dankbare« Sorten gibt, wie der Händler gern sagt, denen beinahe das Leben von Wachsblumen beschieden ist.

Wer aus irgendwelchen Gründen nach teuren, seltenen Blumen Ausschau hält, die dennoch der europäischen Ästhetik entsprechen, richte sein Augenmerk lieber auf Kamelien, die gleichfalls literarisch abgesegnet sind, aber alles erfüllen, was man sich idealerweise von einer Blume erträumen würde. Die schönsten Blumen sind freilich ohnehin unerschwinglich für den, der keinen Garten hat, oder der ihn zwar hat, aber sich nicht entschließen kann, hingebungsvoll und intelligent darin zu arbeiten (oder darin arbeiten zu lassen). Auch die im Stil von Feldblumensträußen gemachten Floristenarrangements sind eben immer eine Spur zu überernährt und zu fleischig. Nichts kann den in einem privaten sommerlichen Rosengarten geschnittenen Strauß ersetzen, der mit seinem Duft das Zimmer erfüllt. Manchen kann der Duft übrigens zuviel sein. Es gibt Frauen, die vom Duft der Lilien Kopfschmerzen bekommen, eine »Damenprobe«, fast so fein wie in der *Prinzessin auf der Erbse.* Nichts illustriert die Empfindsamkeit eines

Kranken so deutlich wie das Hinaustragen der eben geschenkten Blumen aus dem Krankenzimmer, oft sicherlich berechtigt, oft aber auch ein Ritual. Der biedermeierliche Freiherr von Rumohr, der eines der ersten modernen deutschen Kochbücher geschrieben hat, verbot stark duftende Blumen auf dem Eßtisch während der Fisch- und Fleischgänge, weil der Blütenduft mit dem Süßen assoziiert werde. Nach Baron Rumohr tauscht das Personal vor der Süßspeise die Blumen aus und stellt die stark duftenden in die Tischaufsätze. Welche Delikatesse! möchte man da rufen. Erlebt habe ich es allerdings noch nie.

Floristen lieben abgestufte Gestecke, in denen lange Blumen die immer kürzer werdenden Blumen überragen. Solche Gestecke sind in Vasen nur schwer unterzubringen, sie eignen sich eigentlich nur dazu, irgendwohin – auf Gräber vorzugsweise – gelegt zu werden. Am besten sind rund gebundene Sträuße; sollen sie auf dem Eßtisch stehen, müssen sie besonders niedrig sein, um die Sicht zum Gegenüber nicht zu behindern. Für Hoftafeln gilt das übrigens nicht. Wenn man beim Kaiser aß, war Unterhaltung nur mit dem Tischnachbarn erlaubt, da mochten die Blumendekorationen ruhig in den Himmel wachsen. Eine Konvention will wissen, daß man Männern keine Blumen schenkt. Richtig ist, daß vielen Männern Blumen gleichgültig sind. Aber warum sollte eine Frau einem Freund keine Blumen bringen dürfen? Kaiser Franz Joseph gab den Befehl, die Wohnung des Komponisten Anton Bruckner im Belvedere täglich mit frischen Blumen aus der Hofgärtnerei zu versorgen, eine Geste, die man dem knorrigen alten Asketen gar nicht zugetraut hätte. Daß der Dichter Stefan George niemandem einen Gefallen tat, als er seinem jungen Dichterkollegen Hofmannsthal einen Rosenstrauß ins Klassenzimmer des Gymnasiums schicken ließ, steht auf einem anderen Blatt.

Männer und Blumen – da muß auch die Knopflochblume noch einmal besprochen werden. Der Brauch der Knopflochblume hat vermutlich mit der modischen Entwicklung des männlichen Überrocks zu tun, der bis dahin bis zum Hals geschlossen werden konnte und der nur noch in der Körpermitte zugeknöpft werden sollte, so daß die oberen Teile auf die Seiten fielen und die Revers bildeten. Als Erinnerung, daß da einstmals etwas zugeknöpft worden war, blieb nun dieses Knopfloch erhalten, dem auf der anderen Seite durchaus kein Knopf mehr entspricht. Eine Zeitlang konnte man billige Anzüge von teureren, handgemachten Anzügen daran unterscheiden, daß dieses Knopfloch wirklich offen und nicht nur aufgestickt und angedeutet war. Inzwischen haben sich längst auch Konfektionäre dies allzu wohlfeile Unterscheidungsmerkmal zu eigen gemacht. Ich nehme aber an, daß die ergreifende Vergeblichkeit dieses Knopflochs, das nie mehr einen Knopf in sich fühlen würde, geradezu danach schrie, es mit irgend etwas anderem zu füllen, und daß dies dann die Knopflochblume war. Bekannt ist eine Karikatur von Oscar Wilde, der die Knopflochblume in verschiedenen Aphorismen verherrlicht hat: mit einer Sonnenblume im Knopfloch, da ging die Blume mit dem Mann und nicht mehr der Mann mit der Blume.

Nelken waren eine Zeitlang sehr beliebt. Wenn der Frack zu einem Tanzfest getragen wurde, gehörte eine weiße Nelke ins Revers, aber das sind nicht die dicken Blütenpompons der modernen Nelken gewesen, sondern kleinere, die sich organischer an den Körper schmiegten und nicht starr davon abstanden. Thomas Mann sprach von seinem Vater als dem »langen, sinnenden, sorgfältig gekleideten Herrn mit der Feldblume im Knopfloch« – das war das Kontrastprogramm zur Orchidee, übrigens meist eine Kornblume. Gegenwärtig ist die Knopflochblume beinahe vollständig verschwunden; sie hat durch Maurice Chevalier und Fred Astaire etwas zuviel von Step-Tänzer-Männlichkeit angenommen, um noch unbefangen getragen werden zu können. Der traurige Duke of Windsor mit seiner Nelke war auch kein begeisterndes Vorbild, seitdem man wußte, daß die Nelke eine verlorene Krone zu ersetzen hatte.

Bei Hochzeiten ist es immer noch üblich, dem Bräutigam ein Myrtensträußchen ins Revers zu stecken, weniger ein Blumenschmuck, sondern ein rituelles Zeichen aus uralten Zeiten. Die männlichen Trauzeugen tragen gleichfalls eine Blume, vor allem in England, wo man den Brauch der »best men« des Bräutigams pflegt. Abschließend kann man zu diesem Thema vielleicht sagen, daß die Knopflochblume am besten gedieh, solange sie von einem Monokel und einem unter der Bartbinde nachts sorgfältig in Form gebrachten Schnurrbart und Spitzbart begleitet war. Ich habe das große Glück gehabt, solche Männer, schon damals höchst vereinzelte Prachtexemplare, noch erleben zu dürfen, und werde ihnen für das Schauspiel, das sie der Welt boten, ewig dankbar sein.

Warum darf man keine Topfblumen verschenken, sondern stets nur Schnittblumen? Sind Topfblumen nicht raffiniert genug? Aber hängt das Raffinement nicht immer eher vom Schenker und der Situation ab als von der Gabe? Ich erinnere mich, mit einer abgebrochenen Geranienblüte in Ermangelung eines riesigen Rosenstraußes einen beträchtlichen Effekt erzielt zu haben. Möglicherweise sind Topfblumen zu dauerhaft und zu nützlich, um dem Aspekt der Verschwendung und des Überflüssigen, den Geschenke von alters her nun einmal haben sollten, genügend zu entsprechen. Das könnte ich verstehen. Dennoch gehören solche Regeln zu der Art von unverständlichen Vorschriften, die den Spaß einschränken. Warum sollte man nicht bei einem großen Abendessen im Smoking der Hausfrau einen Blumentopf mit Petersilie überreichen? Es gehört eine gewisse Souveränität zu einer solchen Gabe, die sollte eben auch vorhanden sein.

Auch die größte Souveränität freilich wird sich schwertun, wenn statt eines Blumenstraußes ein »praktischer« Blumenscheck überreicht werden sollte. Es gibt gewiß Umstände, in denen die Übermittlung von Blumen ohne einen solchen Scheck unmöglich wäre, aber der Charme der Gabe ist dennoch dahin, schon allein weil da nun der Preis steht, in dessen Höhe man sich zu bedienen eingeladen ist. Blumenschecks sind das Privileg unbeweglich gewordener Freunde, bei denen der bloße Umstand, daß sie sich aus ihrer Lage heraus noch imstande fühlen, an andere zu denken und ihnen eine Freude zu machen, rührt und beglückt.

Blumen waren lange das Abzeichen ritterlicher Familien und wurden so auch zum Erkennungszeichen im Kampf, man denke nur an die Kriege zwischen der Weißen und der Roten Rose in England, die ungeachtet des lieblichen Namens »Rosenkriege« fürchterliche Gemetzel waren. Es sprach für eine Verwurzelung tief im Boden alten ständischen Denkens, als sich die kämpferischen Sozialisten die rote Nelke als gemeinsames Abzeichen aller Teilnehmer ihrer Demonstrationen wählten. Einen Sozialisten mit roter Nelke habe ich aber mit eigenen Augen nicht mehr gesehen. Nachdem alle Leute irgendwie sozialistisch fühlten, war für ein Unterscheidungsmerkmal kein Bedarf mehr.

Gleichheit & Ungleichheit

Eine wichtige Frage bei der Betrachtung der Manieren ist ihr Verhältnis zur Demokratie. Zweihundert Jahre Demokratie liegen hinter uns. Die ersten hundert Jahre waren die heroische Kampfzeit, die sich auch an die Phantasie wandte und durchaus eine ästhetische Begeisterung erzeugte. Die Französische Revolution fühlte die Kraft und das Bedürfnis in sich, die gewandelten Machtverhältnisse auch in ästhetisch neue Formen zu gießen. Geniale Künstler entwarfen für die Revolutionäre der Demokratie neuartige Kleidung, neue republikanische Feste anstelle der religiösen, neue Möbel, die irgendwie an das republikanische Rom erinnern sollten und sehr schön waren. Obwohl der künstlerische Schwung dieser Revolutionsjahre sehr groß war und obwohl die cäsaristische Herrschaft Napoleons diesen ästhetischen Impulsen noch ein enormes Fundament politischer Kraft verlieh, das für die Wirksamkeit jeder Kunst erforderlich ist – erfolgreiche Kunst ist immer die Kunst eines mächtigen Landes –, kann man nicht sagen, daß diese Kraft ausreichte, um den europäischen Manieren einen den gewandelten Verhältnissen angemessenen neuartigen Charakter zu verleihen. Die Stiftung von etwas derart Komplexem wie den Manieren ist wahrscheinlich überhaupt nicht durch Willensanstrengungen zu erreichen. Solange die Erinnerung an die Grundelemente der europäischen Manieren also noch nicht vollständig in den Völkern ausgelöscht ist, wird auch das Schönheitsgefühl, das Gefühl für das Angemessene und die Proportion der menschlichen Beziehungen sich – irgendwie, und sei es auch noch so schwach –

an dem orientieren, was in diesem Buch der Einfachheit halber »die Manieren« genannt wurde. Damit steht der moderne Westeuropäer freilich in einer unlösbar widersprüchlichen Situation. Die Demokratie – und das gilt auch für die Diktaturen des Jahrhunderts, die beinahe alle, wenigstens rhetorisch und ästhetisch, demokratisch getönt waren – geht von der Gleichheit aller Menschen aus. Die Manieren aber sind geprägt von der Überzeugung der Ungleichheit. Wer sich als guter Demokrat den Gesetzen der Manieren unterwirft, handelt paradox: wenn er Gesetze macht, orientiert er sich an der Gleichheit, wenn er abends Gäste empfängt, an der Ungleichheit.

Die Demokratie der Amerikanischen und der Französischen Revolution hatten die Gleichheit allerdings nicht erfunden. Als philosophisch-religiöses Theorem war sie schon lange vorher in die Welt gekommen, und zwar durch das Christentum. Diese religiöse Gleichheit war ein harter Brocken für die antiken Kulturen, denn ihr fehlte jegliche Evidenz. Daß die Menschen ungleich waren, war schließlich mit Händen zu greifen. Gleichheit konnte es nur nach einem überaus abstrakten Gesichtspunkt geben, der alles unmittelbar Anschauliche beiseite stellte. Daß die Menschen gleich seien, mußte man glauben – sehen konnte man das nicht. Es war ja nicht so sicher, ob alle, die wie Menschen aussahen, überhaupt Menschen waren, Sklaven und Barbaren jedenfalls waren es nicht so ohne weiteres. Der berühmte Monolog des Shylock aus dem *Kaufmann von Venedig* konnte jedenfalls erst nach 1600 Jahren christlicher Kultur geschrieben werden (»Wenn ihr uns stecht, bluten wir nicht? Wenn es kalt ist, frieren wir nicht?« etc.), denn ein vorchristlicher Jude hätte sich deutlich verbeten, mit den Heiden in einen großen Menschengleichheitstopf geworfen zu werden. Die nördlichen Barbaren, die das Christentum annahmen, fühlten sich aber genötigt, das abstrakt-philosophische Gleichheitsgebot irgendwie mit der Evidenz der Ungleichheit in eine versöhnende Übereinstimmung zu bringen. Deshalb erfanden sie die Lehre von den Ständen. Der

Stand, dem einer angehört, ist zunächst einmal nichts anderes als der Ort, an dem er steht, und dieser Ort ist selbstverständlich nicht gleich dem, an dem die anderen stehen. Die einander gleichen und gleichwertigen Menschen nehmen ungleiche Standorte ein. Diese Stände haben nichts mit der Leistung und der physischen oder geistigen Vortrefflichkeit des Menschen zu tun, sondern mit seinem Schicksal. Anders als in der Antike war der Stand des Menschen nur ein Akzidenz, er berührte nicht seine Essenz. Seltsamerweise war es gerade die Beliebigkeit, mit der die unterschiedlichen Standeslose fielen, die die Ungleichheit über viele Jahrhunderte erträglich machte. Dazu gehörte natürlich auch, daß es dem Ehrgeiz grundsätzlich verwehrt war, die Standesgrenzen zu überschreiten. Die Gesellschaft empfand sich als statisch. Selbstverwirklichung wurde in der vollkommenen Erfüllung der Standespflichten gesehen. Ich möchte hier nicht von einer untergegangenen Harmonie schwärmen. Daß die Realität oft genug sehr unharmonisch aussah, steht aber auf einem anderen Blatt. Wenn Feinde der Demokratie heute oft genug mit grimmigem Hohn auf den riesigen Abstand zwischen demokratischer Verfassung und demokratischer Realität verweisen, kann diese Kritik dennoch niemals daran rütteln, daß die Mentalität unserer Zeit beinahe auf der ganzen Welt demokratisch ist und die Mißstände der Demokratie dieses grundsätzliche Empfinden überhaupt nicht berühren. Die feudale Ständegesellschaft hatte jedenfalls für das grundsätzliche Problem, daß die Menschen zugleich gleich und ungleich sind, eine etwa tausend Jahre lang tragbare Lösung gefunden.

In diesen tausend Jahren sind die Manieren nun immer noch verwurzelt. Der Widerspruch aus Gleichheit und Ungleichheit ist ihre Kraftquelle. Große Bilder, die diesen unauflösbaren Gegensatz in Form brachten, standen jedermann vor Augen, und man dächte sehr unhistorisch, wenn man die Kraft von Bildern unterschätzte und sie, wie es im Blick zurück auf das zwanzigste Jahrhundert angemessen wäre, als bloße Propagandaerfindungen bewerten wollte. Die Kurfürsten, die den

Kaiser gewählt hatten, mußten ihn in ihrem germanischen Häuptlingsstolz beim Essen bedienen, der Kaiser wiederum wusch am Gründonnerstag zwölf Armen die Füße (bis ins Jahr 1918 immerhin) und führte das Pferd des Papstes am Zaumzeug – der Dienergestus schlechthin –, während der Papst sich hinwiederum als Diener der Diener, »servus servorum«, definierte. Dahinter stand das Wort des Stifters der christlichen Religion: »Ihr nennt mich Herr und Meister und ihr tut recht, denn ich bin es, aber ich bin nicht gekommen, um mich bedienen zu lassen, sondern um zu dienen.« Man könnte dieses Wort als Prolog der europäischen Manieren bezeichnen.

Nicolás Gómez Dávila hat die Konsequenz dieses Satzes so ausgedrückt: »Die guten Manieren bestehen aus der Übertragung der Umgangsformen gegenüber Höhergestellten auf den Umgang unter Gleichen.« Daraus ergibt sich der Grundsatz: Der Höhergestellte ist immer der andere. Noch in einer weiteren Beziehung stehen die Manieren in einem Gegensatz zur politischen Gleichheit der Demokratie. Die demokratische Gleichheit verleiht jedem Menschen bestimmte Rechte und erlegt ihm eine Anzahl von Pflichten auf. In den auf dem Grundsatz der Ungleichheit beruhenden Manieren besitzt man selbst überhaupt keine Rechte, sondern nur Pflichten, während der andere nur Rechte und genaugenommen keinerlei Pflichten hat. Man selbst ist dazu verpflichtet, dem anderen mit allen Formen des Respektes und der Liebenswürdigkeit entgegenzukommen, aber daraus ergeben sich aus der eigenen Perspektive für den anderen zunächst gar keine Pflichten. Wie der andere mit den aus seiner Perspektive bestehenden Pflichten zu verfahren gedenkt, ist zunächst einmal seine Sache. Die Blickrichtung der Manieren ist zuerst immer auf die Prärogativen des anderen gerichtet, niemals auf die eigenen. Die eigenen mögen existieren, aber es kommt auf sie nicht an, sie sind am besten aufgehoben in der Person des sich gleichfalls den Gesetzen der Manieren unterwerfenden Gegenübers. Die Manieren leben in dem möglicherweise utopischen Vertrauen, daß der andere die einem selbst eigenen Rechte am allerbesten beschützen wird, so daß man selbst sich darum gar nicht kümmern muß.

Wer die Einhaltung gesellschaftlicher Umgangsformen sich selbst gegenüber einklagt, hat den Geist der Manieren nicht verstanden. Um ein Beispiel zu geben, das aus bescheidenster Sphäre stammt und vielleicht geeignet ist, diese möglicherweise allzu erhaben klingenden Maximen auf den Boden des Alltäglichen zu stellen: Ein Mann hat die Pflicht, vor einer Frau aufzustehen, aber eine Frau hat nicht das Recht, die Einhaltung dieser Pflicht zu fordern. Wer als Mann vor einer Frau nicht aufsteht, tut sich selbst den größten Schaden an; er deklassiert sich in seiner Humanität, oder um es mit den Worten des Erzengels Raphael im Buch Tobias zu sagen: »Wer das Unrechte tut, ist ein Feind seiner eigenen Seele.«

Wie nicht anders zu erwarten, sind die Engel die besten Lehrer der Manieren.

Epilog

Wenn ich die Kapitel dieses Buches abschließend Revue passieren lasse, fallen mir vor allem die Lücken auf, die ich gelassen habe und die ich lassen mußte, denn das Gebiet der Manieren ist genauso groß wie das Leben selbst und genauso wenig vollständig erfaßbar. Überlieferte Regeln treffen in jeder Generation auf neue Menschen, die sie auf neuartige Weise anwenden – alte Gesetze eines kulturellen Raumes werden von Menschen befolgt, die von solchen Gesetzen noch nie etwas gehört haben und glauben, nur ihrem persönlichen Geschmack zu gehorchen. Wenn die Politik in die Manieren eingreift, dann beinahe nie durch Haupt- und Staatsaktionen, sondern durch eine oft auf Zehenspitzen daherkommende Veränderung der Mentalität. Ich habe deshalb festgestellt, daß sich über gewisse Ausprägungen der europäischen Manieren in literarischen Werken mehr erfahren läßt, als man möglicherweise vermutet. Die deutsche Literatur sei weltabgewandt und gesellschaftsfremd, habe ich immer wieder sagen hören, und auf viele deutsche Werke trifft dies Urteil gewiß auch zu, aber ein Goethe könnte in seiner vielfältigen Betrachtung der gesellschaftlichen Sitten ebenso Anspruch auf den Titel eines »Moralisten« erheben wie die Franzosen La Rochefoucauld, Vauvenargues und Chamfort. Thomas Mann zeichnet geradezu akribische Sittenbilder Norddeutschlands und Münchens, Heimito von Doderers Wien bietet reiches Material zur Interpretation der Sitten in Österreich. Ohne den paradoxalen Witz Oscar Wildes und G. K. Chestertons im Gedächtnis zu haben, erschiene manche englische Sitte womöglich noch fremdartiger. Was die Ambivalenz vieler Sitten zwischen schöner Form und blanker Absurdität angeht, gewinnt man einen umfassenden Eindruck bei den großen Spaniern; für mich waren es vor allem Cervantes, Baltasar Gracián und der Kolumbianer Nicolás Gómez Dávila. Eine der umfassendsten Betrachtungen über die Manieren seiner Zeit – die bis in unsere Gegenwart hineinreicht –, ist Marcel Prousts großer Roman, der geradezu die Vollendung dessen ist, was bei den Moralisten begonnen wurde. In der Kultur Äthiopiens war es der Philosoph Zera-Yakob, der im sechzehnten Jahrhundert einen ersten Blick über den Gartenzaun der eigenen Kultur auf den Islam und Europa wagte und mir darin ein Beispiel für den respektvollen Vergleich der Sitten verschiedener Völker geworden ist.

Bei dem vielen, das ich vernachlässigen mußte, schmerzt mich vor allem, daß ich der Frage der Manieren in extremen Situationen nicht ausführlicher nachgehen konnte. Gehört die alte europäische Regel, bei Schiffbrüchigen den Frauen und Kindern bevorzugt Plätze im Rettungsboot anzubieten, eigentlich noch in das Gebiet der Manieren, oder ist hier bereits eine andere Sphäre berührt? Eine wichtige Frage hat auch ein französischer Edelmann aufgeworfen, der mit anderen darauf wartete, daß ihn der Henker auf das Brett der Guillotine schnallte: »Was gibt man so einem Mann?« Die Frage war berechtigt. Im Mittelalter durfte der Henker bei vornehmen Delinquenten ein angemessenes Andenken erwarten, einen schönen Ring zum Beispiel – ein Geschenk mit Hintergedanken: Es sollte den Beschenkten dazu bringen, mit dem Beil so schwungvoll und präzise wie möglich zuzuschlagen, um dem Herrn ein qualvolles Ende zu ersparen.

Meine kühne Hoffnung geht nun dahin, daß solche und ähnliche Notlagen nach Lektüre dieses Buches leichter geklärt werden können – auch wenn deren Erörterung im einzelnen unterblieben ist. Das Bild zu ergänzen dürfte für die Spurenleser der Manieren im realen Leben und in der Literatur nicht nur möglich, es müßte ihnen sogar ein Vergnügen sein.

Sachregister

Personenregister

Biographische Notiz

Asfa-Wossen Asserate, ein Prinz aus dem äthiopischen Kaiserhaus, wurde im Jahre 1948 in Addis Abeba geboren. Nach der äthiopischen Revolution von 1974 ließ er sich in Deutschland nieder. In Tübingen und Cambridge hat er Jura und Geschichte studiert und in Frankfurt am Main promoviert. Er war als Journalist und als Pressechef der Düsseldorfer Messegesellschaft tätig und arbeitet heute als Unternehmensberater für Afrika und den Mittleren Osten in Frankfurt am Main. Prinz Asfa-Wossen Asserate ist Begründer der ersten Menschenrechtsorganisation für Äthiopien und des »Orbis Aethiopicus«, der Gesellschaft für die Erhaltung und Förderung der äthiopischen Kultur. Sein Engagement für eine politische und wirtschaftliche Erneuerung der Verhältnisse in seinem Land dauert nun über drei Jahrzehnte an.

Inhalt

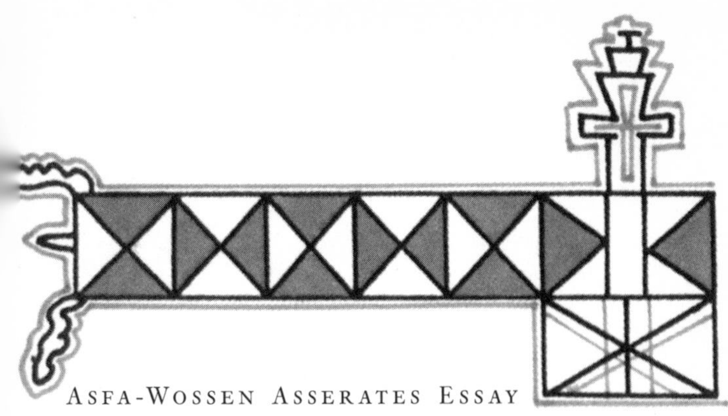

ASFA-WOSSEN ASSERATES ESSAY ÜBER DIE MANIEREN ist im Oktober 2003 als zweihundertsechsundzwanzigster Band der *Anderen Bibliothek* im Eichborn Verlag, Frankfurt am Main, erschienen.

Die Vignetten – amharisch *hareg* –, mit denen das Buch geschmückt ist, entstammen der altäthiopischen Handschriftenmalerei. Sie wurden von Carla Zanotti aus den Beständen des Institute of Ethiopian Studies an der Universität von Addis Abeba zugänglich gemacht. Die Photographie auf der Seite 7 stammt von Günter Pfannmüller.

Das Lektorat lag in den Händen von Rainer Wieland.

DIESES BUCH wurde in der Korpus Van Dijck Antiqua von Wilfried Schmidberger in Nördlingen gesetzt.

Ausstattung & Typographie franz.greno@libero.it